KB087368

영재 사고력수학 필즈

베이직 하

CONTENTS

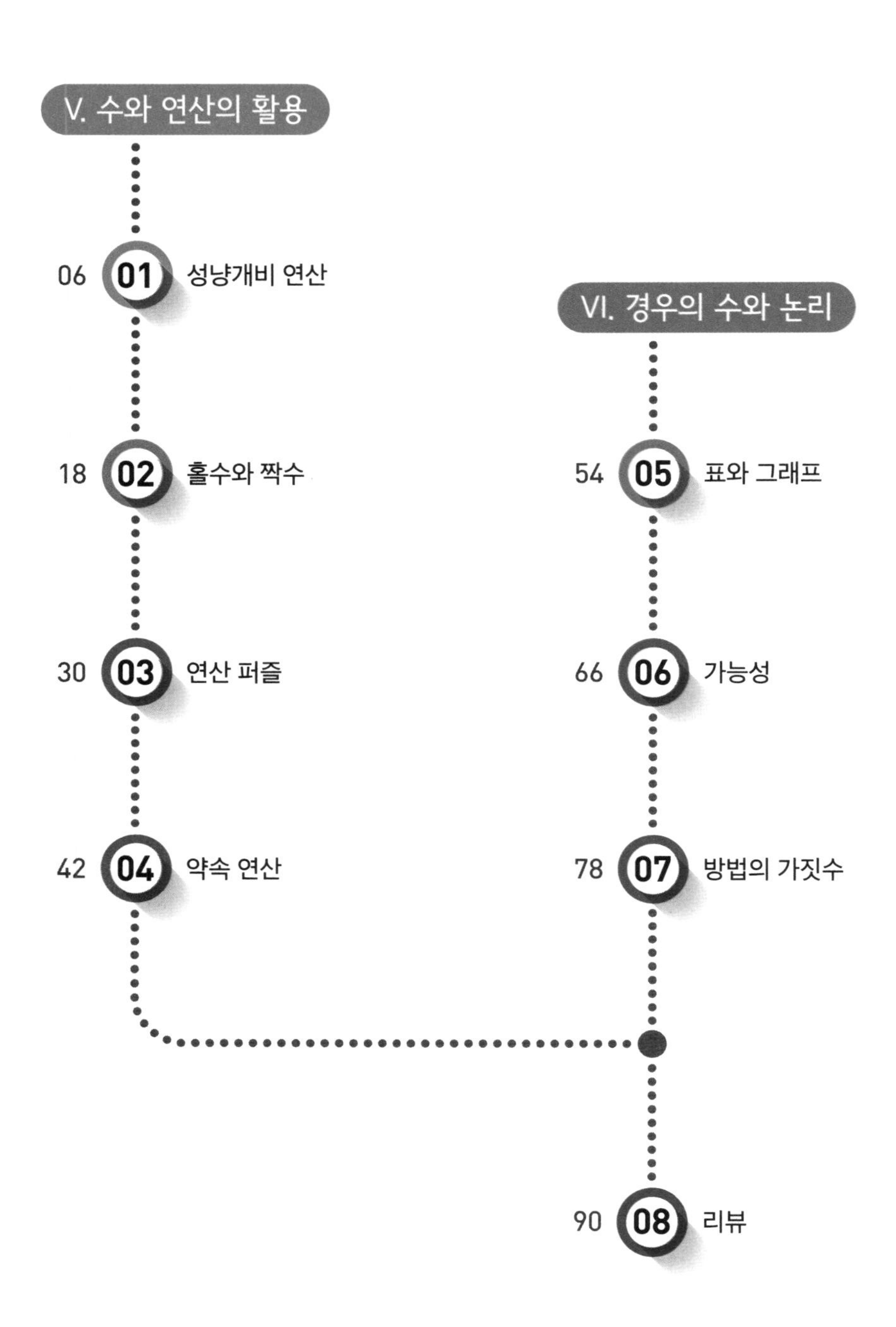

서문

이 책을 공부하게 될 친구들에게

저자는 영재교육원 관찰추천제를 대비하기 위한 「필즈수학」 시리즈를 출판하였고, 창의적 문제해결력을 기르고, 영재교육원 대비에 도움이 될 수 있도록 관찰추천제 가이드 북을 제시하였습니다.

「필즈수학」 시리즈는 수학에 대한 호기심이 있는 학생들이라면 도전해 보고 싶은 주제들로 구성되어 있고, 교재의 수준과 깊이에서 일정 수준 이상의 개념과 수학적 경험을 갖춘 학생들이라면 접근해 볼 수 있는 면이 있어 영재교육원을 준비하지 않더라도 상위권 학생들을 중심으로 꾸준한 사랑을 받고 있습니다.

이러한 이유로 많은 학생들과 학부모들이 기존 「필즈수학」 시리즈로 공부할 수 있는 학생들보다 좀 더 어린 학생들을 대상으로 하는 교재의 출판을 바라왔습니다. 이러한 요구를 반영해 수와 연산, 패턴, 도형, 측정, 문제 해결 방법 등을 주제로 하는 유년기 또는 초등 저학년 학생들을 위한 「필즈 베이직」 시리즈를 내놓게 되었습니다.

수학은 위계의 학문입니다. 하위 개념에 대한 정확한 이해 없이 상위 개념을 접하게 되면 언제든지 무너질 수 있는 학문이라는 뜻입니다. 이 문제는 유사 문항을 단순 반복하여 여러 번 풀어본다고 해결되지 않으며, 무의미한 반복과 과도한 학습량은 오히려 수학에 대한 흥미를 떨어뜨려 수학 공부에 방해가 될 수 있습니다. 또한, 수학적 사고력은 개념 ➡ 기본 ➡ 응용 ➡ 심화와 같이 선형적으로 발전하지도 않습니다. 스스로 부딪쳐서 해결하는 과정에서 개념을 더 완벽히 이해할 수 있고, 깊이 있는 문제를 접하며 논리적 도약을 이뤄낼 수 있을 때 수학적 사고력이 발전하는 것입니다. 수학은 많은 학부모들이 오해하듯이 '선천적 재능을 타고나야 잘할 수 있는 과목'이 아닙니다. 아이들에게 환경과 기회를 어떻게 제공했는지에 따라 아이들의 수학 실력은 달라질 수 있습니다.

「필즈 베이직」 시리즈는 유년기와 초등 저학년 학생들이 무엇을 가지고 어떻게 수학을 시작해야 하는지를 제시하고, 수학적 사고력을 길러 상위 개념으로, 다음 과정으로 진입할 수 있게 하는 마중물이 될 것입니다.

강신흥

이 책의 구성과 특징

유형 제시

어떤 문제를 공부하게 될까?

단원의 대표적인 사고력 문제 유형을 아이들의 대화를 통해 딱딱하지 않게 제시함으로써 학생들이 좀 더 재미있고 쉽게 이해할 수 있도록 도와줍니다.

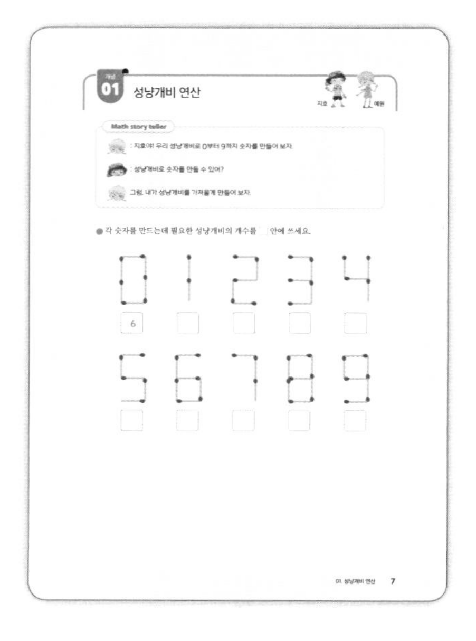

개념 01 성냥개비 연산

지호 예원

Math story teller

: 지호야! 우리 성냥개비로 0부터 9까지 숫자를 만들어 보자.

: 성냥개비로 숫자를 만들 수 있어?

그럼. 내가 성냥개비를 가져올게 만들어 보자.

● 각 숫자를 만드는데 필요한 성냥개비의 개수를 안에 쓰세요.

0 1 2 3 4

6

5 6 7 8 9

01. 성냥개비 연산 7

대표 문제

문제를 어떻게 접근해야 할까?

문제 해결의 핵심을 알려줌으로써 어려워 보이는 문제를 편하게 접근할 수 있는 친절한 선생님의 역할을 합니다.

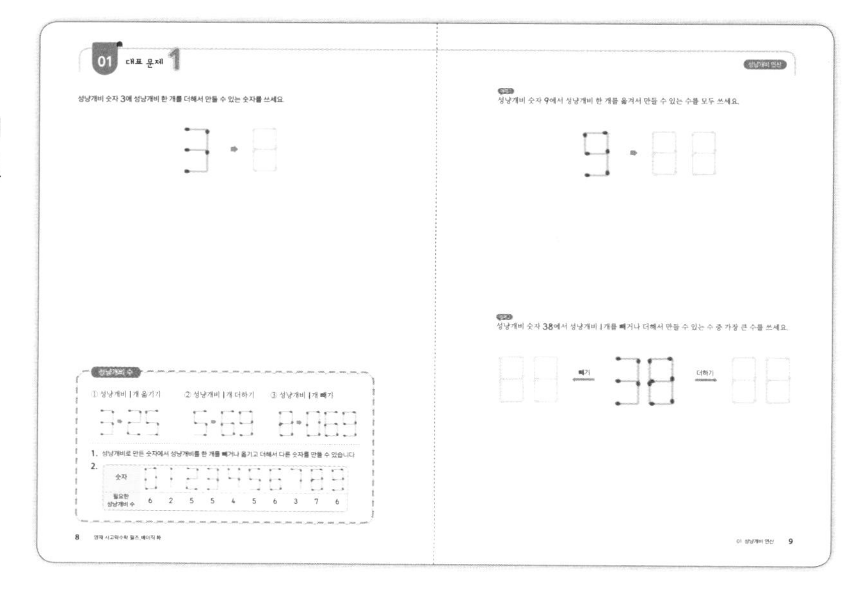

01 대표 문제 1

성냥개비 숫자 3에 성냥개비 한 개를 더해서 만들 수 있는 숫자를 쓰세요.

성냥개비 수

① 성냥개비 1개 옮기기 ② 성냥개비 1개 더하기 ③ 성냥개비 1개 빼기

3→25 5→69 8→069

1. 성냥개비로 만든 숫자에서 성냥개비를 한 개를 빼거나 옮기고 더해서 다른 숫자를 만들 수 있습니다

2.

숫자	0	1	2	3	4	5	6	7	8	9
필요한 성냥개비 수	6	2	5	5	4	5	6	3	7	6

8 영재 사고력수학 필즈_베이직 하

성냥개비 연산

성냥개비 숫자 9에서 성냥개비 한 개를 옮겨서 만들 수 있는 수를 모두 쓰세요.

성냥개비 숫자 38에서 성냥개비 1개를 빼거나 더해서 만들 수 있는 수 중 가장 큰 수를 쓰세요.

빼기 더하기

01. 성냥개비 연산 9

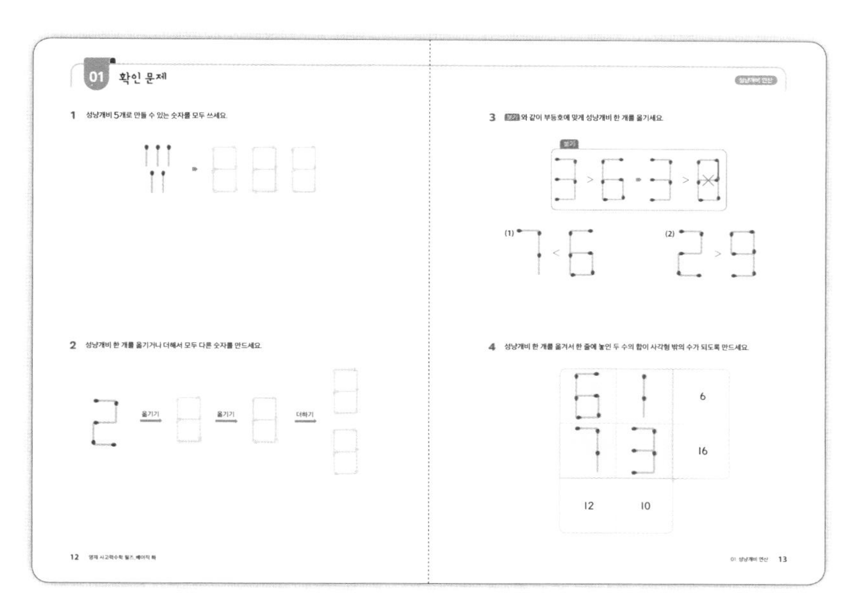

확인 문제

혼자서 해결하자!

유형 제시와 대표 문제에서 만난 문제들이 다양한 형태로 변형되어 나옵니다. 변형된 여러 문제들을 학생이 혼자 해결해봄으로써 해당 문제 유형의 이해를 높입니다.

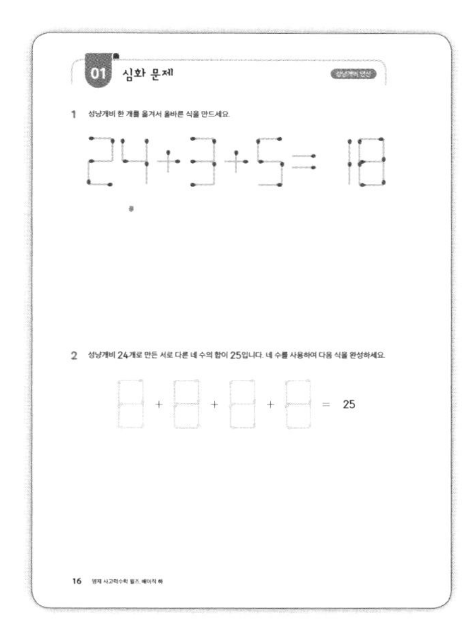

심화 문제

실력을 높이자!

기존 학습 문항들보다 난이도가 높은 문항에 도전하고 해결하는 과정에서 학생의 과제집착력을 기르고, 성취감을 맛볼 수 있게 합니다.

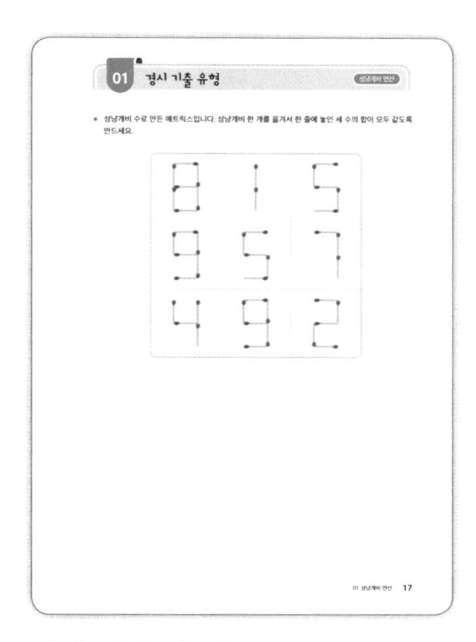

경시 기출 유형

도전!!

기존 경시대회 문제들과 유사한 형태의 문제를 해결하는 과정에서 다양한 각도에서 문제를 접근하고 수학적 해결 전략을 구사하는 능력을 향상시킵니다.

영재사고력수학 필즈 로드맵

예비 초등학생과 초등학교 저학년을 위한 [필즈수학] 시리즈

교재	예비 초등학생, 초등학교 1학년을 위한 킨더	초등학교 1, 2학년을 위한 베이직	초등학교 2, 3학년을 위한 입문
상	모으기와 가르기	고대의 수	마방진
	덧셈식과 뺄셈식	수와 숫자	조건에 맞는 수
	목표수 만들기	카드로 만든 수	복면산과 도형이 나타내는 수
	줄서기	수 퍼즐	곱셈구구
	모양 패턴	여러 가지 패턴	수열
	증감 패턴	이중패턴과 □번째 모양	수 배열의 규칙
	수 배열표	유비추론	도형 패턴
중	전체와 부분	색종이 접고 자르기	도형의 개수
	모양 겹치기	도형의 연결	도형 붙이기
	길이와 들이 비교	길이 비교	쌓기나무
	달력	무게 비교	잴 수 있는 길이
	선 잇기 퍼즐	포함 관계	간격과 개수
	이동 경로	님 게임	여러 가지 방법으로 해결하기
	가위바위보	동전과 성냥개비	재치있게 해결하기
하	□가 있는 식	성냥개비 연산	어떤 수 구하기1
	가로세로 수 퍼즐	홀수와 짝수	연속수의 합
	주고 받기	연산 퍼즐	수 만들기
	연산 규칙	약속 연산	어떤 수 구하기2
	속성	표와 그래프	길의 가짓수
	위치와 순서	가능성	리그와 토너먼트
	색칠하기	방법의 가짓수	논리 추리

초등학교 고학년을 위한 [필즈수학] 시리즈

교재	초등학교 3, 4학년을 위한 초급	초등학교 4, 5학년을 위한 중급	초등학교 5, 6학년을 위한 고급
상	연속수	대칭수	연속수의 성질
	숫자 카드	수와 숫자의 개수	수와 숫자의 합
	가장 큰 곱 만들기	연속수의 합으로 나타내기	배수판정법
	도형이 나타내는 수	포포즈	약수의 개수
	벌레 먹은 셈	크기가 같은 분수	끝수와 0의 개수
	숫자의 개수	복면산	수와 식 만들기
	마방진	여러 가지 마방진	진법 활용
	도형 붙이기	도형 나누기와 맞추기	타일 붙이기
	주사위	도형의 개수	직육면체
	거울에 비친 모양	점을 이어 만든 도형의 개수	입체도형
	원	정육면체	쌓기나무
	가로수와 통나무	나이	뉴튼산
	가정하여 풀기	포함과 배제	거꾸로 생각하기
	저울을 이용하여 풀기	나머지	작업 능률
	재치있게 풀기	속력	극단적으로 생각하기
하	쌓기나무	붙여 만든 도형의 둘레	단위넓이의 활용
	덮기와 넓이	달력	겹쳐진 부분의 넓이
	색종이 자르기와 접기	평행과 도형의 내각	도형의 둘레와 넓이
	눈금없는 길이와 무게	바닥깔기	등적 분할
	모래시계	접기와 각	삼각형을 이용한 각도 구하기
	도형 유추	시계와 각	고장난 시계
	패턴	규칙 찾아 도형의 개수 세기	피보나치 수열
	간단한 수열	교점과 영역의 개수	여러 가지 수열의 활용
	간단한 규칙 찾기	수의 배열의 규칙	복잡한 규칙
	규칙 찾아 간단하게 계산하기	약속	그래프 읽기
	리그와 토너먼트	지불할 수 없는 동전	색칠하기
	최단거리	무게가 다른 금화 찾기	여러 가지 경우의 수
	논리 추리	연역적 논리	입체에서의 최단거리
	한붓그리기	비둘기 집	홀수 짝수
	성냥개비	님 게임	참말족과 거짓말족

성냥개비 연산

개념 01 성냥개비 연산

Math storyteller

 : 지호야! 우리 성냥개비로 0부터 9까지 숫자를 만들어 보자.

 : 성냥개비로 숫자를 만들 수 있어?

 : 그럼. 내가 성냥개비를 가져올게 만들어 보자.

● 각 숫자를 만드는 데 필요한 성냥개비의 개수를 □ 안에 쓰세요.

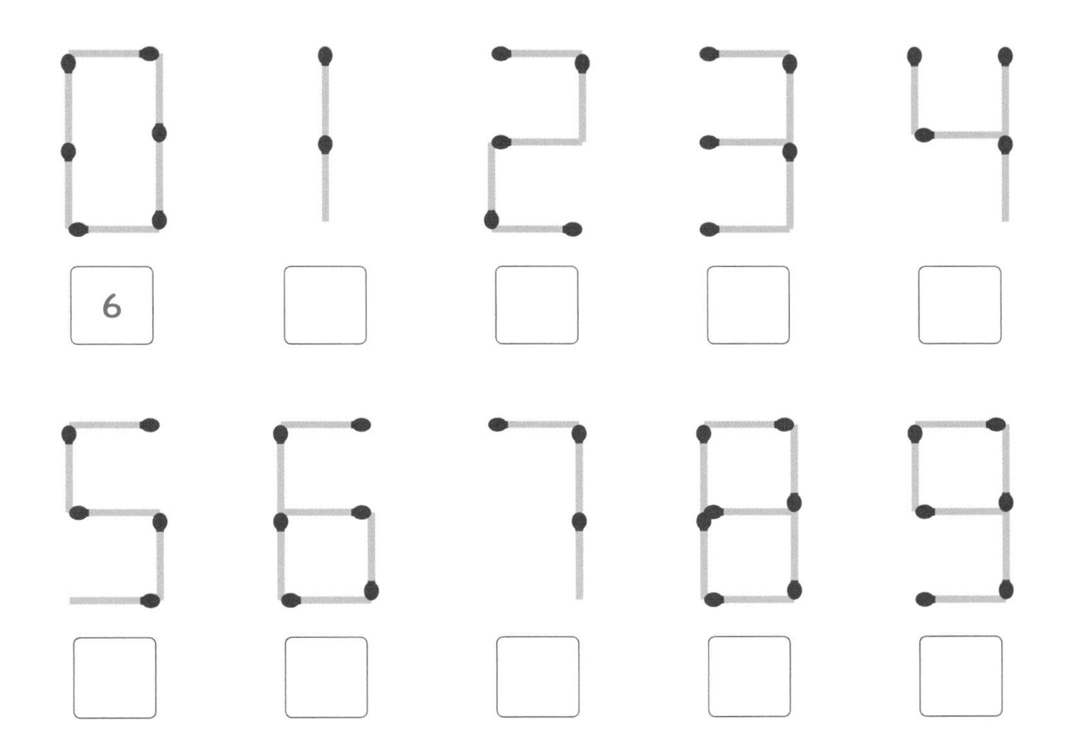

01 대표 문제 1

성냥개비 숫자 3에 성냥개비 한 개를 더해서 만들 수 있는 숫자를 쓰세요.

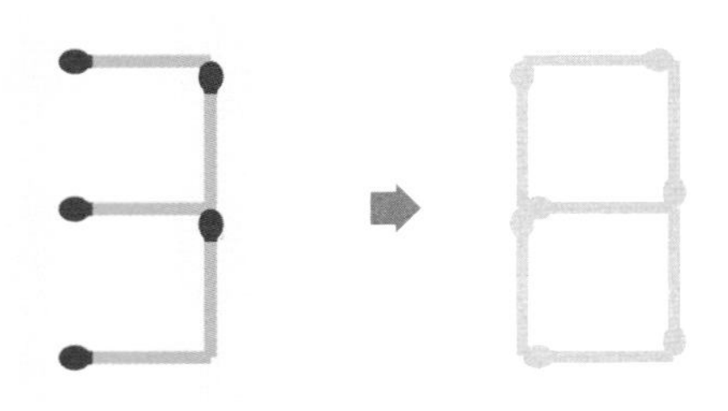

성냥개비 수

① 성냥개비 1개 옮기기

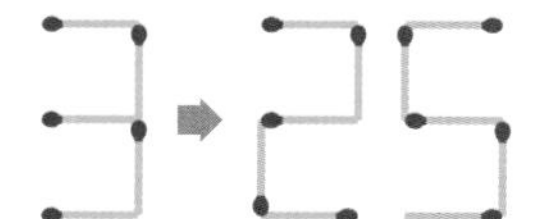

② 성냥개비 1개 더하기

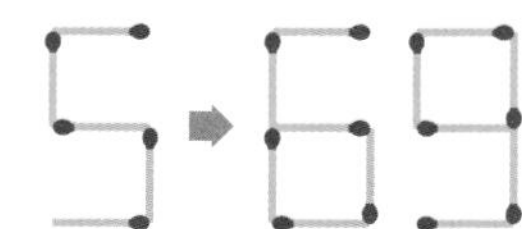

③ 성냥개비 1개 빼기

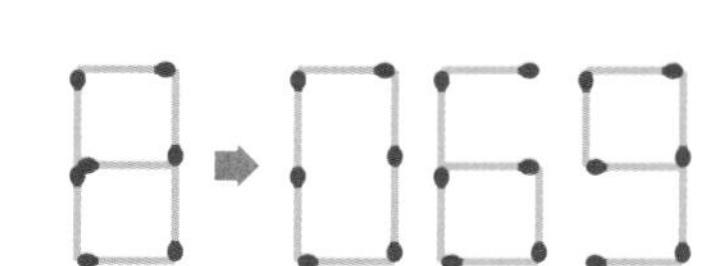

1. 성냥개비로 만든 숫자에서 성냥개비 한 개를 빼거나 옮기고 더해서 다른 숫자를 만들 수 있습니다.

2.

숫자	0	1	2	3	4	5	6	7	8	9
필요한 성냥개비 수	6	2	5	5	4	5	6	3	7	6

예제 1

성냥개비 숫자 9에서 성냥개비 한 개를 옮겨서 만들 수 있는 수를 모두 쓰세요.

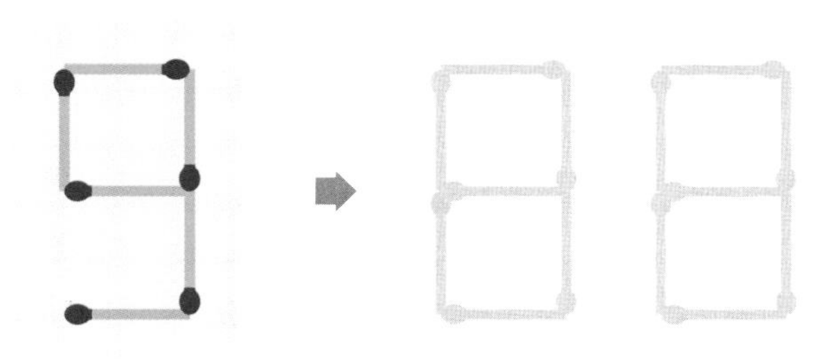

예제 2

성냥개비 숫자 38에서 성냥개비 1개를 빼거나 더해서 만들 수 있는 수 중 가장 큰 수를 쓰세요.

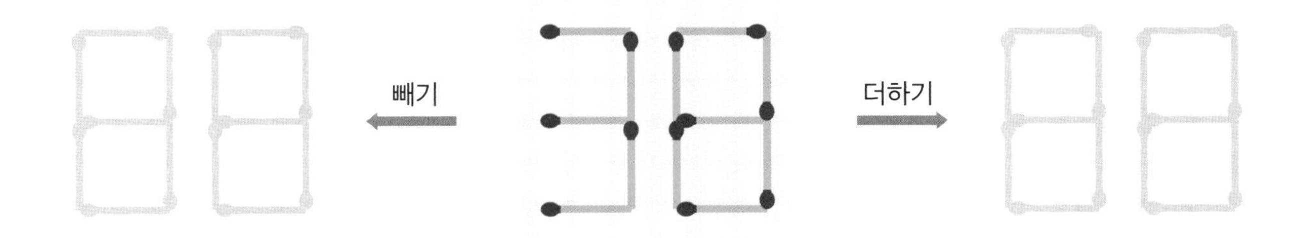

01 대표 문제 2

성냥개비 한 개를 빼서 올바른 식을 만들려고 합니다. 빼야 하는 성냥개비에 ×표 하세요. (두 가지 방법이 있습니다.)

[방법 1]

[방법 2]

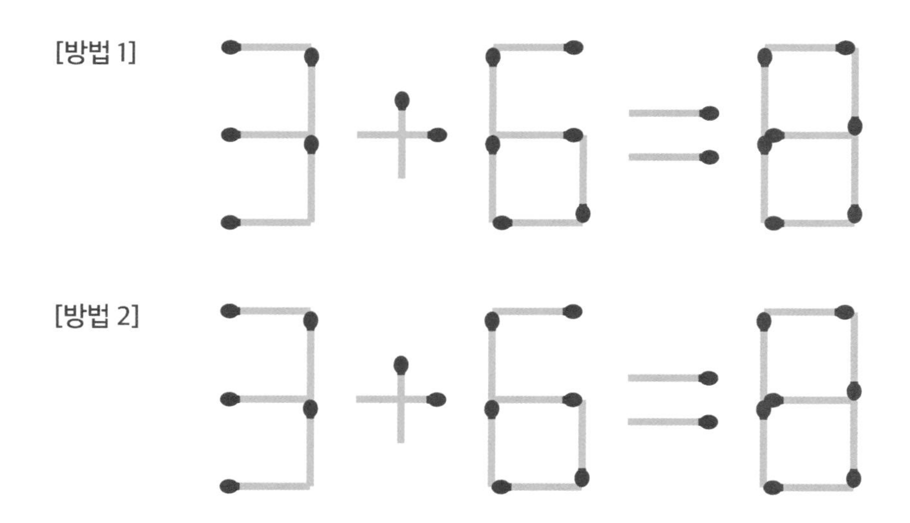

성냥개비 연산

[잘못된 식] [올바른 식]

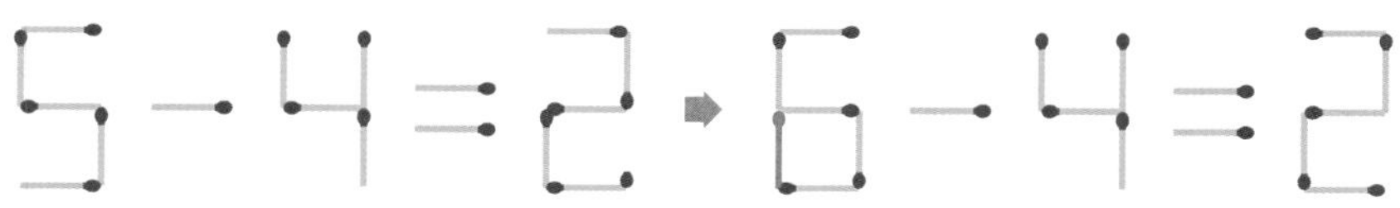

: 성냥개비 1개를 더해서 5를 6으로 만들었습니다.

[잘못된 식] [올바른 식]

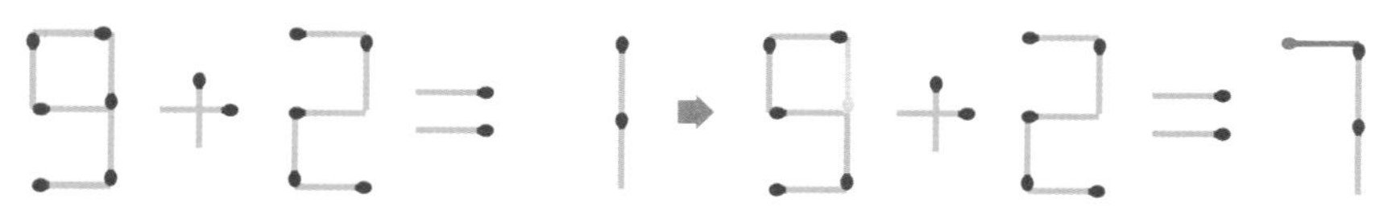

: 성냥개비 1개를 옮겨서 9를 5, 1을 7로 만들었습니다.

1. 성냥개비로 만든 식은 성냥개비 수와 성냥개비로 만든 연산 기호로 이루어진 식입니다.
2. 성냥개비로 만든 연산 기호(－, ＋)에서 성냥개비 1개를 빼거나 더하여 올바른 식을 만들 수 있습니다.
3. 성냥개비로 만든 식의 숫자나 연산 기호에서 뺀 성냥개비를 다른 숫자나 연산 기호로 옮겨서 올바른 식을 만들 수 있습니다.

예제 1

성냥개비 한 개를 더해서 올바른 식을 만드세요.

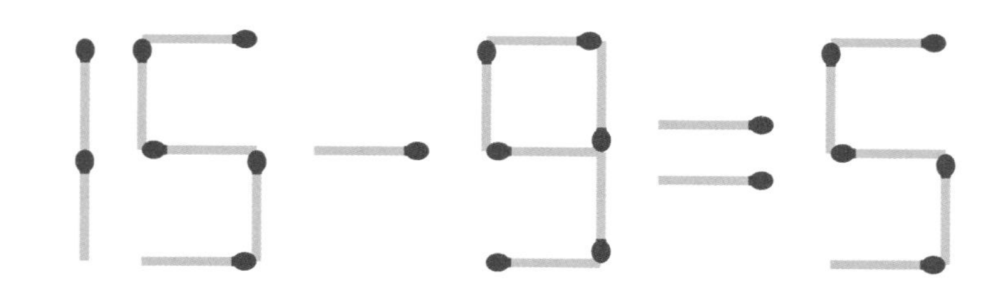

예제 2

성냥개비 한 개를 빼서 올바른 식을 만들려고 합니다. 빼야 하는 성냥개비에 ×표 하세요.

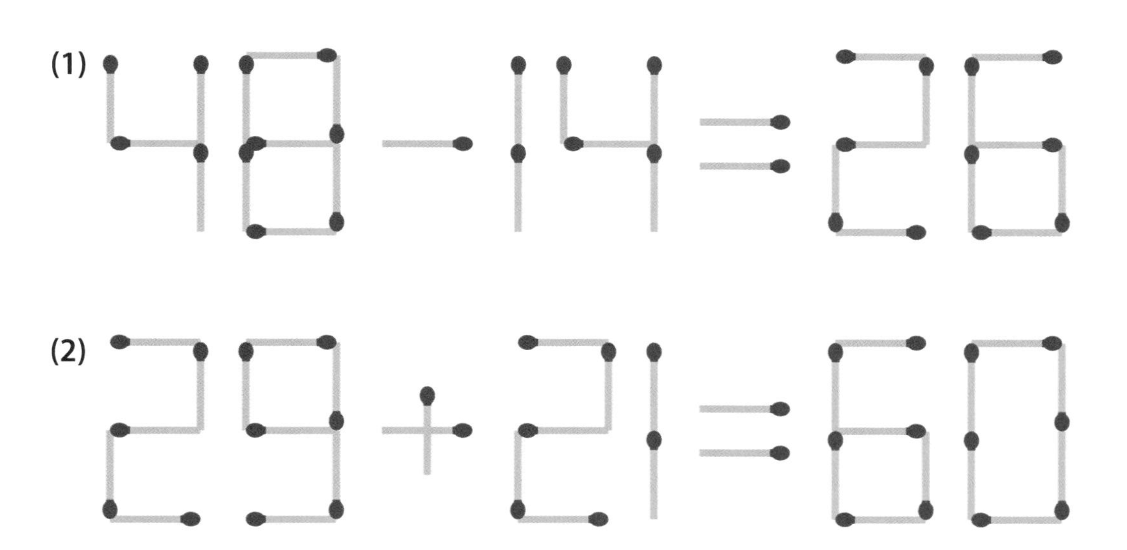

01 확인 문제

1 성냥개비 5개로 만들 수 있는 숫자를 모두 쓰세요.

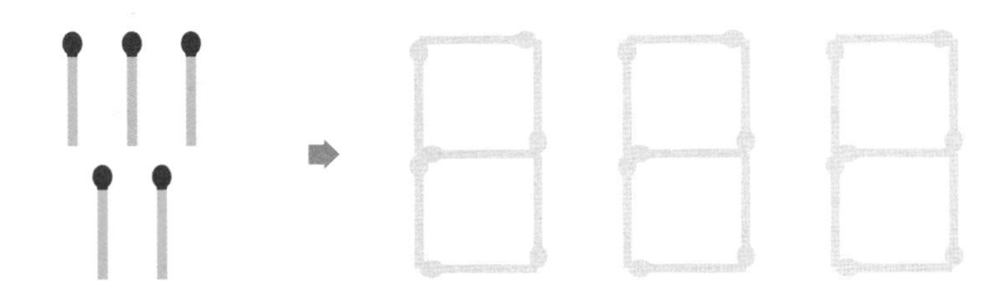

2 성냥개비 한 개를 옮기거나 더해서 모두 다른 숫자를 만드세요.

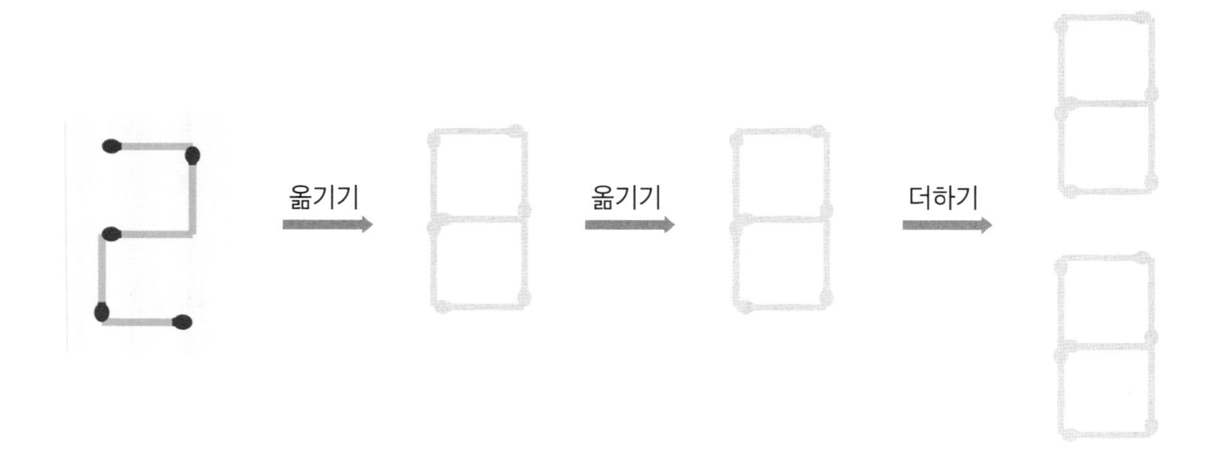

3 보기 와 같이 수의 크기에 맞게 성냥개비 한 개를 옮기세요.

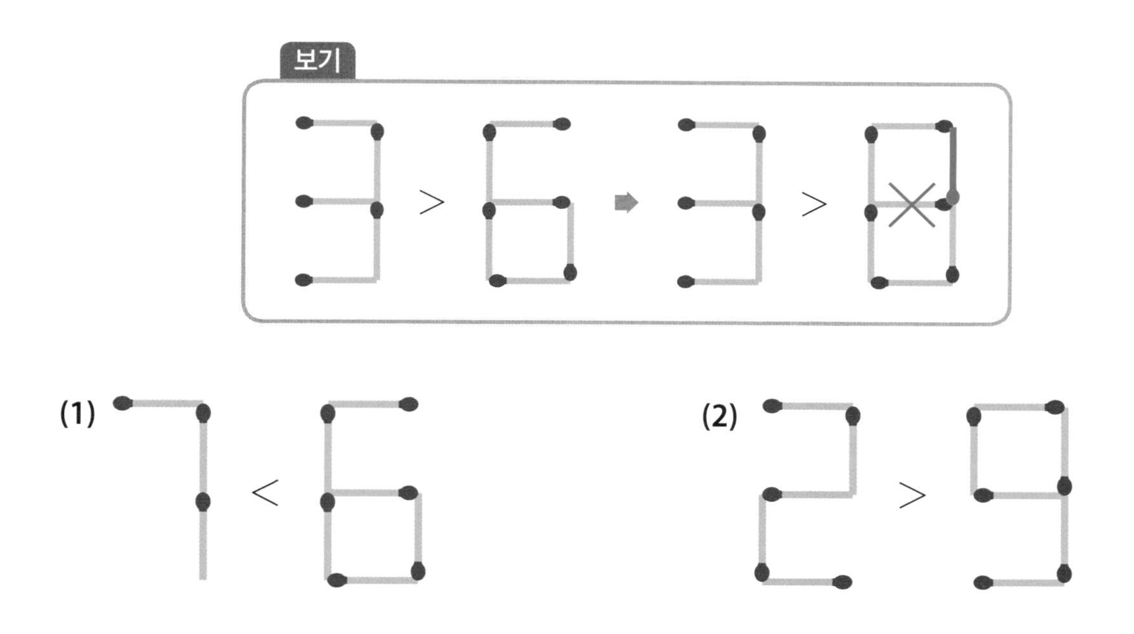

4 성냥개비 한 개를 옮겨서 한 줄에 놓인 두 수의 합이 사각형 밖의 수가 되도록 만드세요.

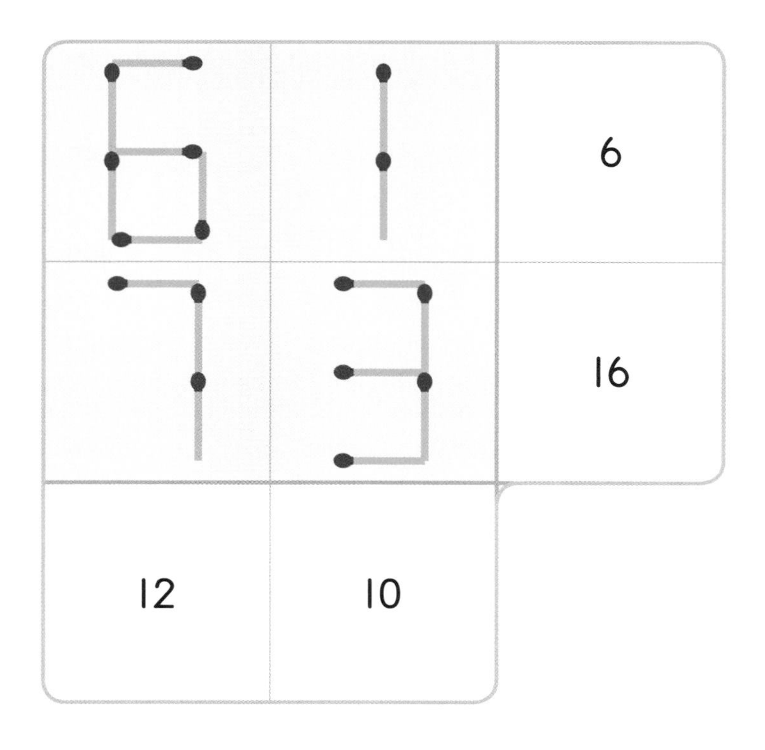

01 확인 문제

5 성냥개비 한 개를 빼서 올바른 식을 만들려고 합니다. 빼야 하는 성냥개비에 ×표 하세요. (두 가지 방법이 있습니다.)

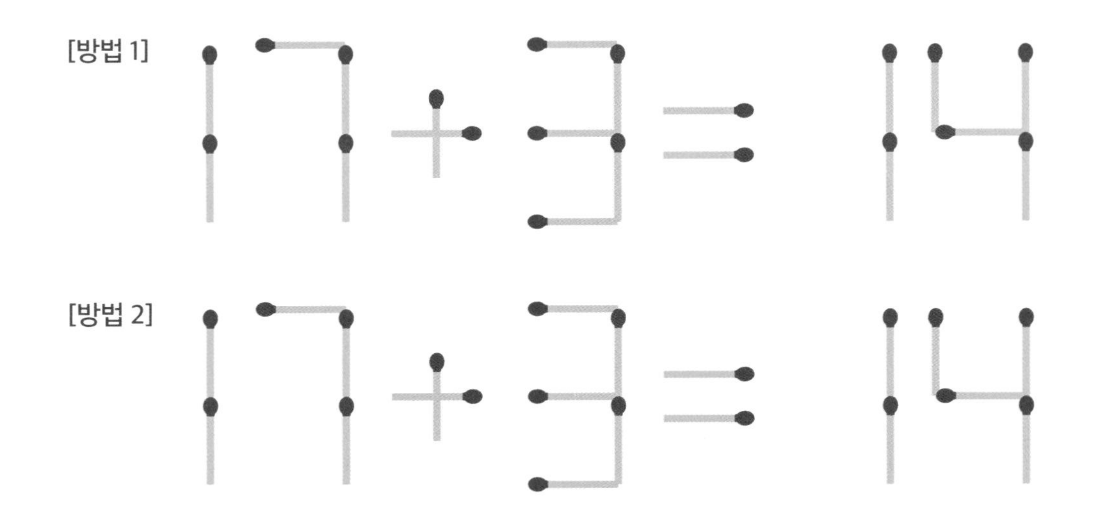

6 지호가 다음과 같이 색칠하여 식을 나타내고 있습니다. 한 칸 더 색칠하여 올바른 식을 만드세요.

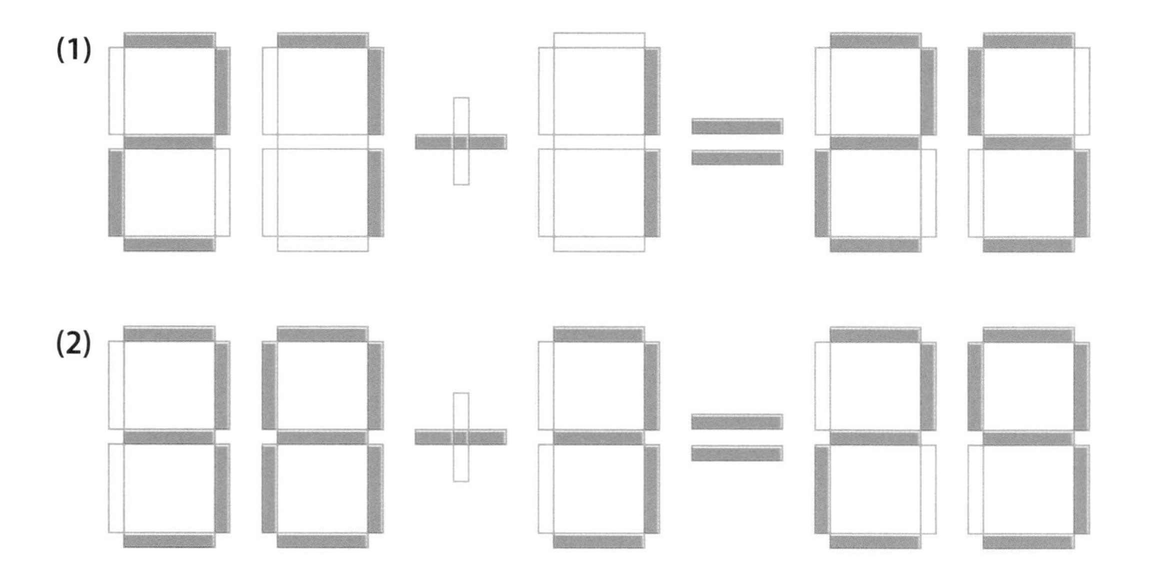

7 보기 와 같이 성냥개비 한 개를 옮겨서 올바른 식을 만드세요.

보기

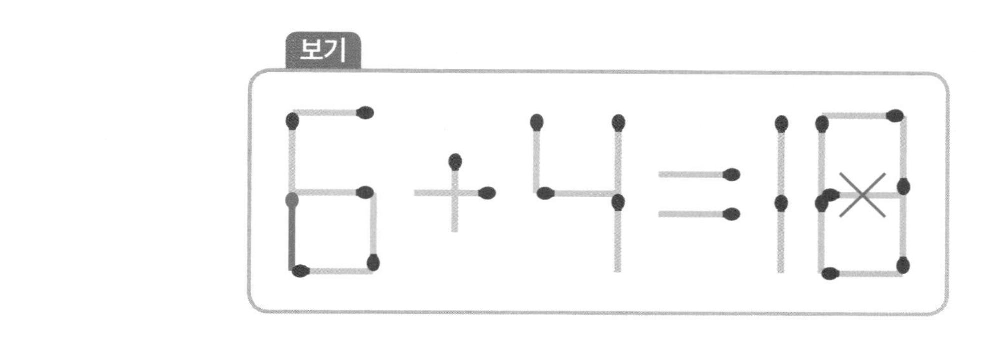

(1)

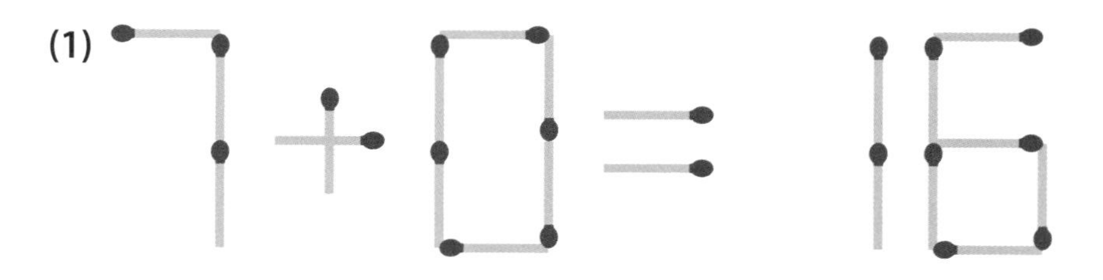

(2)

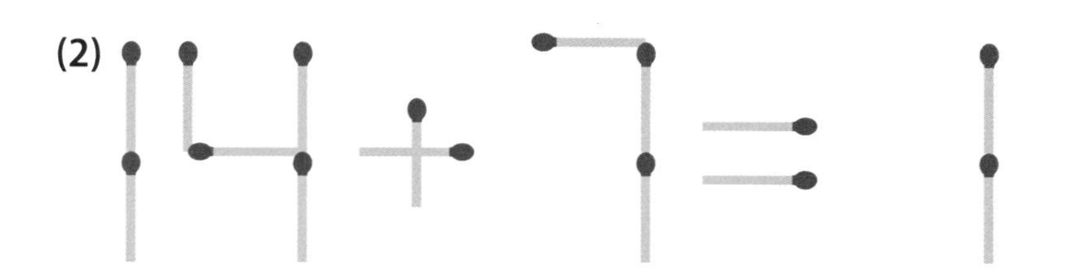

(3)

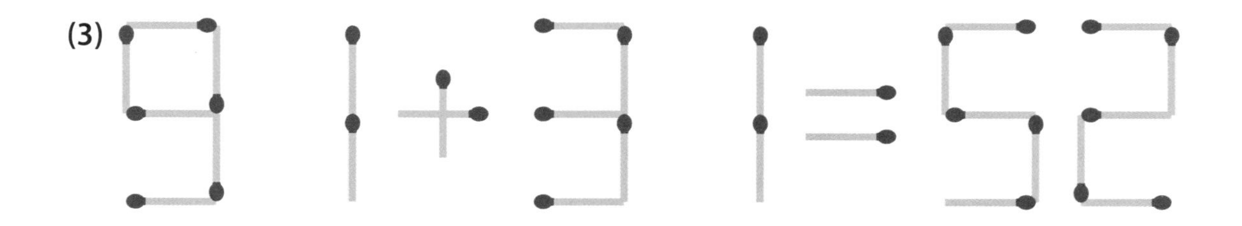

01 심화 문제

1 성냥개비 한 개를 옮겨서 올바른 식을 만드세요.

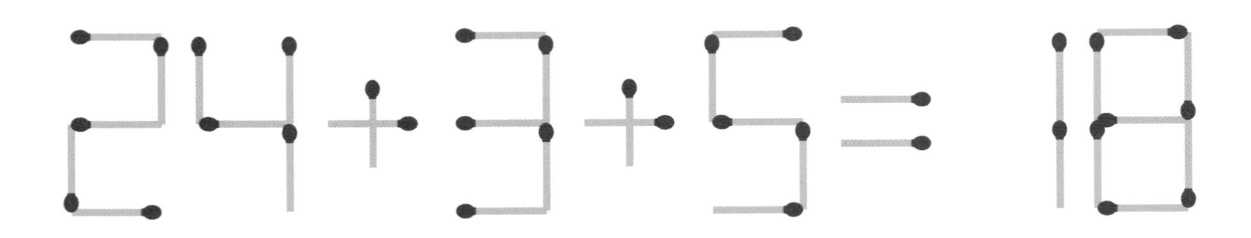

2 성냥개비 19개로 만든 서로 다른 세 수의 합이 23입니다. 세 수를 사용하여 다음 식을 완성하세요.

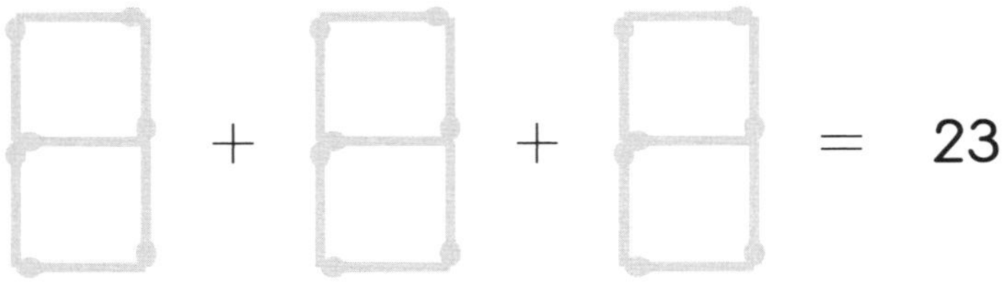

+ + = 23

- 성냥개비 수로 만든 매트릭스입니다. 성냥개비 한 개를 옮겨서 한 줄에 놓인 세 수의 합이 모두 같도록 만드세요.

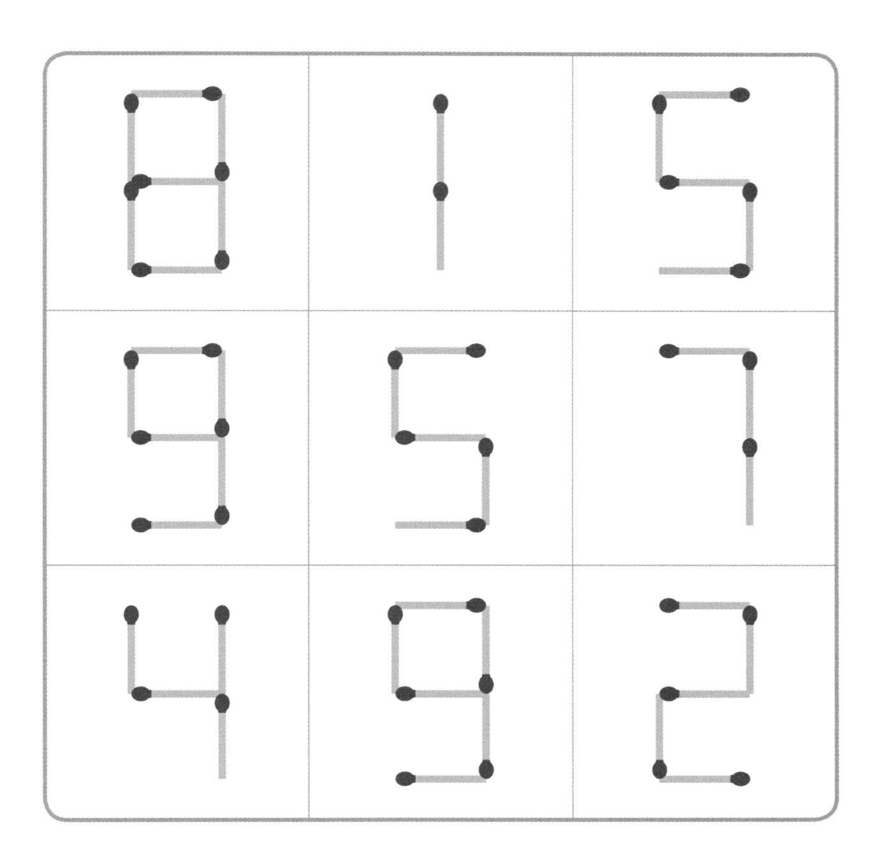

02

홀수와 짝수

홀수와 짝수

Math storyteller

: 우리 땅따먹기 게임하자. 게임에서 이기면 땅을 한 칸씩 가지는 거야. 칸은 모두 16개야. 더 이상 차지할 땅이 없으면 게임이 끝나는 거야.

: 그래. 재미있겠다.

● 예원이가 차지한 땅의 칸이 짝수 개라면 지호가 차지한 땅의 칸 수는 홀수 개입니까? 짝수 개입니까?

● 예원이가 차지한 땅의 칸이 홀수 개라면 지호가 차지한 땅의 칸 수는 홀수 개입니까? 짝수 개입니까?

02 대표 문제 1

□ 안에 알맞은 수가 홀수인지, 짝수인지 쓰세요.

보기

(홀수)+42=[홀수]

(1) 3+(홀수)=□

(2) 4+□=(짝수)

(3) 14+□=(홀수)

(4) □+28=(짝수)

홀수와 짝수의 합

➡ (짝수)+(짝수)=(짝수)

➡ (홀수)+(홀수)=(짝수)

➡ (짝수)+(홀수)=(홀수)

1. 2개씩 짝을 지어 남는 것이 없으면 짝수, 1개가 남으면 홀수라고 합니다.
2. 홀수는 일의 자리 숫자가 1, 3, 5, 7, 9인 수입니다.
3. 짝수는 일의 자리 숫자가 0, 2, 4, 6, 8인 수입니다.

예제 1

예원이의 양손에는 사탕이 모두 13개 있습니다. 왼손에 있는 사탕이 짝수 개일 때, 오른손에 있는 사탕은 홀수 개입니까? 짝수 개입니까?

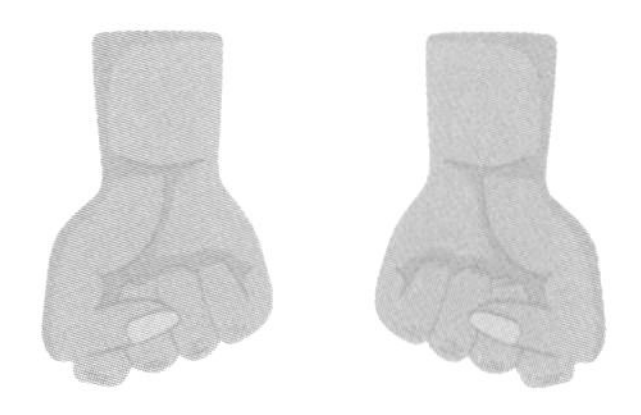

예제 2

□ 안에 들어갈 수 있는 수 카드의 기호를 모두 쓰세요.

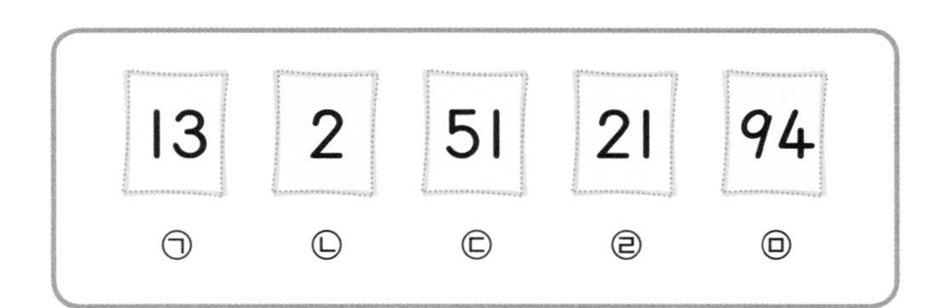

(1) (짝수) + □ = (홀수)

(2) (짝수) + □ = (짝수)

(3) (홀수) + □ = (홀수)

(4) □ + (짝수) = (홀수)

02 대표 문제 2

양면이 다음과 같은 카드 두 장이 있습니다. 카드를 모두 그림이 보이도록 놓은 후 주어진 횟수만큼 뒤집었습니다. 뒤집기가 끝나면 각 카드는 그림과 숫자 중 어느 것이 보입니까?

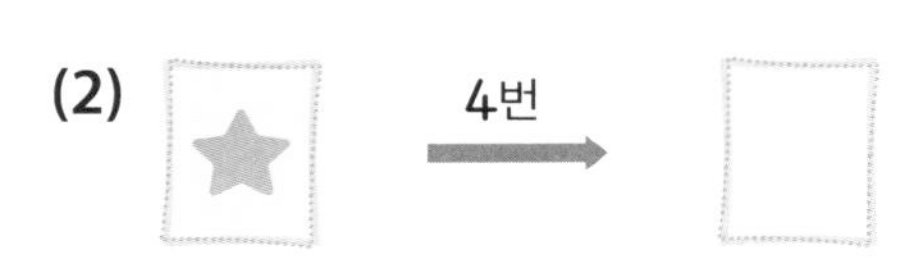

카드 뒤집기

: 그림면이 보이는 카드를 1번, 3번 뒤집으면 숫자면이 나오고, 2번, 4번 뒤집으면 그림면이 나옵니다.

: 숫자면이 보이는 카드를 1번, 3번 뒤집으면 그림면이 나오고, 2번, 4번 뒤집으면 숫자면이 나옵니다.

1. 카드를 홀수 번 뒤집으면 처음과 다른 면이 나옵니다.
2. 카드를 짝수 번 뒤집으면 처음과 같은 면이 나옵니다.

예제 1

한쪽 면이 그림면, 다른 쪽 면이 숫자면인 카드 6장이 다음과 같이 놓여 있습니다. 주어진 횟수만큼 뒤집었을 때 보이는 면이 그림면인 카드에 모두 ○표 하세요.

예제 2

버튼을 한 번 누르면 불이 꺼져있는 버튼은 켜지고, 불이 켜져있는 버튼은 꺼집니다. 불이 꺼져있는 버튼을 17번 누르면 버튼은 불이 켜질까요? 꺼질까요?

02 확인 문제

1 다음 중 옳은 말을 한 친구는 누구입니까?

짝수 더하기 홀수는 짝수야.
연필 3자루를 가지고 있는데 연필을 짝수 자루만큼 더 사면 연필은 모두 홀수 자루야.
사탕 15개 중에 사탕을 홀수 개만큼 먹으면 남은 사탕의 개수도 홀수 개야.
예원
지호
수아

2 목걸이의 총 구슬 개수가 홀수 개라면 가려진 부분의 구슬 개수는 홀수입니까? 짝수입니까?

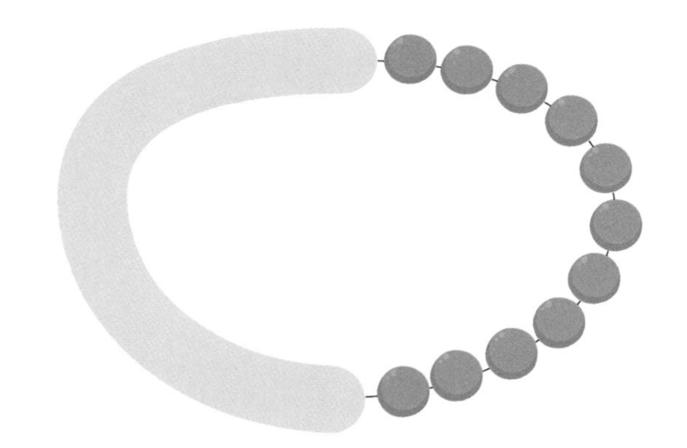

3 민서는 6월 한 달 중 19일을 놀이터에 갔습니다. 민서가 6월에 놀이터에 가지 않은 날 수는 홀수입니까? 짝수입니까?

4 다음 식에서 ★은 모두 같은 수라고 할 때, ★은 홀수입니까? 짝수입니까?

★+★+★+★+★+★+★+★+★=홀수

02 확인 문제

5 컵을 주어진 횟수만큼 뒤집으려고 합니다. 뒤집은 후 컵은 어떤 모습이 되는지 알맞은 모양에 ○표 하세요.

(1)
27번
(2)
62번

6 한결이와 형, 엄마, 아빠의 나이의 합은 홀수입니다. 내년에 네 사람의 나이의 합은 홀수입니까? 짝수입니까?

내가 몇 살인지 몰라도 알 수 있어.
한결

7 지호는 친구들과 축구를 합니다. 공을 한 번 넣으면 3점을 얻고, 공을 넣지 못하면 1점을 얻습니다. 지호가 공을 모두 8번 찼다면 지호의 점수는 홀수입니까? 짝수입니까?

8 과일 가게에 사과 상자가 2개 있습니다. ㉠ 상자에는 사과가 짝수 개, ㉡ 상자에는 사과가 홀수 개 들어 있습니다. ㉡ 상자에서 사과 14개를 팔았다면 가게에 남은 사과 개수는 홀수입니까? 짝수입니까?

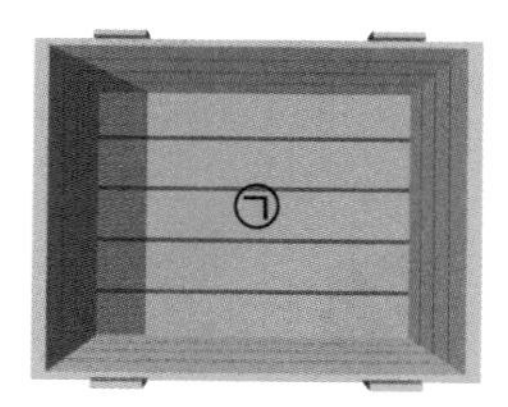

1 예원이와 지호가 한 번에 한 명씩 앉았다 일어나는 운동을 합니다. 처음 두 친구 모두 일어서서 시작하여 모두 합쳐 14번 앉았다 일어나기 운동을 한 후 지호가 앉아 있다면 예원이는 앉아있습니까? 서 있습니까?

2 둥근 테이블에 남학생과 여학생이 반드시 번갈아 가며 앉는다고 할 때 전체 학생 수는 홀수입니까? 짝수입니까?

● 앞면은 빨간색, 뒷면은 파란색인 카드 두 장을 다음과 같이 놓은 후 각각 뒤집습니다. 카드 두 장을 뒤집은 횟수가 모두 합쳐 짝수 번이라고 할 때, 뒤집기가 끝난 후 나올 수 있는 모양의 기호를 모두 쓰세요.

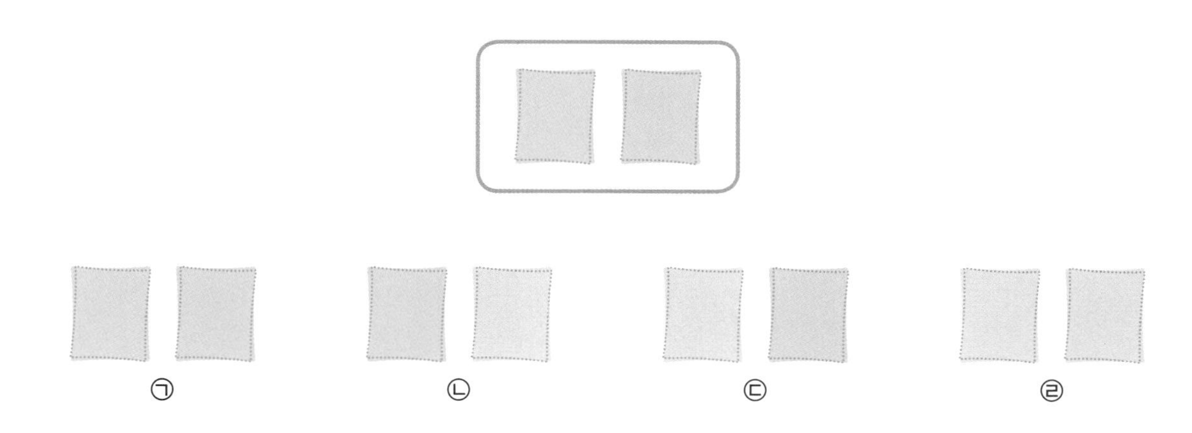

● 다음과 같이 놓여 있는 컵 3개를 각각 뒤집습니다. 컵을 모두 합쳐 홀수 번 뒤집으면 오른쪽과 같은 모양이 된다고 할 때, 마지막 컵이 어떻게 놓여있는지 그려 보세요.

03

연산 퍼즐

연산 퍼즐

Math storyteller

 : 우리 연산 미로 놀이하자.

 : 어떻게 하는 거야?

 : 지나는 모든 수의 합이 목표수가 되도록 미로를 통과하는 거야.

● 미로를 통과하면서 지나는 수의 합이 15가 되도록 가는 길을 선으로 나타내세요.

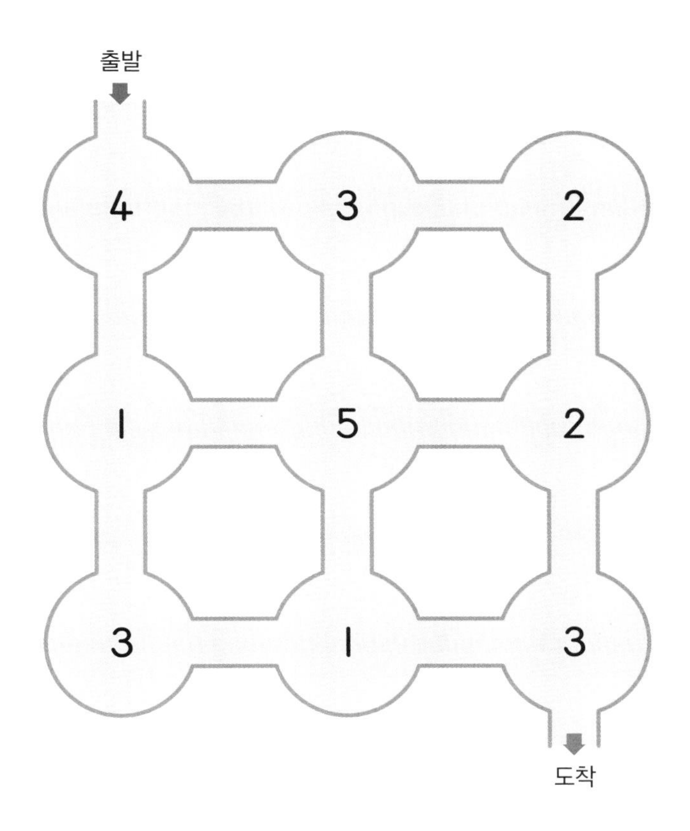

가로, 세로줄의 사각형 안의 수의 합이 삼각형 안의 수가 되도록 수를 넣는 것을 가쿠로 퍼즐이라고 합니다. 1, 2, 3, 4, 5, 6을 한 번씩 모두 사용하여 다음 퍼즐을 완성하세요.

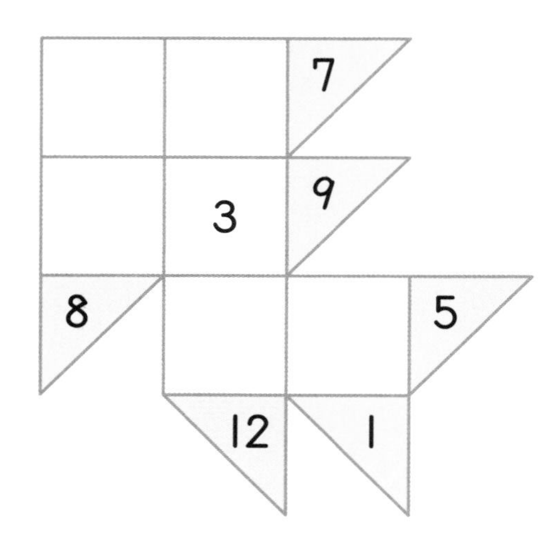

가쿠로 퍼즐

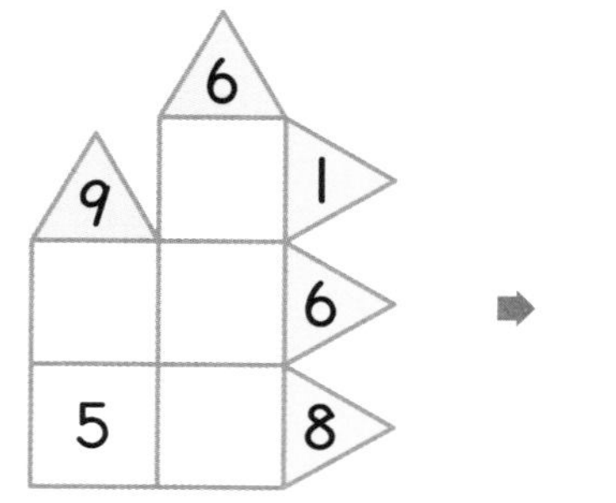

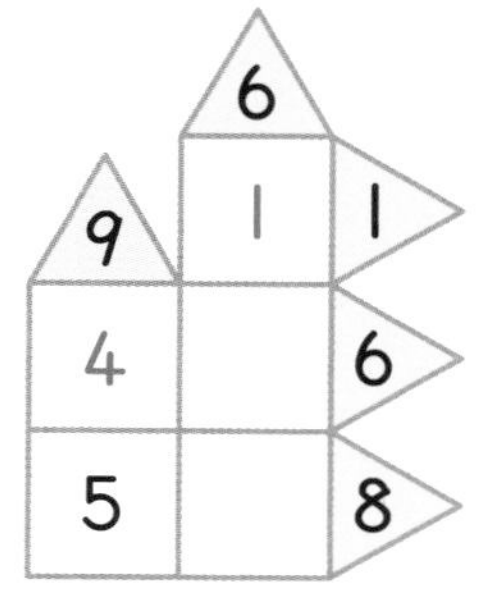

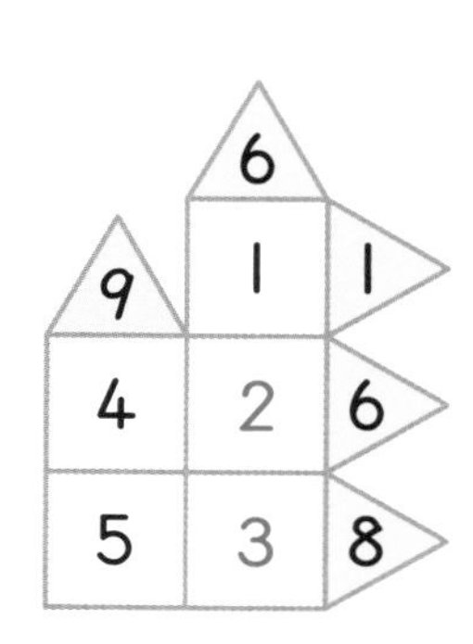

1. 가로, 세로줄에서 빈칸이 1개인 곳을 먼저 찾아 알맞은 수를 씁니다.
2. 1에서 수를 쓴 후 가로, 세로줄의 합에 맞도록 남은 칸에 알맞은 수를 씁니다.

예제 1

삼각형 안에 알맞은 수를 넣어 가쿠로 퍼즐을 완성하세요.

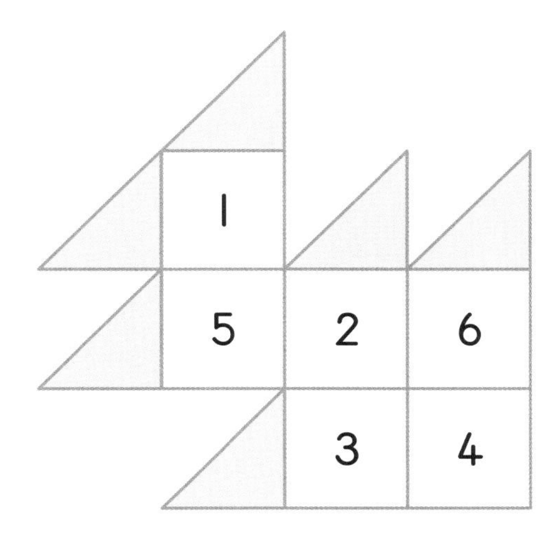

예제 2

4, 5, 6, 7, 8을 한 번씩 모두 사용하여 가쿠로 퍼즐을 완성하세요.

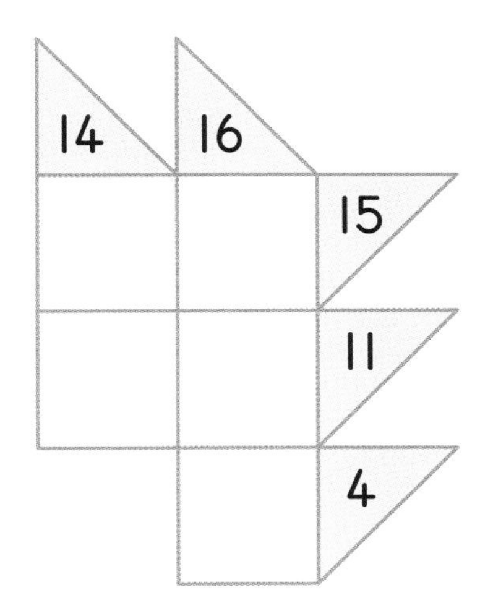

03 대표 문제 2

가로, 세로로 이웃한 세 수를 사용하여 덧셈식을 만드세요.

1 +	6 =	7	2
2	2	8	5
6	3	9	4
4	8	7	9

패밀리 넘버

2	1	3	7
3	9	8	2
2	5	4	9
6	7	3	5

$2+1=3$, $7+2=9$, $5+4=9$

1. 하나의 식을 이루는 세 수를 패밀리 넘버라고 합니다.
   패밀리 넘버(2, 3, 5) ➡ $2+3=5$, $3+2=5$, $5-2=3$, $5-3=2$
2. 가로줄에 놓인 세 수를 모두 확인한 후 세로줄에 놓인 세 수를 확인합니다.

예제 1

주어진 수가 합이 되는 세 수를 ┐ 또는 └ 모양으로 묶으세요.

합 12

2	3	5	3
5	2	1	2
4	4	2	1
1	3	5	2

합 20

1	5	6	3
7	4	4	2
6	9	3	7
9	3	6	5

예제 2

보기 와 같이 이웃한 네 수 사이에 ＋, －, ＝를 한 번씩 넣어 올바른 식을 완성하세요.

보기

5 (6 － 3 ＋ 1 ＝ 4) 2 8 5

(1) 1 4 2 3 8 9 7 5

(2) 8 6 5 4 3 4 1 9

03 확인 문제

1 미로를 통과하면서 지나는 수의 합이 17이 되도록 지나는 길을 선으로 나타내세요.

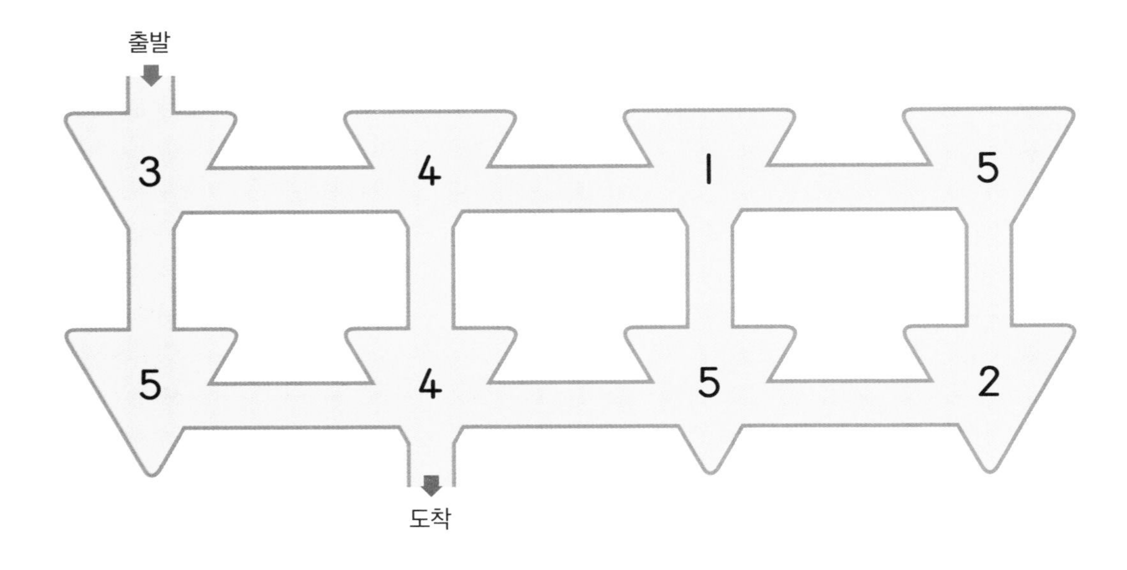

2 수의 합이 같도록 모양과 크기가 같은 두 부분으로 나누세요.

8	5	2
3		1
4	6	7

3 1, 2, 3, 4, 5, 6을 한 번씩 모두 사용하여 가쿠로 퍼즐을 완성하세요.

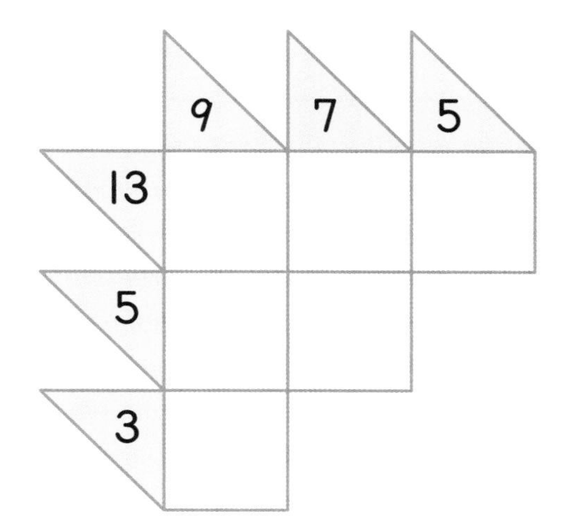

4 가로, 세로로 이웃한 세 수를 사용하여 뺄셈식을 만드세요.

1	8	6	9
8	4	4	7
5	3	6	4
7	2	5	3

5 오른쪽과 아래의 수는 한 줄에 있는 두 수의 합입니다. 빈칸에 1부터 8까지의 수를 한 번씩 넣어 매트릭스를 완성하세요.

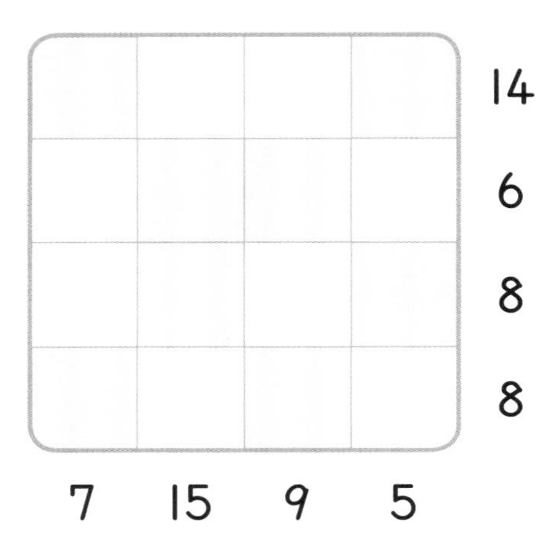

6 빈칸에 알맞은 수를 넣어 연산 퍼즐을 완성하세요.

18	+		=	
−		−		−
10	+	9	=	
=		=		=
	+	7	=	

7 한 줄로 이웃한 세 수를 사용하여 덧셈식을 만드세요.

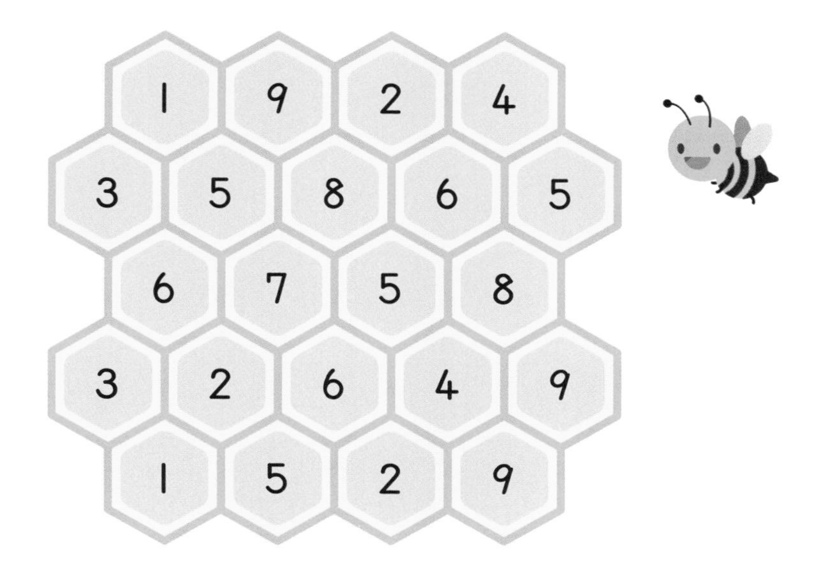

8 한 줄에 놓인 세 수의 합이 안의 수가 되도록 1부터 9까지의 수를 넣으려고 합니다. 잘못 들어간 두 수를 찾아 모두 ×표 하세요.

1	3	8	12
6	2	9	13
5	4	7	20
16	9	20	

1 1부터 9까지의 수를 한 번씩 모두 사용하여 가쿠로 퍼즐을 완성하세요.

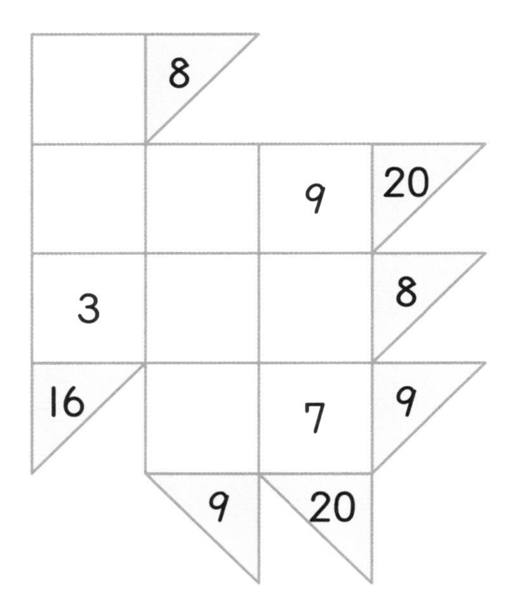

2 친구 5명이 0부터 9까지의 수 카드를 2장씩 나누어 가졌습니다. 친구들이 자신이 가진 두 수의 합을 이야기합니다. 민서가 뽑은 카드의 수를 모두 쓰세요.

두 수의 합은 16이야.
내 두 수의 합은 9!
내 두 수의 합은 3!
내 두 수의 합은 12야.
내 두 수를 맞혀 봐.
예원
지호
수아
지한
민서

● 0부터 9까지의 수를 한 번씩 모두 사용하여 가쿠로 퍼즐을 완성하세요.

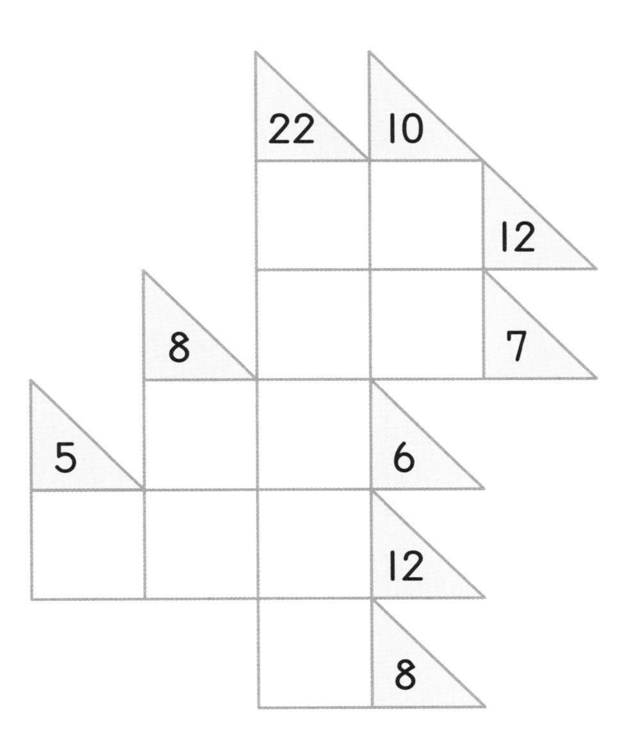

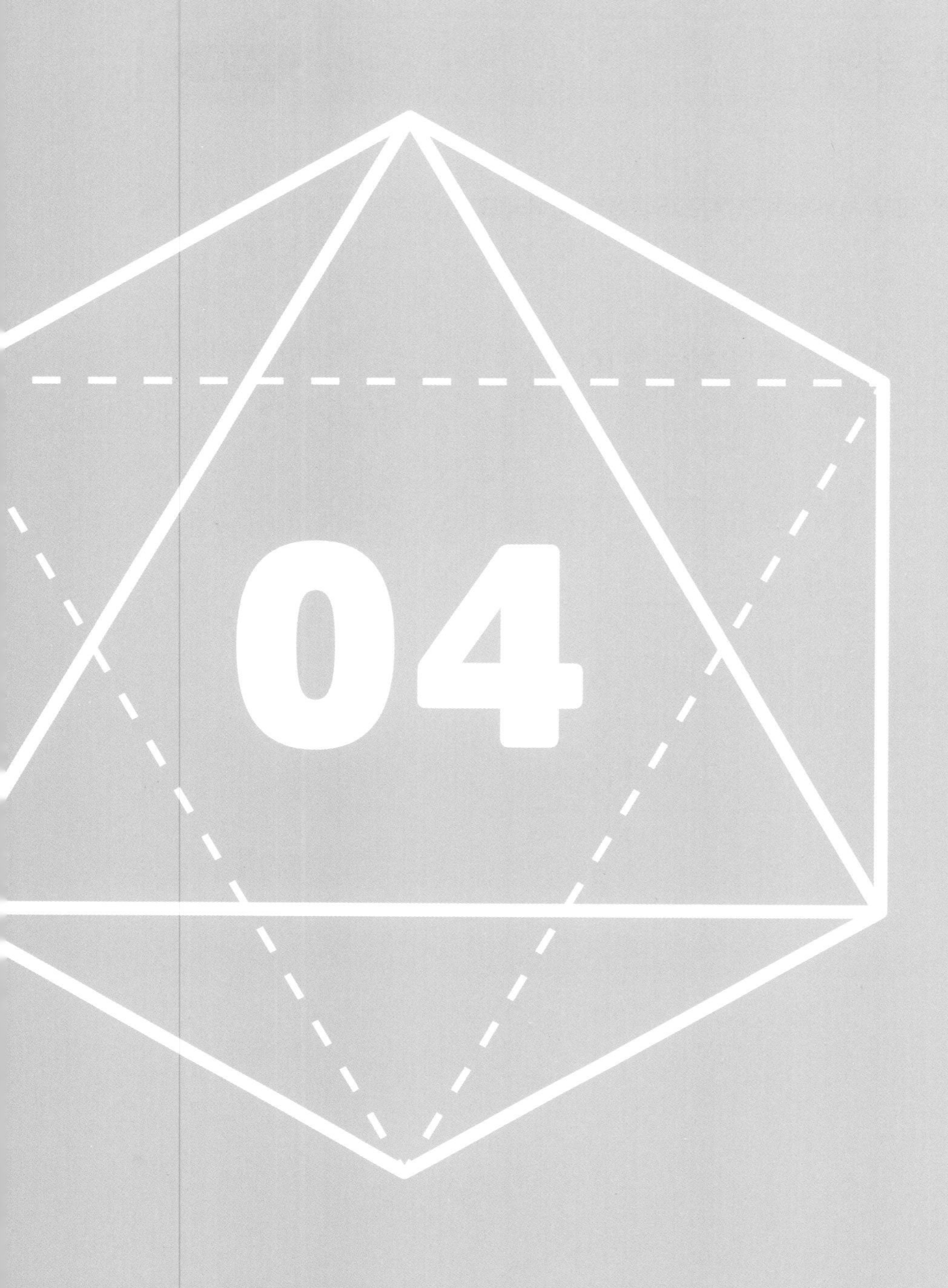

약속 연산

개념 04

약속 연산

Math storyteller

지호: 예원아, 우리 무지개 놀이터에서 만나자.

예원: 그래 좋아. 언제 만날까?

지호: 내 암호 편지를 보고 약속 시간에 나와.

암호 열쇠

1	2	3
4	5	6
7	8	9

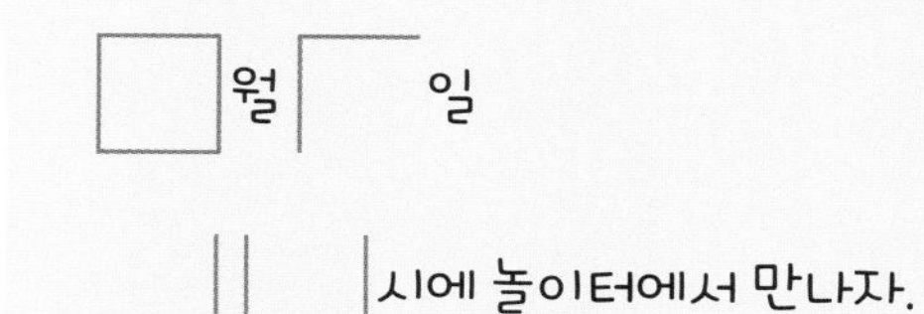

예원: 암호를 풀 수가 없어. 어떡하지?

지호: 암호 열쇠의 선 모양을 잘 보면 내 편지를 읽을 수 있어.

● 암호 편지를 풀어서 □ 안에 알맞은 수를 쓰세요.

□ 월 □ 일

□ 시에 놀이터에서 만나자.

● 위 암호 열쇠를 이용하여 놀이터에 모인 친구들은 모두 몇 명인지 구하세요.

⊐ − ⊔ + ⊓ = □(명)

암호 열쇠를 보고 다음 모양이 나타내는 수를 구하세요.

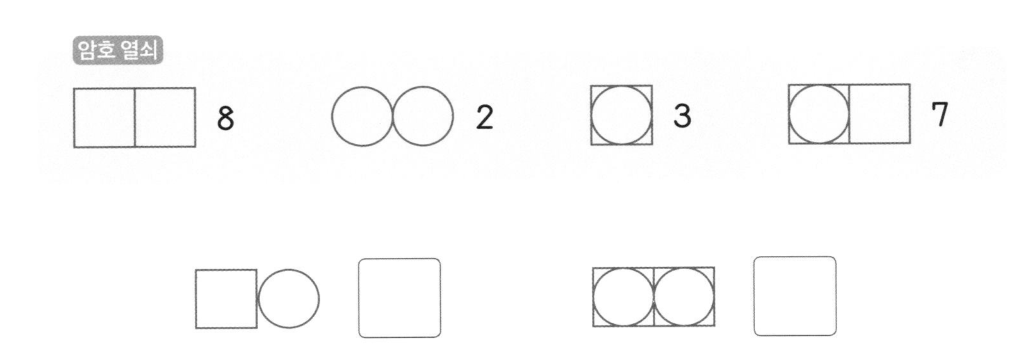

도형 약속 연산

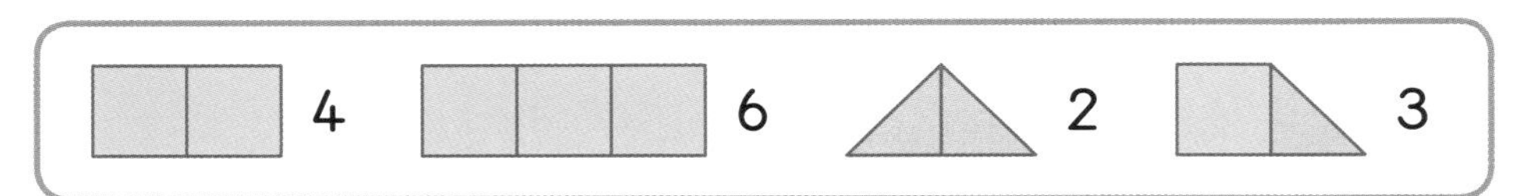

① ▢이 2개 있으면 4, 3개 있으면 6이므로 ▢이 나타내는 수는 ▢입니다.

② ◺이 2개 있으면 2, ▢과 ◺이 있으면 3이므로 ◺이 나타내는 수는 ▢입니다.

1. 도형 약속 연산에서 같은 도형은 같은 수, 다른 도형은 다른 수를 나타냅니다.

2. 도형을 나열한 방법에 따라 각 도형이 나타내는 수를 더하거나 뺍니다.

예제 1

다음을 보고 규칙을 찾아 올바른 식이 되도록 ◯ 안에 ＋ 또는 － 를 쓰세요.

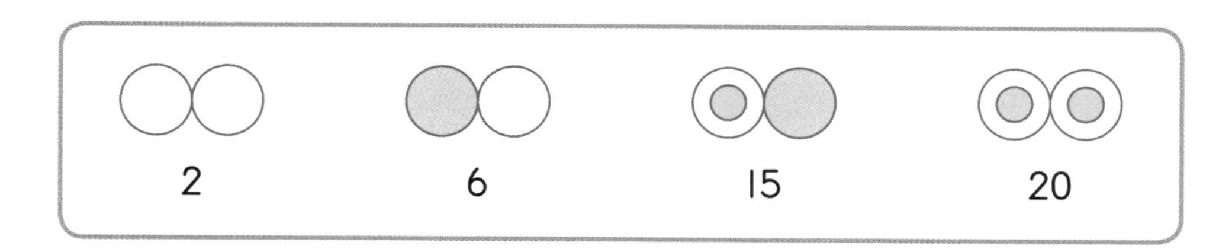

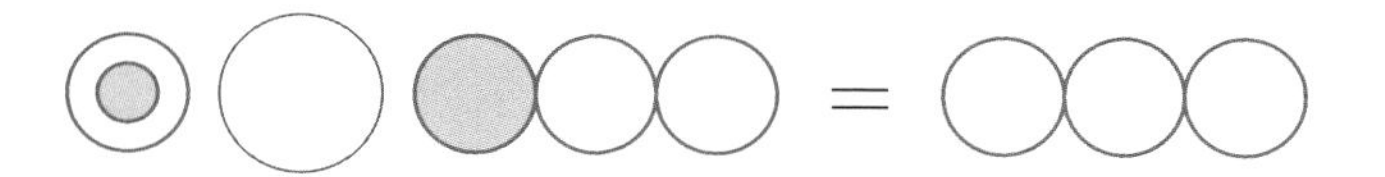

예제 2

규칙을 찾아 다음 모양이 나타내는 수를 구하세요.

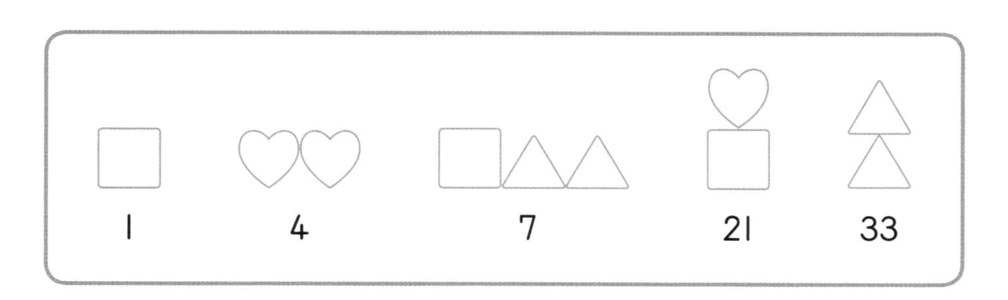

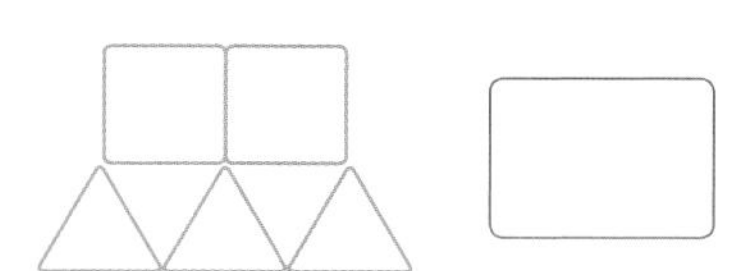

04 대표 문제 2

기호 ▲은 규칙이 있는 연산 약속입니다. 규칙을 찾아 17▲3을 계산하세요.

2▲3=5	1▲7=8	8▲7=15
6▲5=11	3▲4=7	9▲1=10

약속 연산

기호 ★을 '㉠★㉡=(큰 수)−(작은 수)'와 같이 계산하기로 약속하면

1★2=□−□=□ 10★3=□−□=□

9★6=□−□=□ 25★17=□−□=□

1. 기호를 이용하여 새로운 연산 방법을 약속하고, 약속에 따라 계산하는 것을 약속 연산이라고 합니다.

2. 새로운 연산 방법에 따라 계산하거나 계산 방법을 보고 연산 방법을 알아낼 수 있습니다.

예제 1

가※나＝가＋나＋2, 가◎나＝가＋나＋나로 약속했습니다. 다음 계산을 하세요.

(1) 3※5＝☐

9※4＝☐

8※1＝☐

(2) 3◎5＝☐

2◎7＝☐

8◎2＝☐

예제 2

다음은 약속에 따라 계산한 것입니다. 계산 결과를 보고 ◯ 안에 알맞은 연산 기호를 쓰세요.

8♡1＝6	10♡3＝4	5♡2＝1
6▲5＝12	3▲4＝8	7▲2＝10

10◯2＝6

4◯8＝13

04 확인 문제

1 규칙을 찾아 빈 곳에 알맞은 수를 쓰세요.

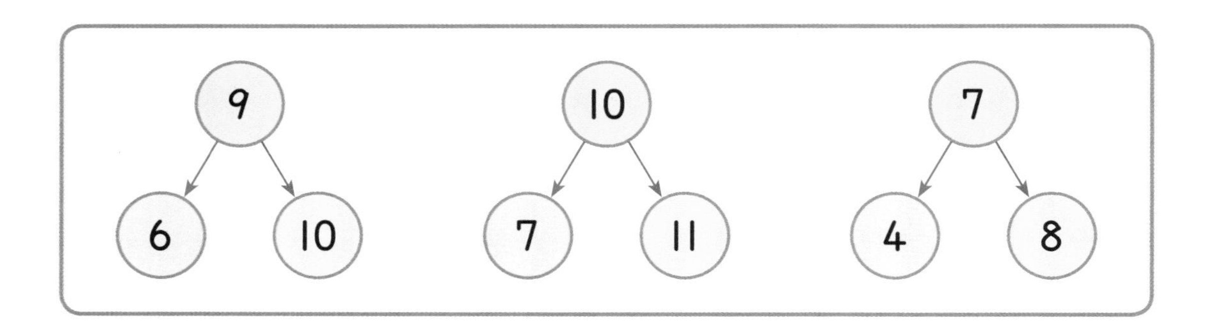

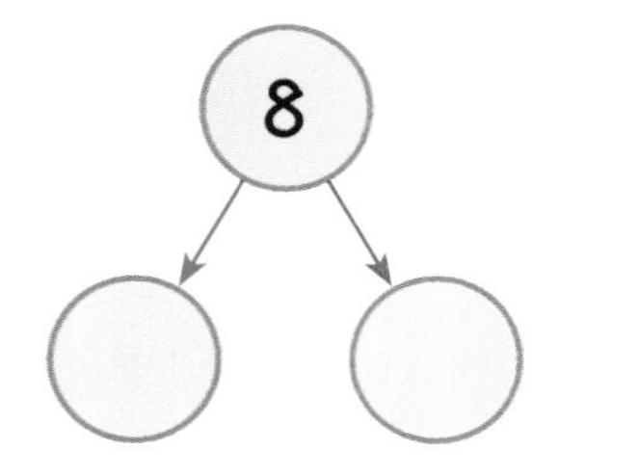

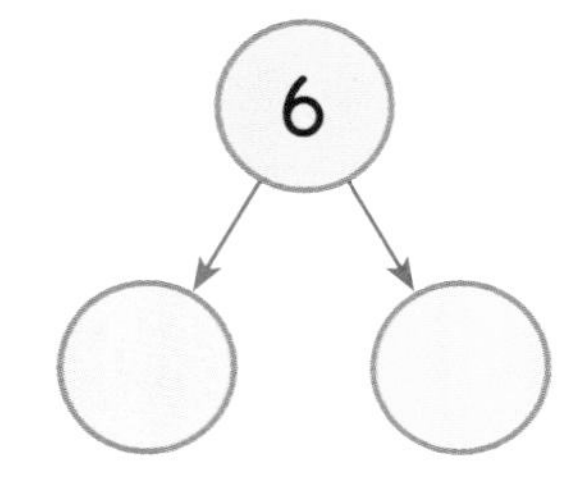

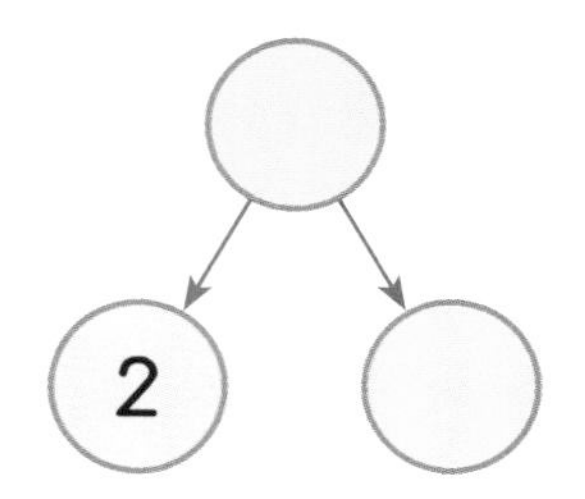

2 보석 상자를 열기 위한 비밀번호가 다음과 같습니다. 규칙을 찾아 보석 상자의 비밀번호를 구하세요.

12 # 54 = 4242　　36 # 98 = 6262

27 # 54 = 2727　　41 # 99 = 5858

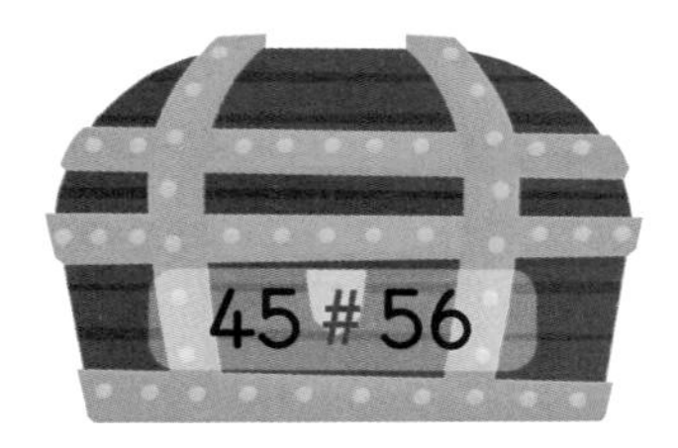

3 규칙을 찾아 빈 곳에 알맞은 수를 쓰세요.

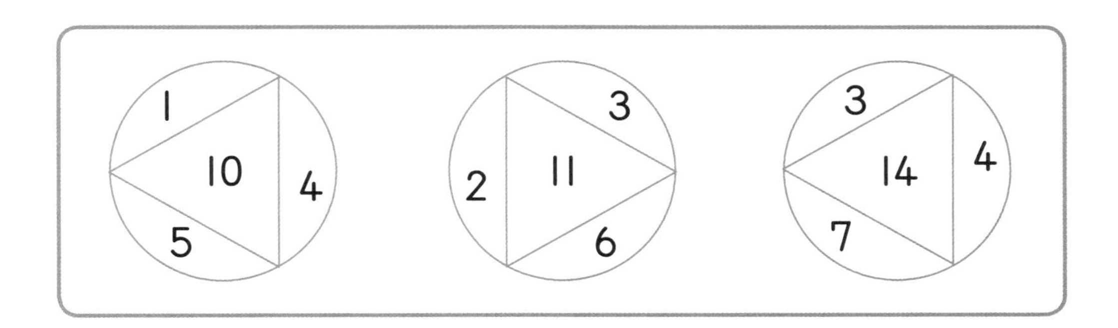

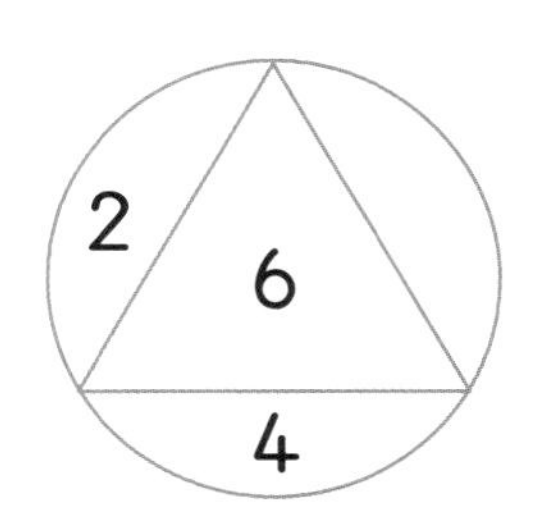

4 기호 □ 은 규칙이 있는 연산 약속입니다. 규칙을 찾아 다음 계산을 하세요.

$\boxed{2} = 1 + 2$
$\boxed{3} = 1 + 2 + 3$
$\boxed{4} = 1 + 2 + 3 + 4$

$\boxed{4} - \boxed{2} = \square$

$\boxed{5} + \boxed{1} = \square$

04 확인 문제

5 규칙을 찾아 ◯ 안에 알맞은 수를 쓰세요.

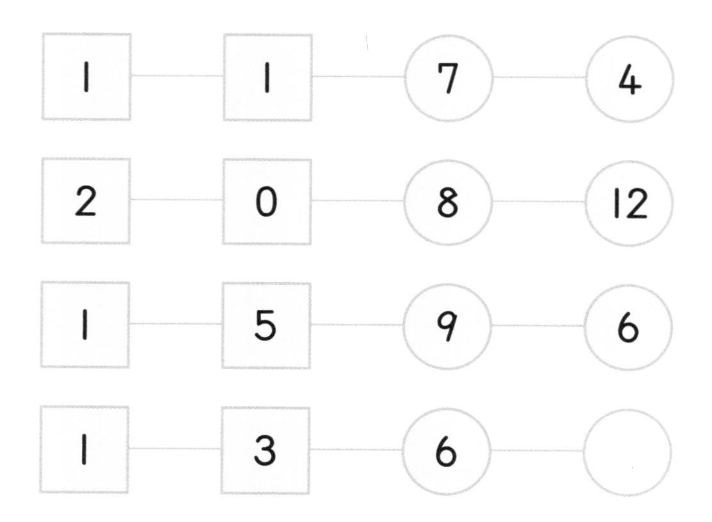

6 기호 ♣은 규칙이 있는 연산 약속입니다. 규칙을 찾아 9♣9를 계산하세요.

$3 \clubsuit 4 = 7$	$5 \clubsuit 1 = 6$	$8 \clubsuit 9 = 7$
$9 \clubsuit 4 = 3$	$7 \clubsuit 7 = 4$	$6 \clubsuit 5 = 1$

7 규칙을 찾아 다음 모양이 나타내는 수를 구하세요.

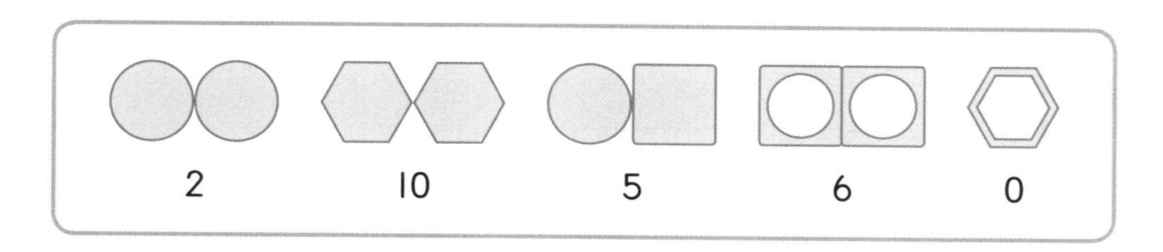

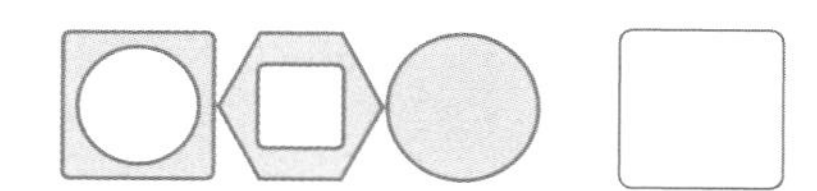

8 기호 ♥은 규칙이 있는 연산 약속입니다. 규칙을 찾아 다음 계산을 하세요.

1 ♥ 3 = 3	4 ♥ 2 = 8	5 ♥ 2 = 10
3 ♥ 4 = 12	2 ♥ 4 = 8	3 ♥ 3 = 9

8 ♥ 4 = ☐　　　　4 ♥ 5 = ☐

04 심화 문제

약속 연산

1 규칙을 찾아 다음 계산을 하세요.

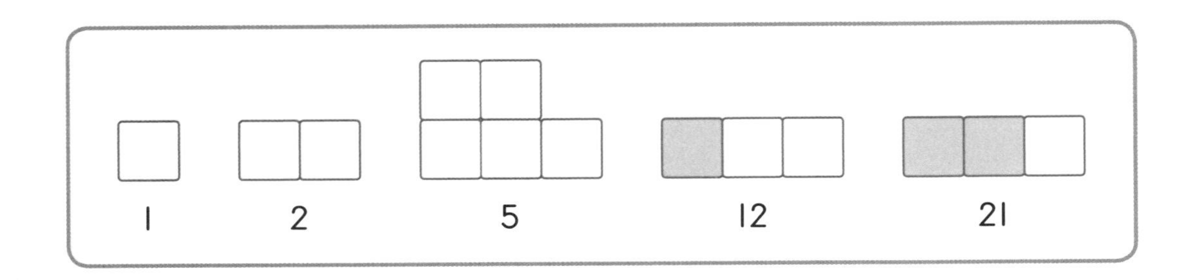

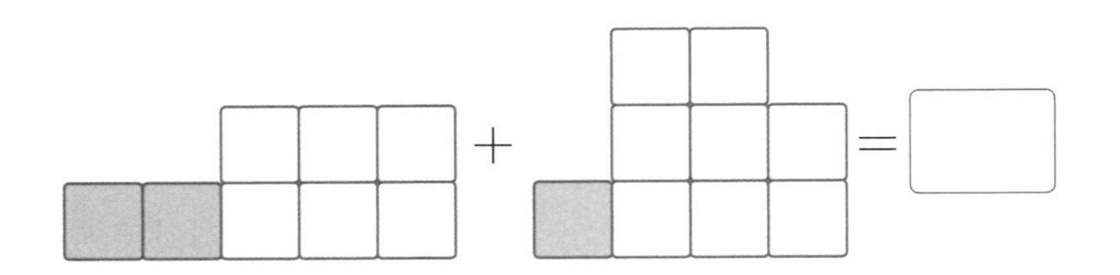

2 일정한 규칙으로 ◐과 □□에 수를 쓴 것입니다. 규칙을 찾아 ★, ●, ■이 나타내는 숫자를 구하세요. (단, 같은 모양은 같은 숫자, 다른 모양은 다른 숫자를 나타냅니다.)

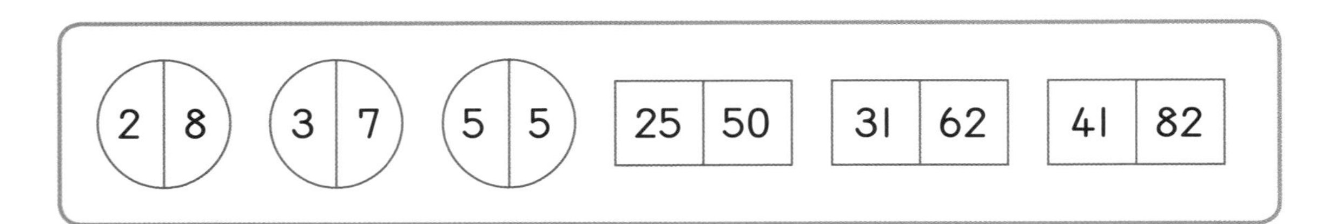

6 ★　　3★ ●■

★ = □, ● = □, ■ = □

● 규칙을 찾아 □ 안에 알맞은 수를 쓰세요.

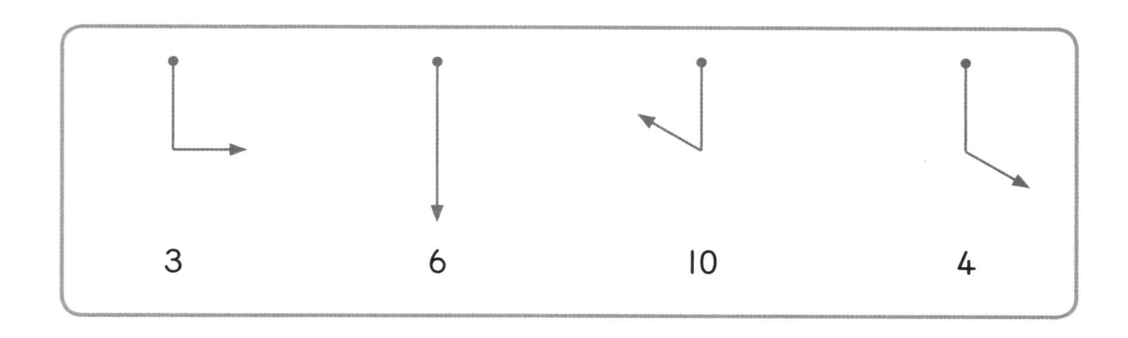

● ●은 '＋4', ★은 '−1'을 나타냅니다. 다음을 보고 ㉠과 ㉡의 차를 구하세요.

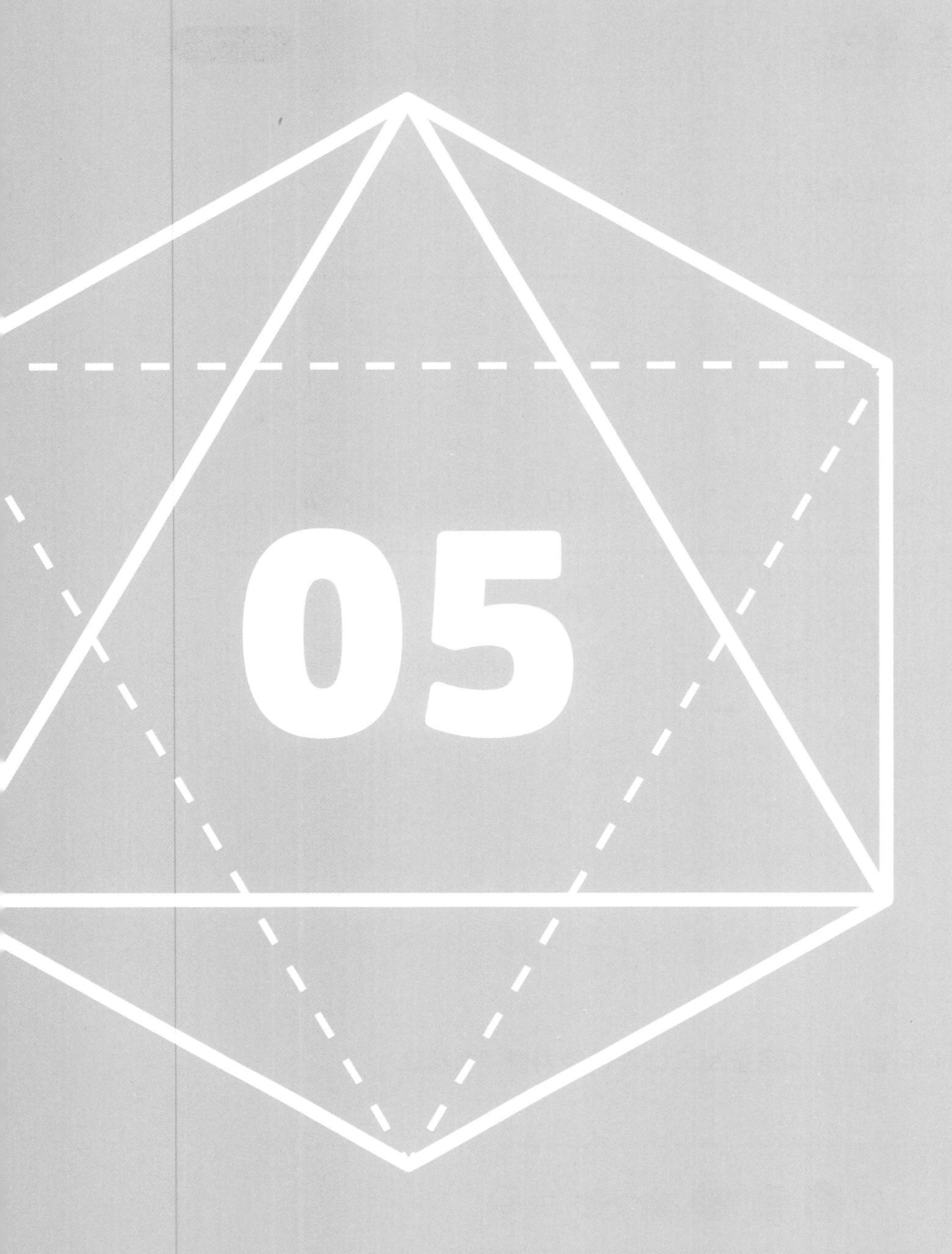

표와 그래프

개념 05

표와 그래프

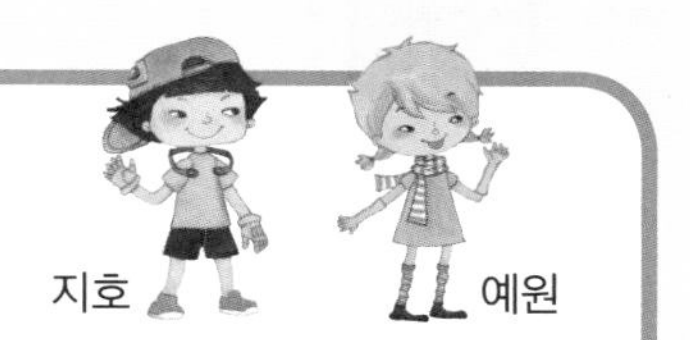

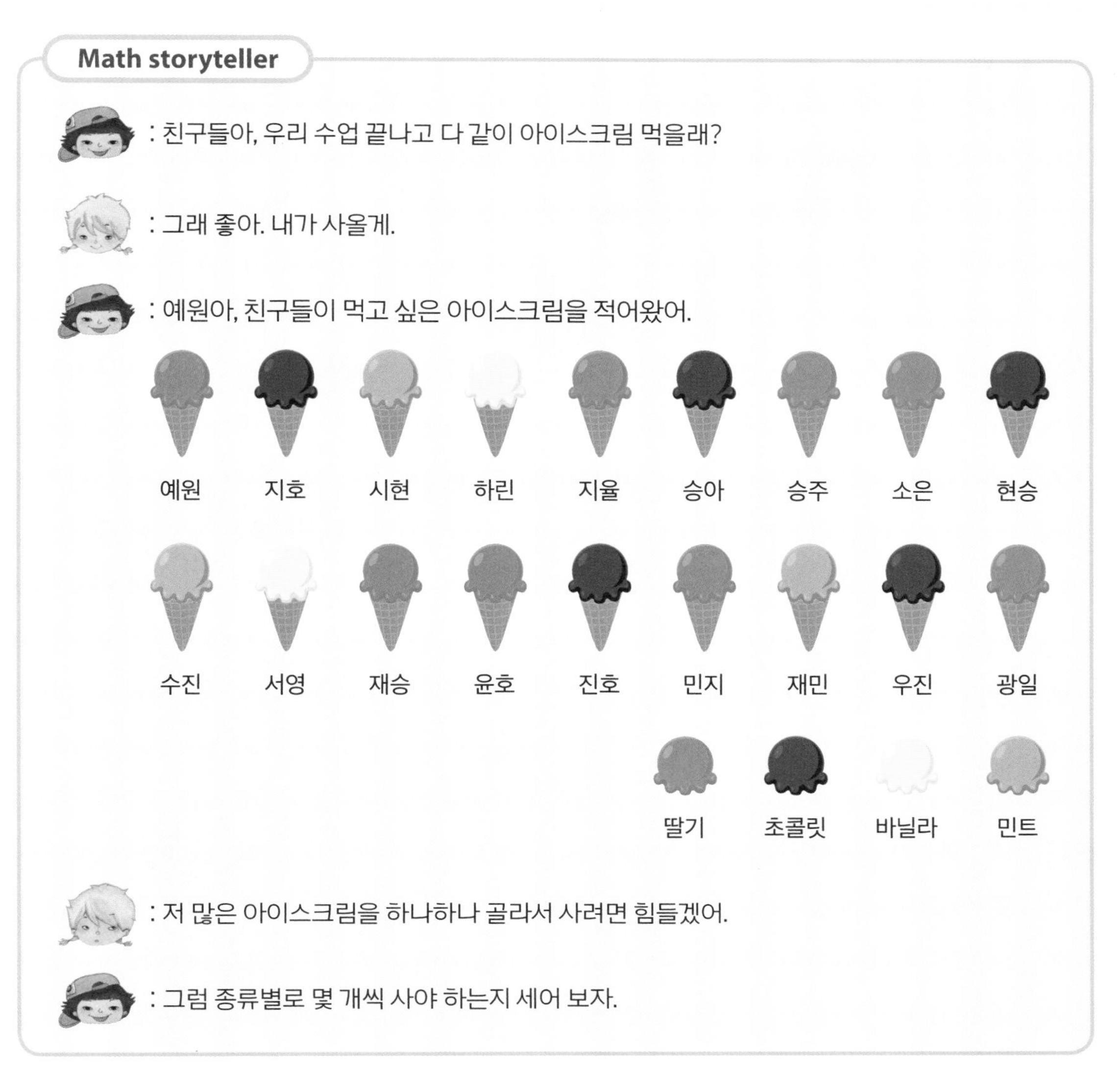

Math storyteller
: 친구들아, 우리 수업 끝나고 다 같이 아이스크림 먹을래?
: 그래 좋아. 내가 사올게.
: 예원아, 친구들이 먹고 싶은 아이스크림을 적어왔어.
예원
지호
시현
하린
지율
승아
승주
소은
현승
수진
서영
재승
윤호
진호
민지
재민
우진
광일
딸기
초콜릿
바닐라
민트
: 저 많은 아이스크림을 하나하나 골라서 사려면 힘들겠어.
: 그럼 종류별로 몇 개씩 사야 하는지 세어 보자.

● 친구들이 원하는 아이스크림을 종류별로 세어 □ 안에 알맞은 수를 쓰세요.

: □ 명　　　: □ 명

: □ 명　　　: □ 명

05 대표 문제 1

다음 단추들을 단추의 색깔, 구멍의 개수에 따라 분류하여 표를 완성하세요.

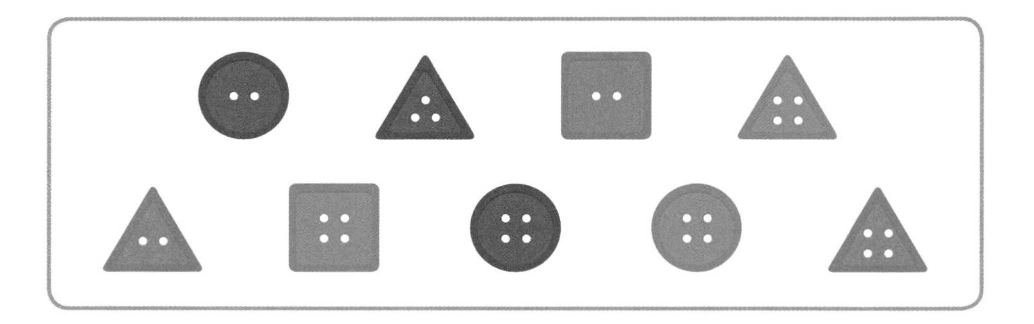

색깔별 단추의 개수

색깔	빨간색	파란색	주황색	합계
개수				

구멍의 개수별 단추의 개수

구멍의 개수	2개	3개	4개	합계
개수				

표로 나타내기

위의 단추들을 모양에 따라 분류하여 표를 완성하세요.

○ : 3 개, △ : ☐ 개, □ : ☐ 개

모양별 단추의 개수

모양	○	△	□	합계
개수	3			

1. 기준에 따라 분류하여 표로 나타내면 자료를 쉽게 정리할 수 있습니다.
2. 표를 이용하면 자료별 수를 알기 편리합니다.

예제 1

수아네 반 학생들이 좋아하는 음식을 조사한 것입니다. 물음에 답하세요.

수아	지호	예원	지한
떡볶이	피자	햄버거	치킨
광일	지아	시현	하린
떡볶이	치킨	피자	햄버거
아리	혜연	승주	설민
피자	치킨	떡볶이	떡볶이

(1) 학생들이 좋아하는 음식을 표로 나타내세요.

좋아하는 음식

음식	떡볶이	피자	햄버거	치킨	합계
학생 수					

(2) 가장 많은 학생이 좋아하는 음식은 무엇입니까?

(3) 치킨을 좋아하는 학생은 햄버거를 좋아하는 학생보다 몇 명 더 많습니까?

친구들의 대화를 보고 각 계절에 태어난 학생 수를 표와 그래프로 나타내세요.

여름에 태어난 친구들이 겨울에 태어난 친구들보다 4명 더 많아.

봄과 가을에 태어난 친구들의 수가 같아.

태어난 계절

계절	봄	여름	가을	겨울	합계
학생 수	5			2	

태어난 계절

6				
5				
4				
3				
2				
l				
학생 수 / 계절	봄	여름	가을	겨울

그래프로 나타내기

표를 보고 ○를 그려 그래프를 완성하세요.

좋아하는 장소

장소	공원	바다	산	계곡	합계
학생 수	2	6	l	4	l3

좋아하는 장소

6				
5				
4				
3				
2	○			
l	○			
학생 수 / 장소	공원	바다	산	계곡

1. 표를 보고 각 자료가 해당하는 수만큼 ○표 하여 그래프로 나타낼 수 있습니다.

2. 자료가 많고 복잡할수록 표보다 그래프가 자료를 비교하기 편리합니다.

예제 1

어느 반 학생 25명에게 가장 싫어하는 반찬을 조사하여 나타낸 표와 그래프입니다. 표와 그래프를 완성하세요.

싫어하는 반찬

반찬	김치	가지볶음	시금치	멸치볶음	콩나물	합계
학생 수				4		

싫어하는 반찬

7		○			
6		○			
5		○			○
4		○			○
3	○	○			○
2	○	○			○
1	○	○			○
학생 수 / 반찬	김치	가지볶음	시금치	멸치볶음	콩나물

학생이 모두 25명이야.
시금치를 싫어하는 학생 수를
구할 수 있겠지?

05 확인 문제

[1~2] 5월 한 달 동안의 날씨를 조사한 것입니다. 물음에 답하세요.

5월

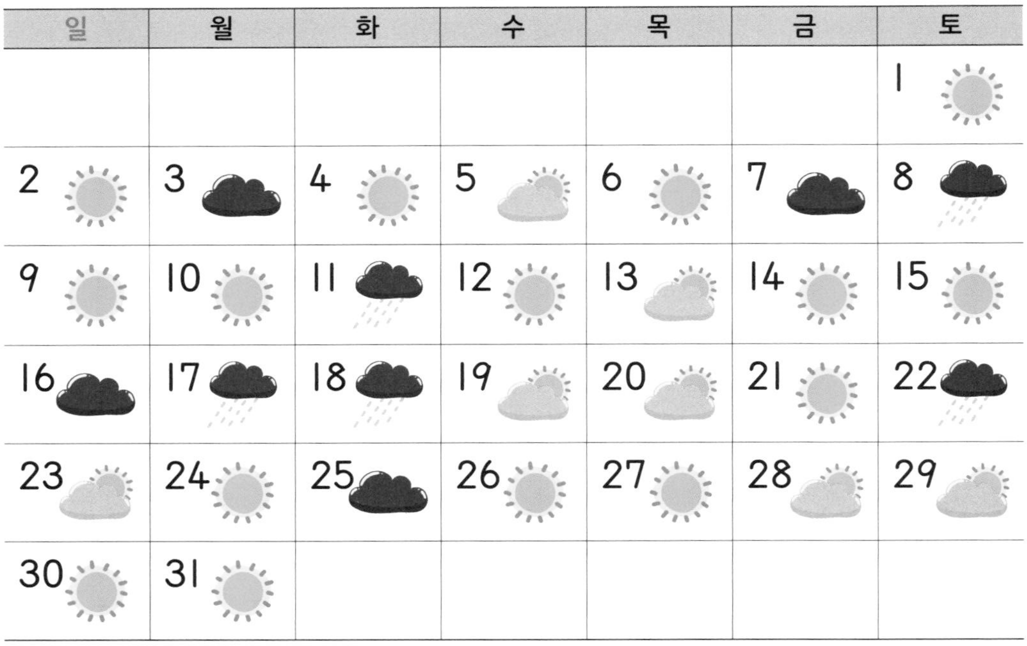

일	월	화	수	목	금	토
						1
2	3	4	5	6	7	8
9	10	11	12	13	14	15
16	17	18	19	20	21	22
23	24	25	26	27	28	29
30	31					

1 5월 날씨를 표로 나타내세요.

5월 날씨

날씨					합계
날 수					

2 5월 한 달 동안 맑은 날( )은 흐린 날()보다 며칠 더 많았습니까?

[3~4] 지한이네 반 학생들이 좋아하는 과목을 그래프로 나타낸 것입니다. 물음에 답하세요.

좋아하는 과목

7			○		
6			○		
5			○		○
4			○		○
3		○	○	○	○
2	○	○	○	○	○
1	○	○	○	○	○
학생 수 / 과목	수학	국어	체육	음악	미술

3 지한이네 반 학생은 모두 몇 명입니까?

4 그래프를 보고 잘못 이야기한 친구는 누구입니까?

수학을 좋아하는 학생이 가장 적어.
국어와 음악을 좋아하는 학생 수가 같아.
미술을 좋아하는 학생이 국어를 좋아하는 학생보다 3명 더 많아.
체육을 좋아하는 학생이 제일 많아.
지한
예원
지호
수아

5 어느 반 학생 15명이 미술 시간에 그리고 싶은 동물을 나타낸 그래프입니다. 강아지와 호랑이를 그리고 싶은 학생 수가 같다고 할 때, 다음 그래프를 완성하세요.

그리고 싶은 동물

5		○		
4		○		
3		○		
2		○		○
1		○		○
학생 수 / 동물	강아지	고양이	호랑이	사자

6 어느 모둠 학생들이 좋아하는 놀이기구를 나타낸 표와 그래프의 일부가 물에 젖어 보이지 않습니다. 모둠 학생들은 모두 몇 명입니까?

좋아하는 놀이기구

놀이기구	그네	시소	미끄럼틀	정글짐	합계
학생 수			2	3	

좋아하는 놀이기구

5		○		
4	○	○		
3				
2				
1	○	○	○	○
학생 수 / 놀이기구	그네	시소	미끄럼틀	정글짐

7 어느 모둠 학생들이 좋아하는 과일을 나타낸 표입니다. 망고를 좋아하는 학생은 딸기를 좋아하는 학생보다 1명 더 많고, 블루베리를 좋아하는 학생보다 3명 적습니다. 블루베리를 좋아하는 학생은 사과를 좋아하는 학생보다 5명 더 많다고 할 때, 표를 완성하세요.

좋아하는 과일

과일	딸기	망고	바나나	블루베리	사과	합계
학생 수	6					31

8 수아네 반 학생 18명이 좋아하는 운동을 나타낸 그래프입니다. 야구를 좋아하는 학생은 배구를 좋아하는 학생보다 3명 더 많습니다. 가장 많은 학생이 좋아하는 운동은 무엇이고, 몇 명이 좋아합니까?

좋아하는 운동

6				
5			○	
4		○	○	
3		○	○	
2		○	○	
1		○	○	
학생 수 / 운동	야구	농구	축구	배구

1 다음을 보고 각 반의 안경 쓴 학생을 나타낸 표와 그래프를 완성하세요.

· 안경을 쓴 학생은 1반보다 4반에 더 많고, 4반보다 5반에 더 많습니다.
· 2반의 안경을 쓴 학생은 3반의 안경 쓴 학생보다 1명 적습니다.
· 각 반에 안경을 쓴 학생이 적어도 3명은 있습니다.

안경 쓴 학생

반	1반	2반	3반	4반	5반	합계
학생 수			10		5	

안경 쓴 학생

10					
9					
8					
7					
6					
5					
4					
3					
2					
1					
학생 수 / 반	1반	2반	3반	4반	5반

05 경시 기출 유형

● 예원이네 학교의 회장 투표 결과를 나타낸 막대그래프입니다. 가장 많은 표와 가장 적은 표의 차가 9표일 때, 지한이는 몇 표를 받았습니까? 가능한 경우를 모두 쓰세요.

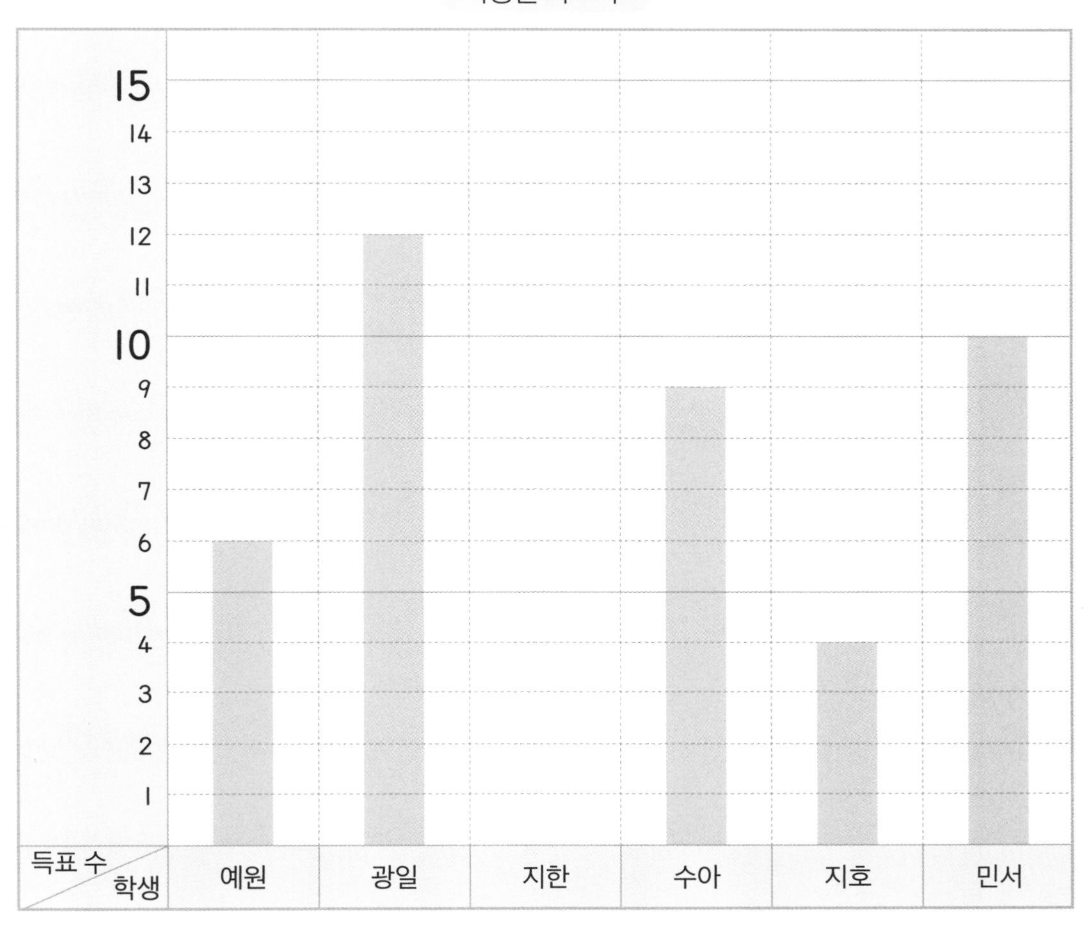

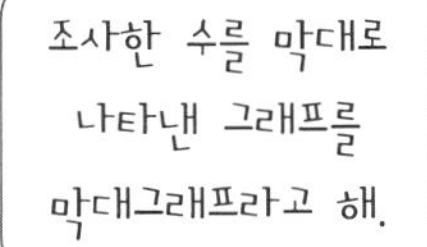

조사한 수를 막대로
나타낸 그래프를
막대그래프라고 해.

세로 눈금 한 칸이 '1'이야.
예원이는 6칸이니까
6표를 받은 거야.

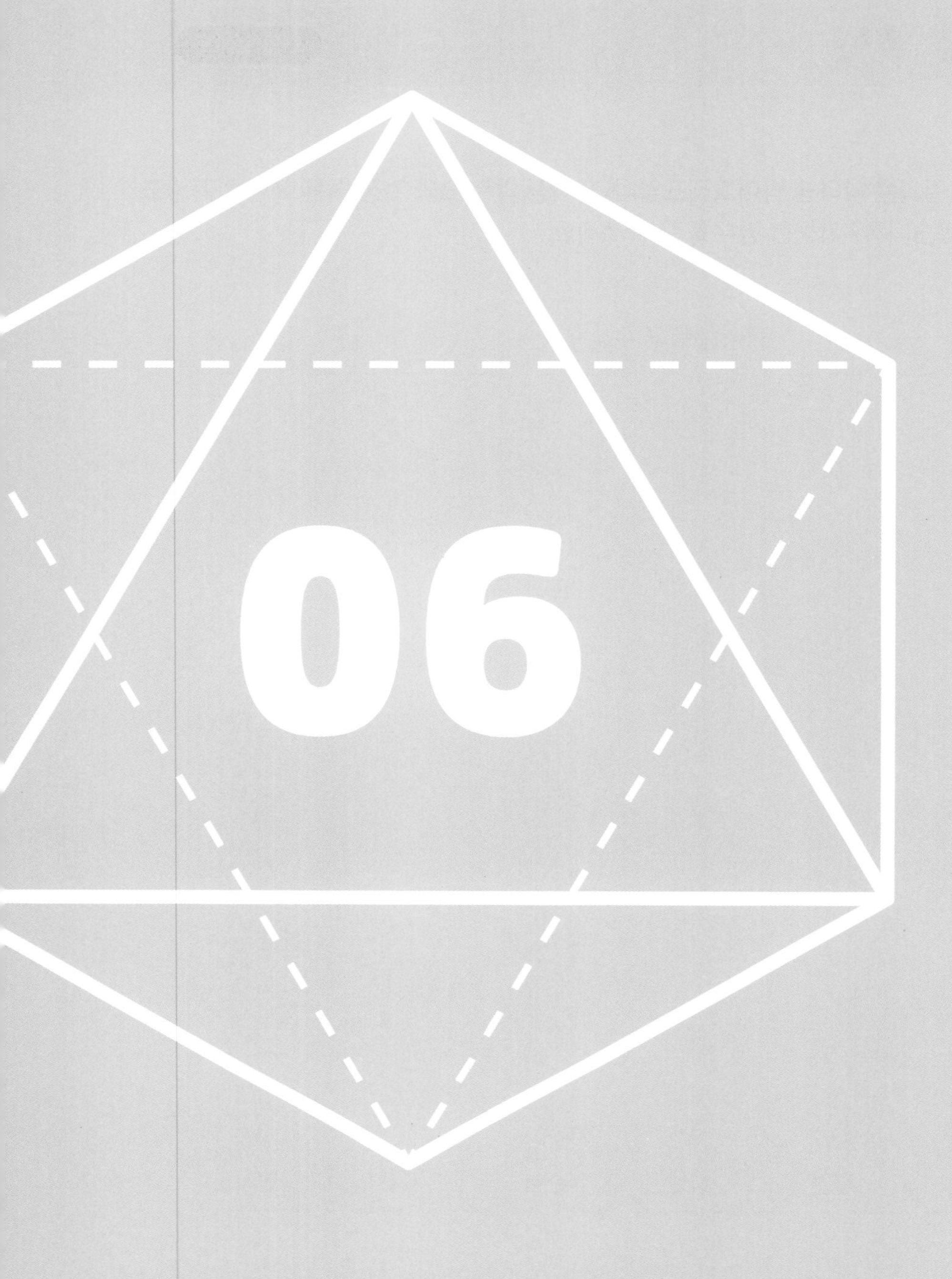

06

가능성

개념 06

가능성

Math storyteller

 : 지호야, 우리 가능성 카드 게임하자.

 : 어떻게 하는 거야?

 : 카드를 3장씩 뽑아. 카드에 적힌 사건이 일어날 가능성이 있으면 1점, 없으면 0점이야.

 : 아하! 각 카드의 점수를 더해서 더 높은 점수를 얻은 사람이 이기는 게임이구나.

 : 맞아.

● 다음 카드를 보고 예원이와 지호가 얻은 점수를 각각 구하세요.

예원이 카드

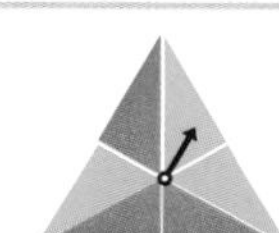 회전판이 노란색에 멈출 가능성	동전을 던지면 아래로 떨어질 가능성	돌을 물에 던지면 가라앉을 가능성

☐점

지호 카드

계산기에 '1 + 1 = '을 누르면 4가 나올 가능성	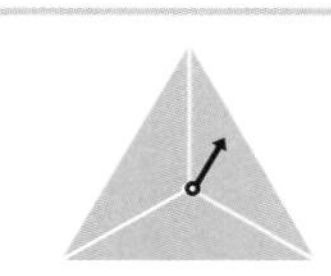 회전판이 노란색에 멈출 가능성	100원짜리 10개, 500원짜리 5개가 있는 지갑에서 10원을 꺼낼 가능성

☐점

06 대표 문제 1

지호, 민서, 지한, 예원이는 각각 다음과 같은 회전판을 만들었습니다. 회전판을 돌렸을 때 파란색에 멈출 가능성이 가장 큰 사람은 누구입니까?

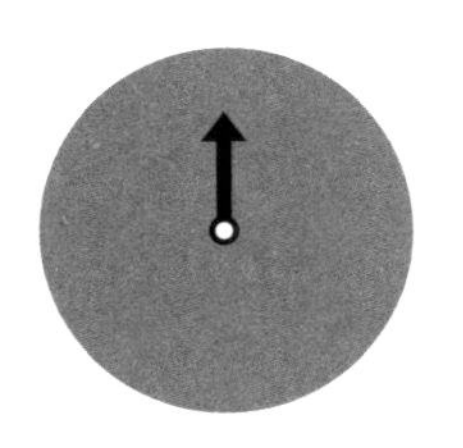
지호

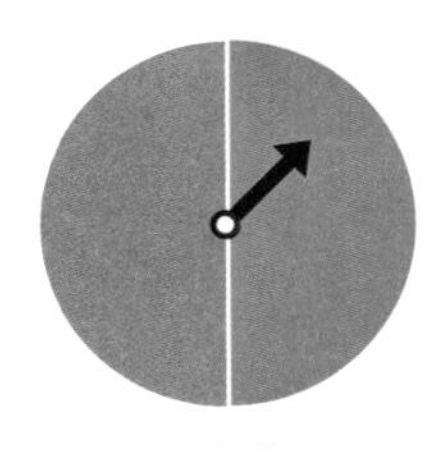
민서

지한

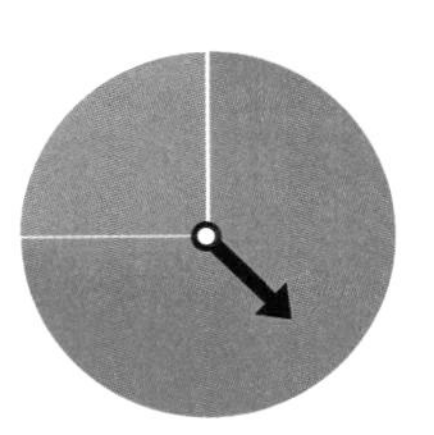
예원

가능성

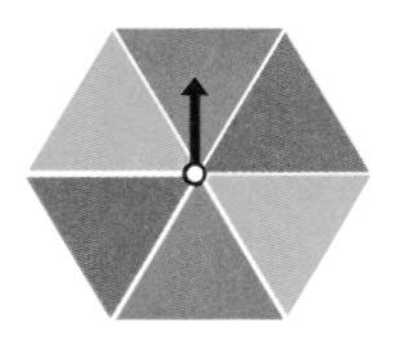
빨간색, 파란색, 노란색이 나올 가능성이 모두 같습니다.

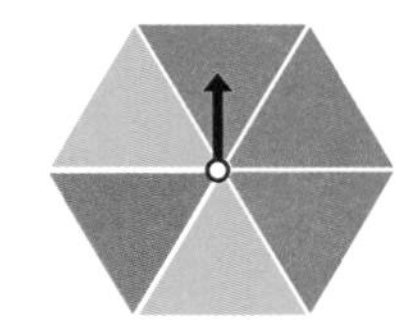
파란색이 나올 가능성이 가장 작습니다.

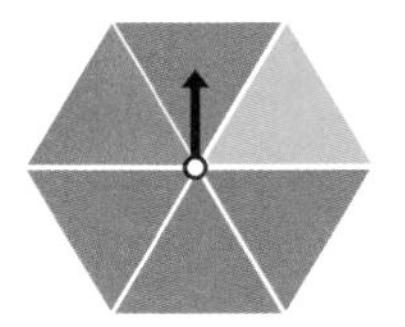
파란색이 나올 가능성이 가장 큽니다.

1. 가능성은 어떤 상황에서 특정한 일이 일어나길 기대할 수 있는 정도를 말합니다.
2. 회전판에서 파란색을 칠한 부분이 가장 넓으면 파란색, 빨간색을 칠한 부분이 가장 넓으면 빨간색이 나올 가능성이 가장 큽니다.

예제 1

회전판을 돌렸을 때 노란색이 나올 가능성이 더 큰 쪽에 ◯표 하세요.

(1)

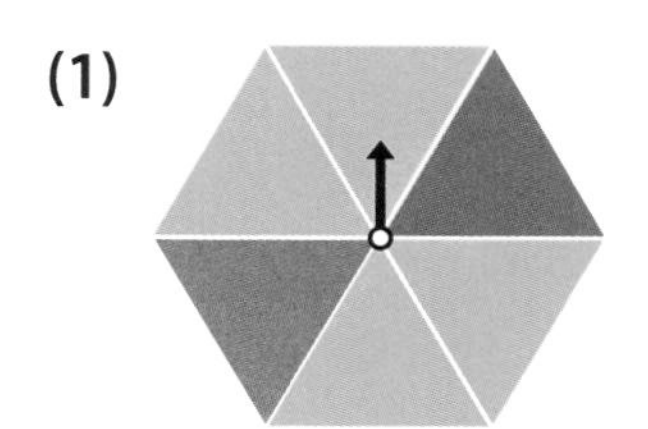

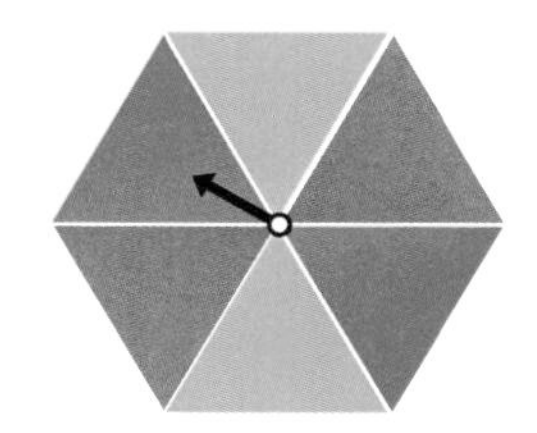

(2)

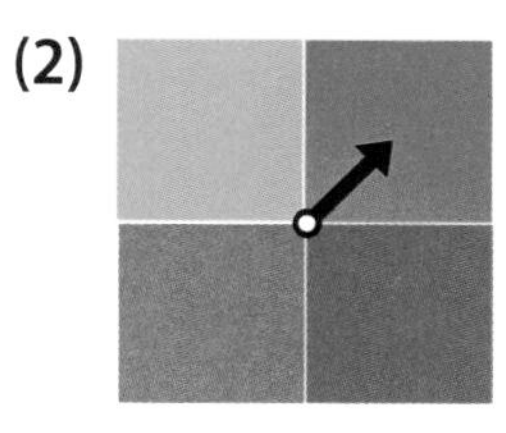

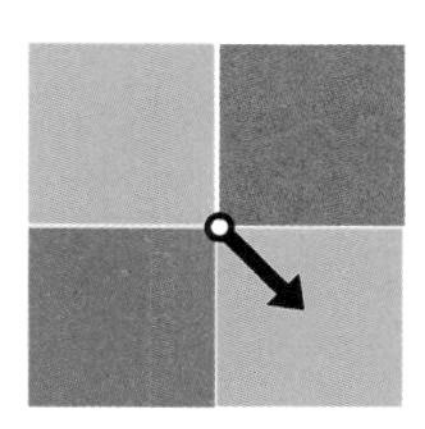

예제 2

구슬을 뽑을 때 노란색 구슬이 나올 가능성이 큰 주머니부터 차례로 기호를 쓰세요.

㉠

㉡

㉢

㉣

06 대표 문제 2

상자 안에 검은색 바둑돌과 흰색 바둑돌이 있습니다. 검은색 바둑돌을 뽑으면 민서, 흰색 바둑돌을 뽑으면 지한이가 이긴다고 할 때 어떤 상자를 선택하는 것이 공정합니까?

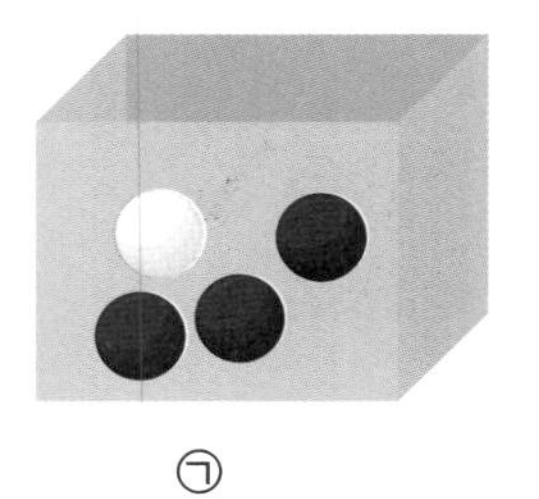
㉠

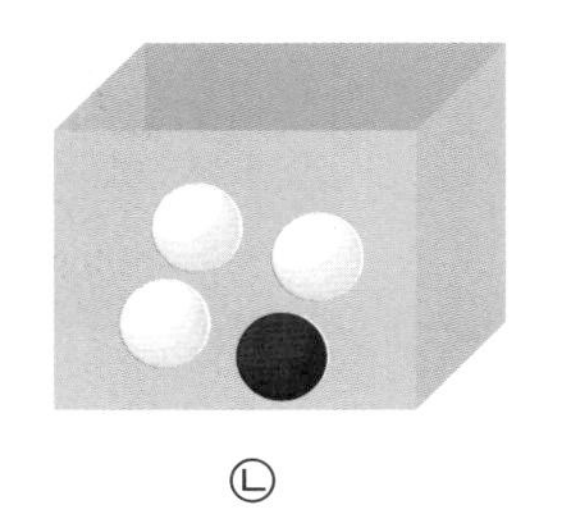
㉡

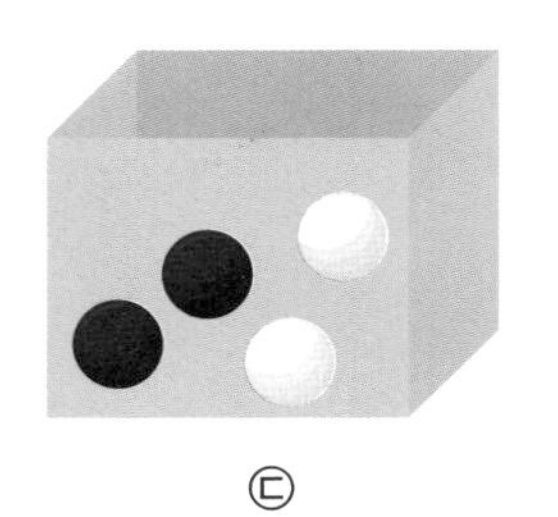
㉢

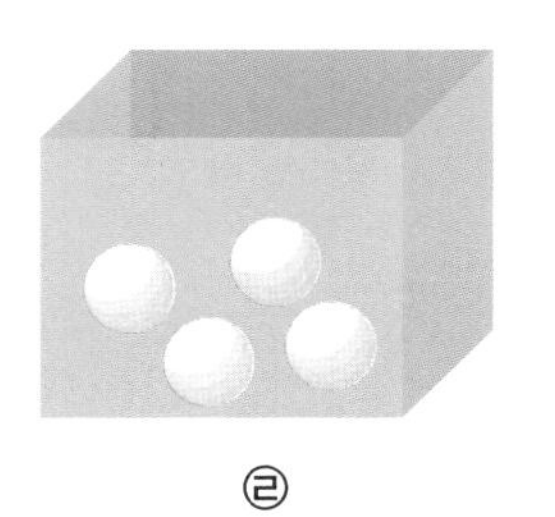
㉣

공정한 게임

노란색 구슬을 뽑으면 예원, 파란색 구슬을 뽑으면 민서가 이기는 게임을 합니다.

노란색 구슬을 뽑을 가능성이 더 큽니다.
: 예원이가 유리
공정한 게임 불가능

노란색 구슬과 파란색 구슬을 뽑을 가능성이 같습니다.
: 공정한 게임 가능

1. 공정한 게임이란 어떤 일이 벌어질 가능성이 어느 쪽으로도 치우치지 않고 같은 것을 말합니다.

2. 각각의 일이 벌어질 가능성이 모두 같아야 가능성이 어느 쪽으로도 치우치지 않습니다.

예제 1

회전판을 돌려 빨간색이 나오면 한결이가 이기고, 파란색이 나오면 예원이가 이깁니다. 공정한 게임이 가능한 회전판을 모두 찾아 기호를 쓰세요.

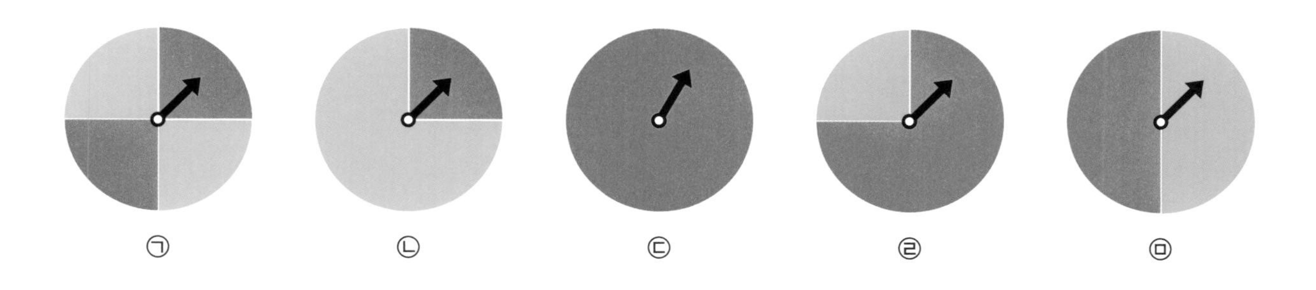

예제 2

1부터 8까지의 수가 적힌 주사위로 게임을 합니다. 다음 중 공정한 게임의 규칙은 무엇입니까?

㉠ 1, 2, 3, 4, 5가 나오면 한결 승, 6, 7, 8이 나오면 지호 승
㉡ 홀수가 나오면 한결 승, 짝수가 나오면 지호 승
㉢ 8보다 큰 수가 나오면 한결 승, 8보다 작은 수가 나오면 지호 승

06 확인 문제

1 사건이 일어날 가능성에 대해서 알맞게 ○표 하세요.

사건	가능하다	불가능하다
동전을 던지면 아래로 떨어집니다.		
1월 1일의 다음 날은 7월 2일이 됩니다.		
올해 4살인 아이는 내년에 10살이 됩니다.		

2 상자에 손을 넣어 수가 적힌 공을 꺼냅니다. 홀수와 짝수 중 나올 가능성이 더 큰 것은 무엇입니까?

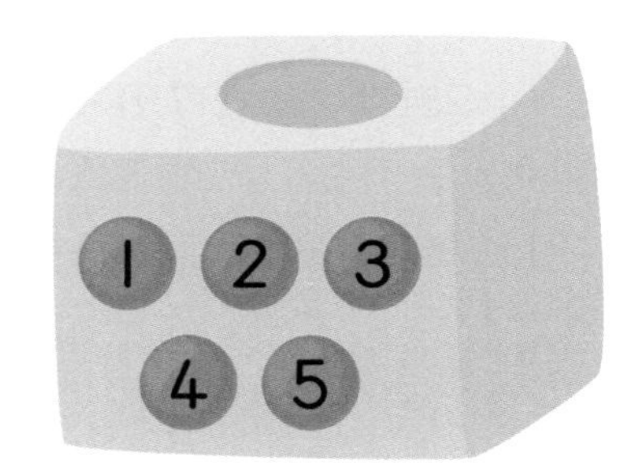

3 마트에서 회전판을 돌려 경품을 주는 이벤트를 합니다. 어떤 물건을 받을 가능성이 가장 높습니까?

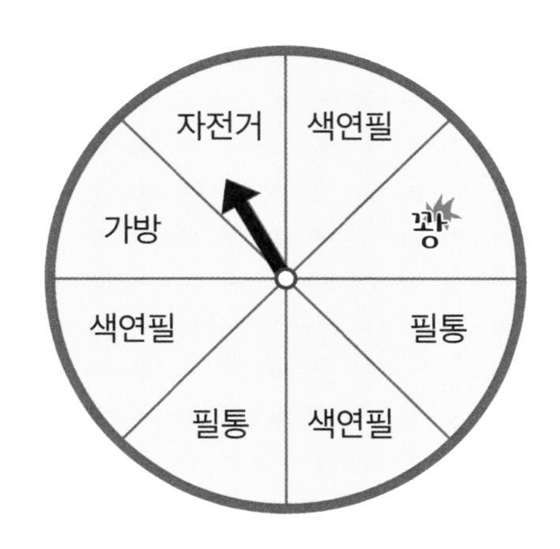

4 가능성이 없는 일이 적힌 카드에 ×표 하세요.

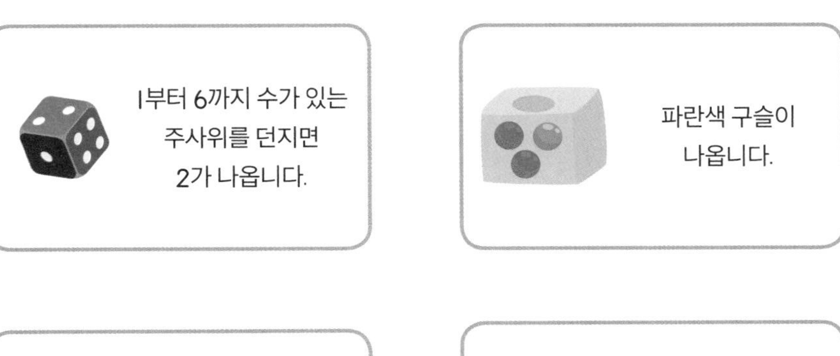

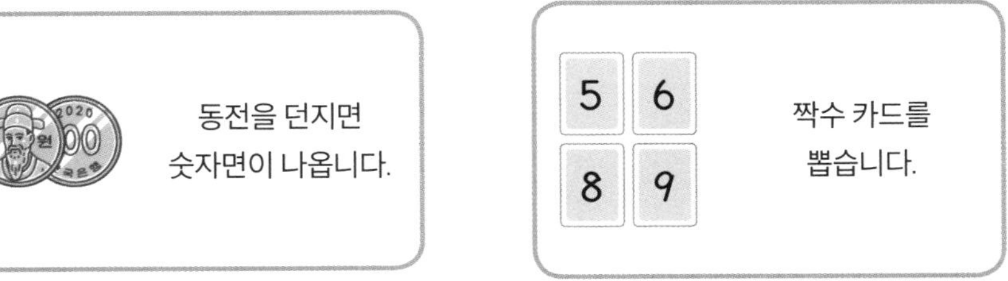

06 확인 문제

5 다음 카드 중 한 장을 뽑으려고 합니다. 바르게 설명한 것을 모두 고르세요.

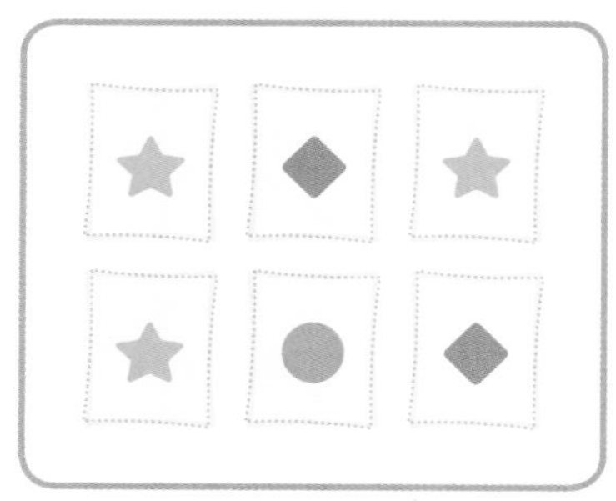

① ★을 뽑을 가능성은 ◆을 뽑을 가능성보다 큽니다.
② ●을 뽑을 가능성이 가장 작습니다.
③ ◆을 뽑을 가능성이 없습니다.
④ ★을 뽑을 가능성과 ◆을 뽑을 가능성이 같습니다.
⑤ ◆을 뽑을 가능성이 가장 큽니다.

6 공정한 게임을 이야기한 친구를 모두 쓰세요.

1부터 20까지 수가 적힌 주사위를 던져 짝수가 나오면 내가 술래, 홀수가 나오면 지호가 술래.

예원

주머니에서 빨간 구슬이 나오면 내가 술래, 파란 구슬이 나오면 예원이가 술래.

지호

1, 2, 3이 나오면 내가 이기고, 4, 5, 6이 나오면 한결이가 이기는 거야.

민서

다트를 던져서 파란색 과녁에 맞으면 내가 이기고, 노란색 과녁에 맞으면 지호가 이겨.

지한

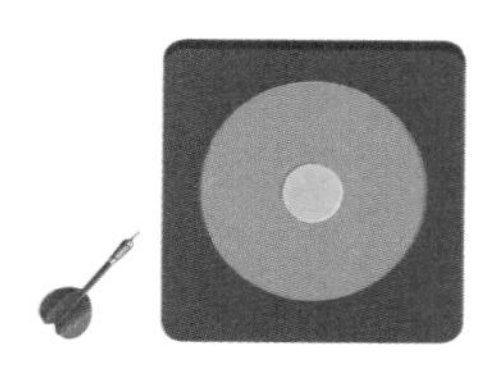

7 예원, 지호, 민서, 지한이가 회전판을 돌려 자신이 선택한 조건에 맞는 수가 나오면 사탕을 받는 게임을 합니다. 이 게임에서 가장 유리한 친구는 누구입니까?

예원: 짝수
지호: 10보다 큰 수
민서: 홀수
지한: 10보다 작은 수

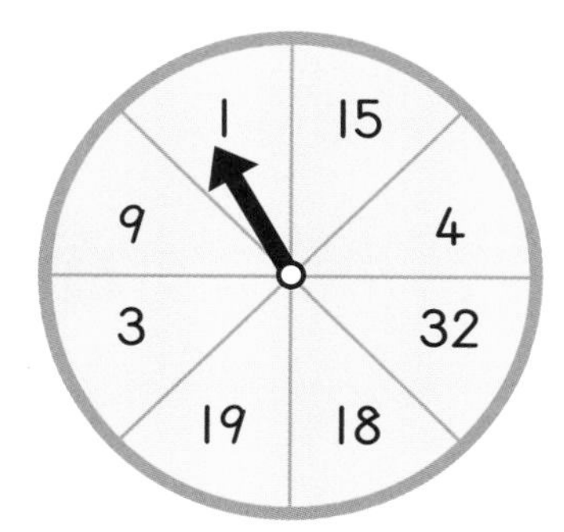

8 회전판을 돌려 청소 당번을 뽑으려고 합니다. 조건에 맞게 회전판의 빈 곳에 알맞은 이름을 쓰세요.

- 예원이 청소 당번이 될 가능성이 지호가 청소 당번이 될 가능성보다 큽니다.
- 민서가 청소 당번이 될 가능성이 가장 큽니다.

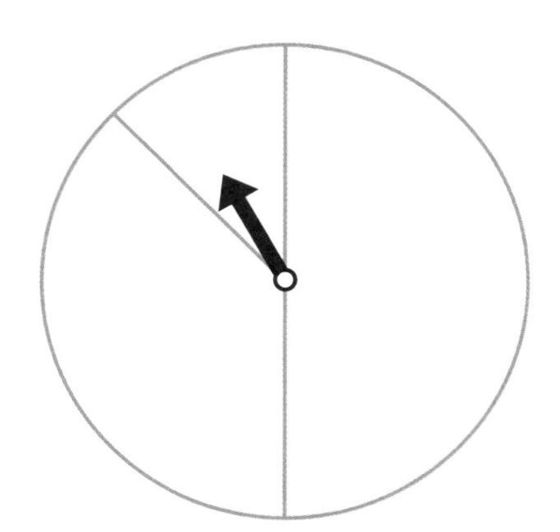

1 1부터 10까지의 구슬 10개 중 한 개를 뽑으려고 합니다. 물음에 답하세요.

(1) 구슬을 꺼내는 가능성을 바르게 설명한 것의 기호를 쓰세요.

㉠ 홀수가 나올 가능성이 더 큽니다. ㉡ 짝수가 나올 가능성이 더 큽니다. ㉢ 홀수, 짝수가 나올 가능성은 같습니다.

(2) 회전판을 노란색과 파란색으로 색칠하려고 합니다. 주머니에서 꺼낸 구슬의 수가 홀수일 가능성과 회전판의 화살이 파란색에 멈출 가능성이 같도록 회전판을 색칠하세요.

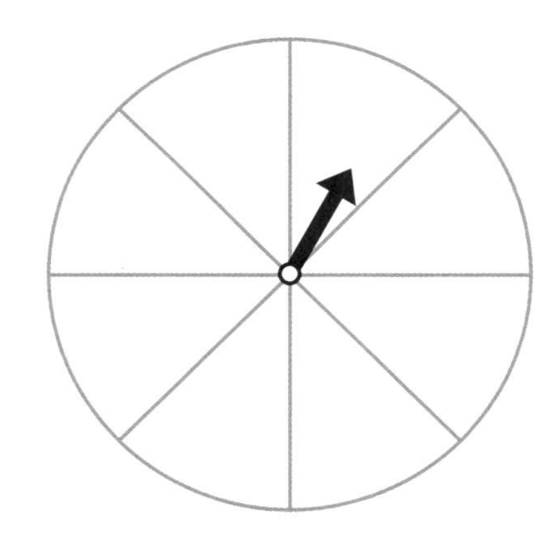

06 경시 기출 유형

● 1부터 8까지의 수가 적힌 주사위를 던져서 일이 일어나는 가능성을 보기 와 같은 방법으로 나타내려고 합니다. 알맞은 수나 단어에 ○표 하세요.

보기

동전을 던지면 숫자면 또는 그림면이 나옵니다. – 확실한 경우: 1
동전을 던지면 숫자면이 나옵니다. – 가능성이 반반인 경우: 반반
동전을 던지면 그림면이 나옵니다. – 가능성이 반반인 경우: 반반
동전을 던지면 돌로 바뀝니다. – 불가능한 경우: 0

(1) 9보다 작은 수가 나올 가능성에 ○표 하세요. (0 , 반반 , 1)

(2) 홀수가 나올 가능성에 ○표 하세요. (0 , 반반 , 1)

(3) 13이 나올 가능성에 ○표 하세요. (0 , 반반 , 1)

(4) 4보다 큰 수가 나올 가능성에 ○표 하세요. (0 , 반반 , 1)

07

방법의 가짓수

방법의 가짓수

Math storyteller

: 지호야, 인형 진열하는 것 좀 도와줄래?

: 그래. 곰 인형과 토끼 인형을 어떻게 진열할까?

: 나란히 진열해 줘.

: 곰 인형, 토끼 인형 순서로 놓을까? 토끼 인형, 곰 인형 순서로 놓을까?

: 토끼 인형을 먼저 놓고, 곰 인형을 놓아줘.

● 책꽂이에 동화책과 만화책을 나란히 꽂는 방법을 모두 쓰세요.

● 강아지와 고양이를 한 줄로 세우는 방법을 모두 쓰세요.

지호, 수아, 예원이가 줄을 서려고 합니다. 지호가 항상 가장 앞에 선다고 할 때, 빈 곳에 알맞은 이름을 넣어 줄을 서는 방법을 모두 나타내세요.

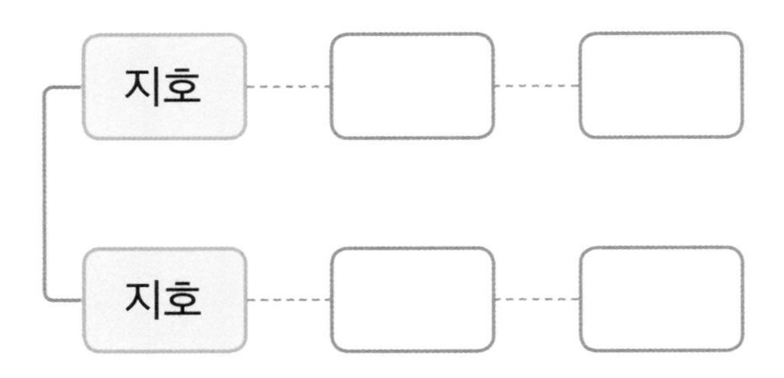

줄 서는 방법

① 지호, 수아 줄 서기

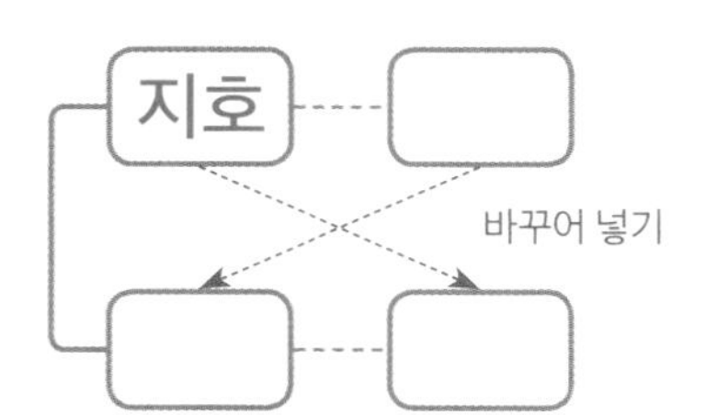

② 수아, 지호, 예원 줄 서기 (단, 수아가 항상 앞)

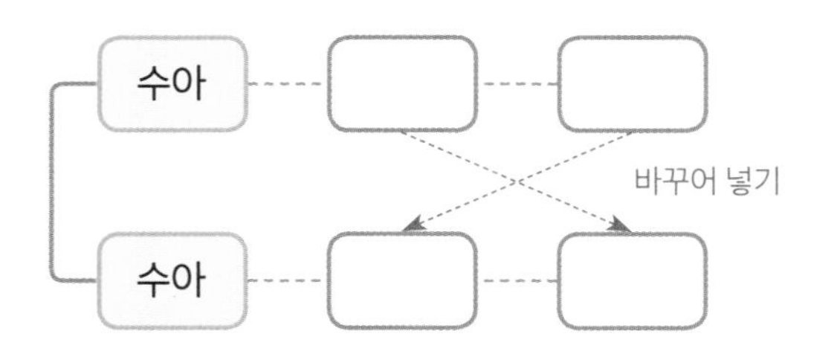

1. 두 명이 한 줄로 서는 방법을 모두 구할 때에는 첫 번째 두 사람을 차례로 세우고, 두 번째 두 사람의 순서를 바꿉니다.

2. 한 명의 순서가 정해진, 세 명이 한 줄로 서는 방법을 모두 구할 때에는 순서가 정해진 사람의 이름을 먼저 쓴 후 두 명이 한 줄로 서는 방법으로 줄을 섭니다.

예제 1

우체부가 가, 나, 다 마을에 편지를 배달하려고 합니다. 가 마을에서 시작하여 배달하는 방법이 보기 와 같습니다. 보기 와 같은 방법으로 나 마을에서 시작하여 배달하는 방법을 나타내세요.

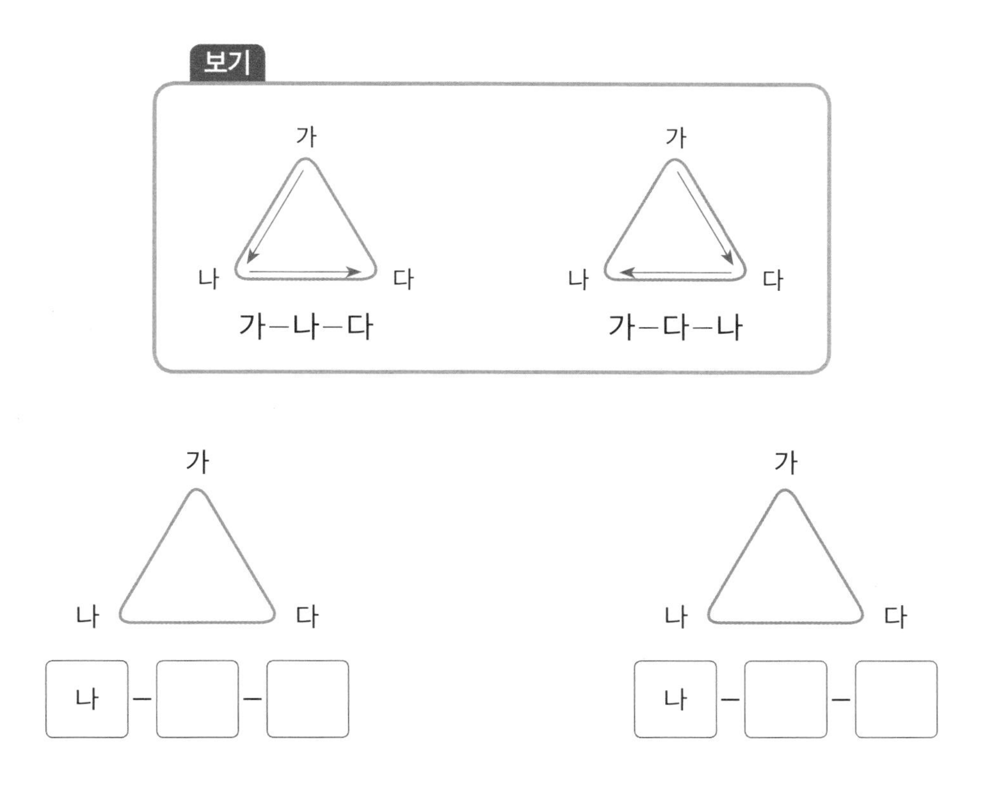

예제 2

한결이는 놀이공원에서 범퍼카, 열차, 회전목마를 타려고 합니다. 범퍼카를 반드시 마지막에 타는 방법을 모두 쓰세요.

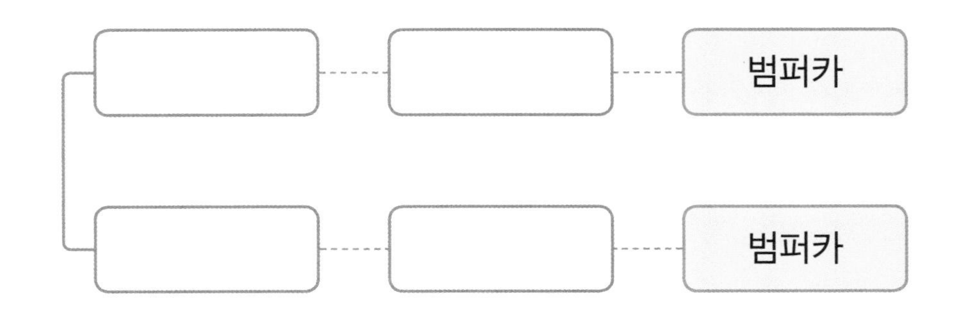

2, 3, 6을 한 번씩 모두 사용하여 만들 수 있는 세 자리 수를 나뭇가지 그림으로 나타내세요.

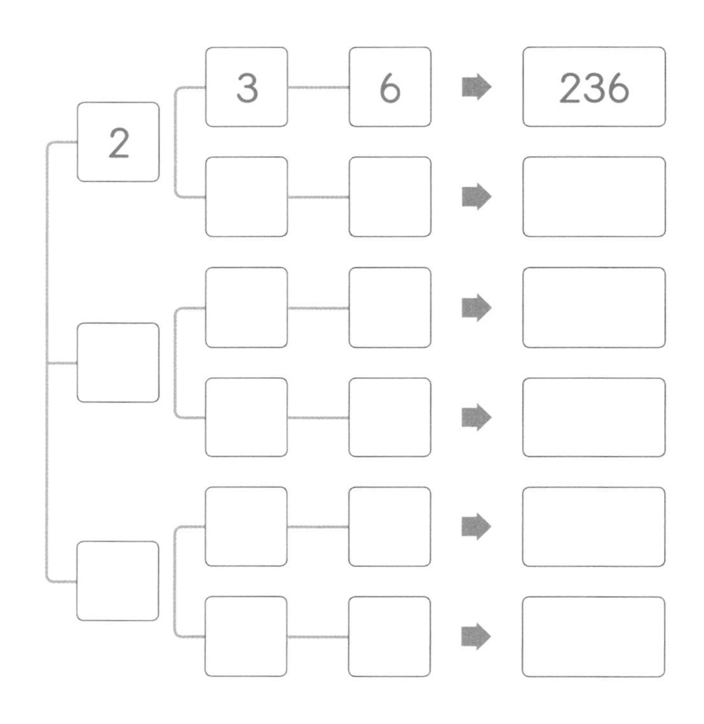

나뭇가지 그림

1, 3, 5를 한 번씩 사용하여 만들 수 있는 세 자리 수를 나뭇가지 그림으로 알아보세요.

백의 자리 십의 자리 일의 자리

1 — 3 — 5 ➡ 135
1 — 5 — 3 ➡
3 — ☐ — ☐ ➡
3 — 5 — ☐ ➡
5 — ☐ — ☐ ➡
5 — ☐ — ☐ ➡

1. 방법의 가짓수를 구할 때 나뭇가지 모양으로 순서대로 나열하는 것을 나뭇가지 그림이라고 합니다.
2. 나뭇가지 그림은 순서를 정하여 차례로 쓰면 쉽게 완성할 수 있습니다.

예제 1

모양 카드 세 장을 나란히 놓는 방법을 나뭇가지 그림으로 나타내고, 방법의 가짓수를 쓰세요.

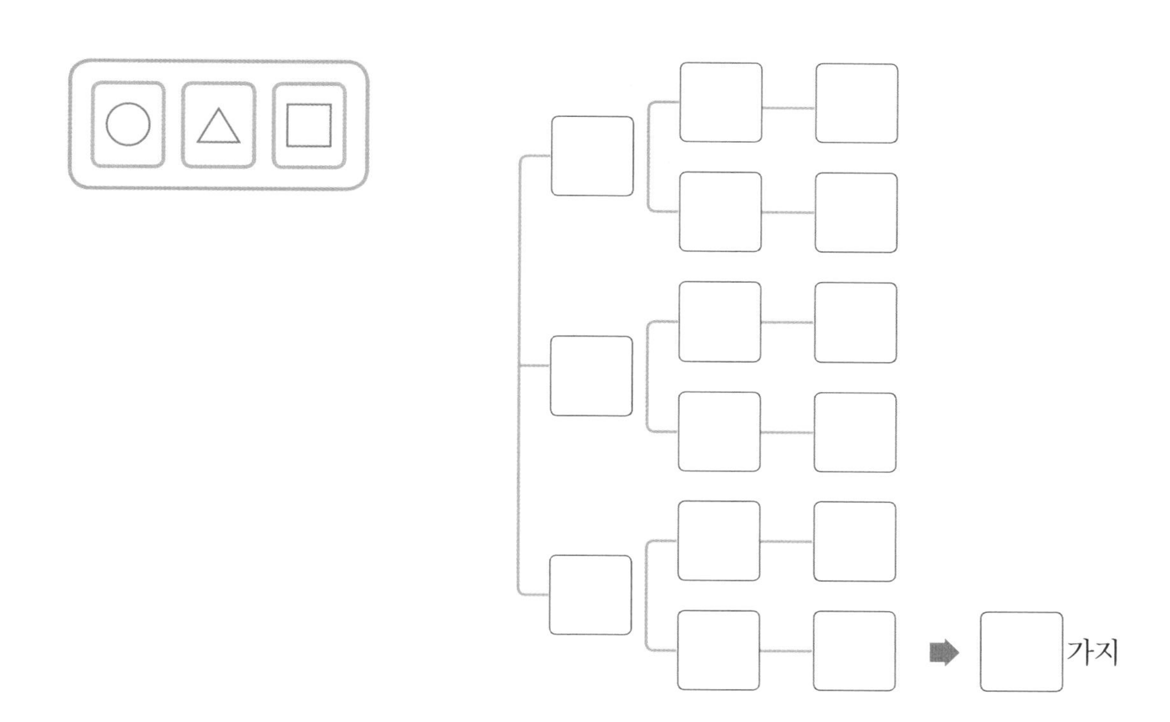

예제 2

지호, 민서, 지한이가 나란히 의자에 앉는 방법은 모두 몇 가지입니까?

07 확인 문제

1 지한이가 두 가지 맛 젤리를 한 개씩 먹으려고 합니다. 젤리를 먹는 방법은 모두 몇 가지입니까?

딸기 맛

포도 맛

2 노란색 색연필과 빨간색 색연필로 아래 칸을 색칠하는 방법은 모두 몇 가지입니까?(단, 두 칸을 서로 다른 색으로 색칠합니다.)

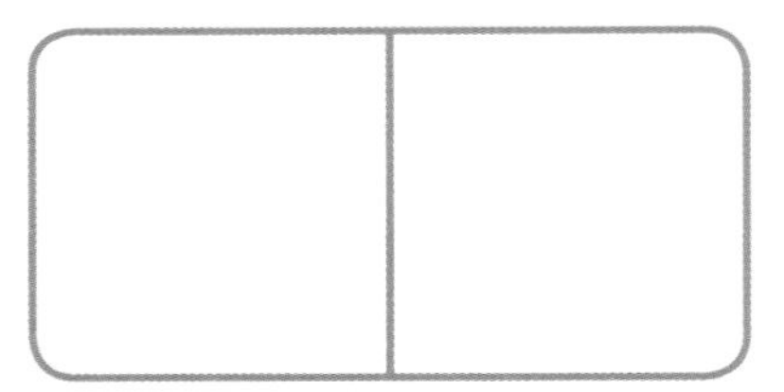

3 올림픽 양궁 여자 단체전에 채영, 민희, 안산 선수가 출전하였습니다. 안산 선수가 항상 마지막에 경기를 하려고 할 때, 선수들이 출전하는 방법은 모두 몇 가지입니까?

4 색깔 카드 3장을 한 줄로 놓을 때 파란색 카드를 가장 앞에 놓는 방법은 몇 가지입니까?

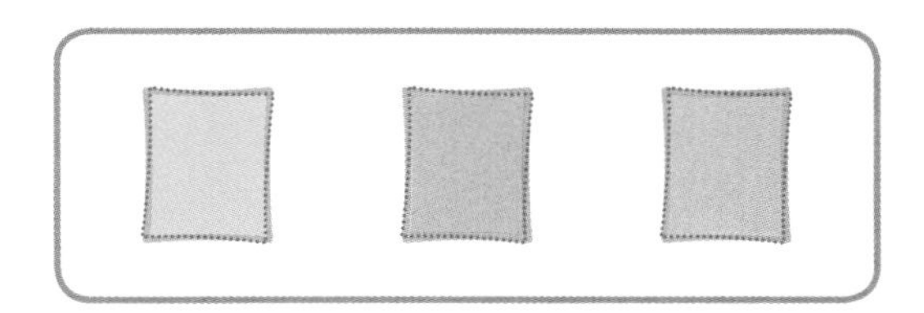

5 빨간색, 노란색, 파란색을 한 번씩 모두 사용하여 만들 수 있는 신호등을 색칠하여 나타내세요.

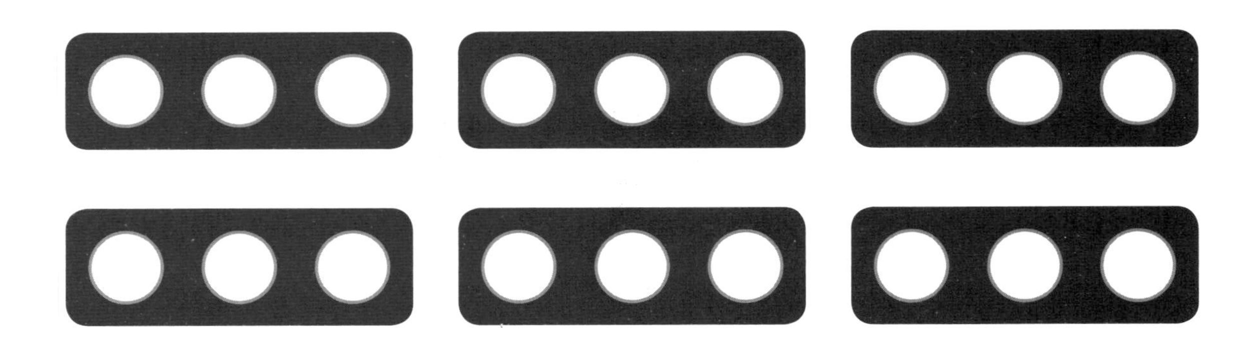

6 지한이는 경주 여행에서 첨성대, 불국사, 석굴암을 가려고 합니다. 여행 순서로 가능한 것을 나뭇가지 그림으로 나타내세요.

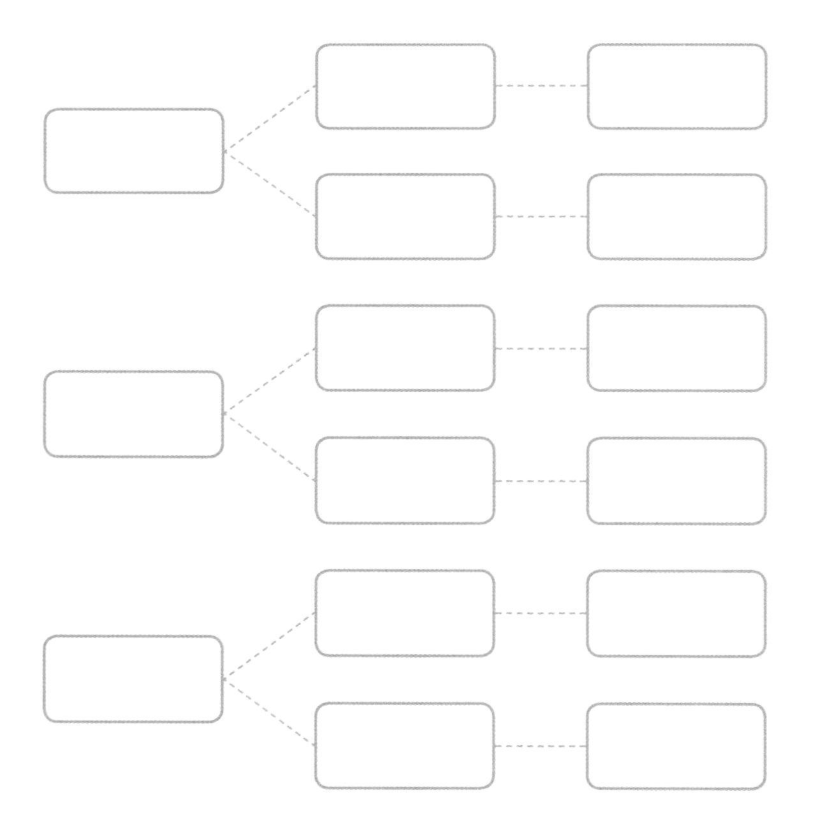

7 지겸이가 가위바위보를 3번 할 때 가위, 바위, 보를 낼 수 있는 방법은 모두 몇 가지입니까? (단, 가위, 바위, 보를 한 번씩만 냅니다.)

8 수 카드 2, 4가 두 장씩 있습니다. 카드를 한 번씩 모두 사용하여 만들 수 있는 두 자리 수를 모두 쓰세요.

07 심화 문제

방법의 가짓수

1 예원, 지호, 민서, 지한이가 나란히 의자에 앉으려고 합니다. 예원이는 항상 네 번째 의자에 앉는다고 할 때, 친구들이 앉는 방법을 모두 쓰세요.

2 동전 4개를 한 칸에 한 개씩 넣으려고 합니다. 10원짜리 동전을 항상 세 번째 칸에 넣는다고 할 때, 동전을 넣는 방법은 모두 몇 가지입니까?

● 수 카드 1, 2, 3, 4를 한 번씩 사용하여 만들 수 있는 두 자리 수를 나뭇가지 그림으로 나타내세요.

1	2	3	4

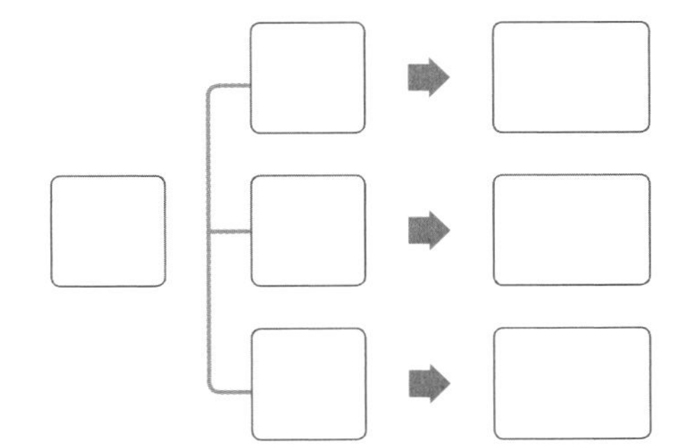
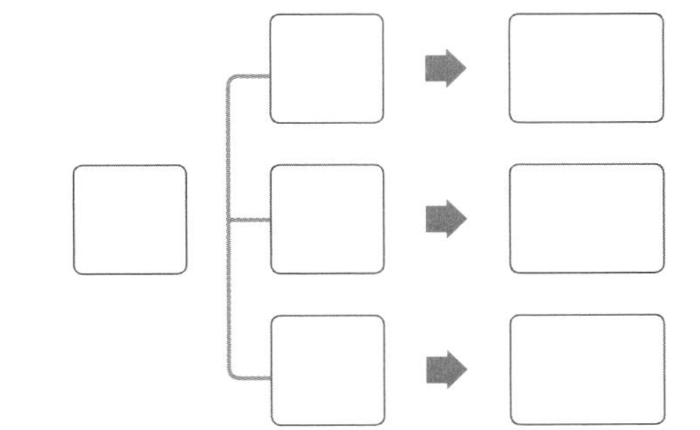
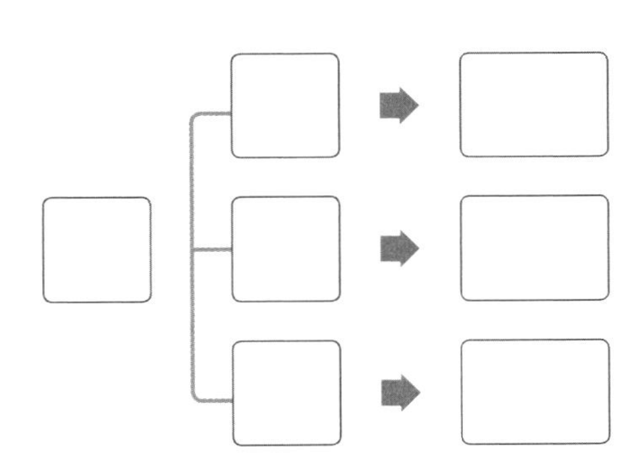
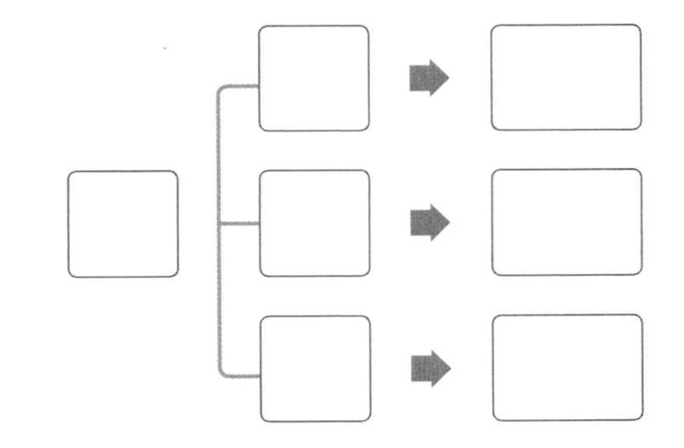

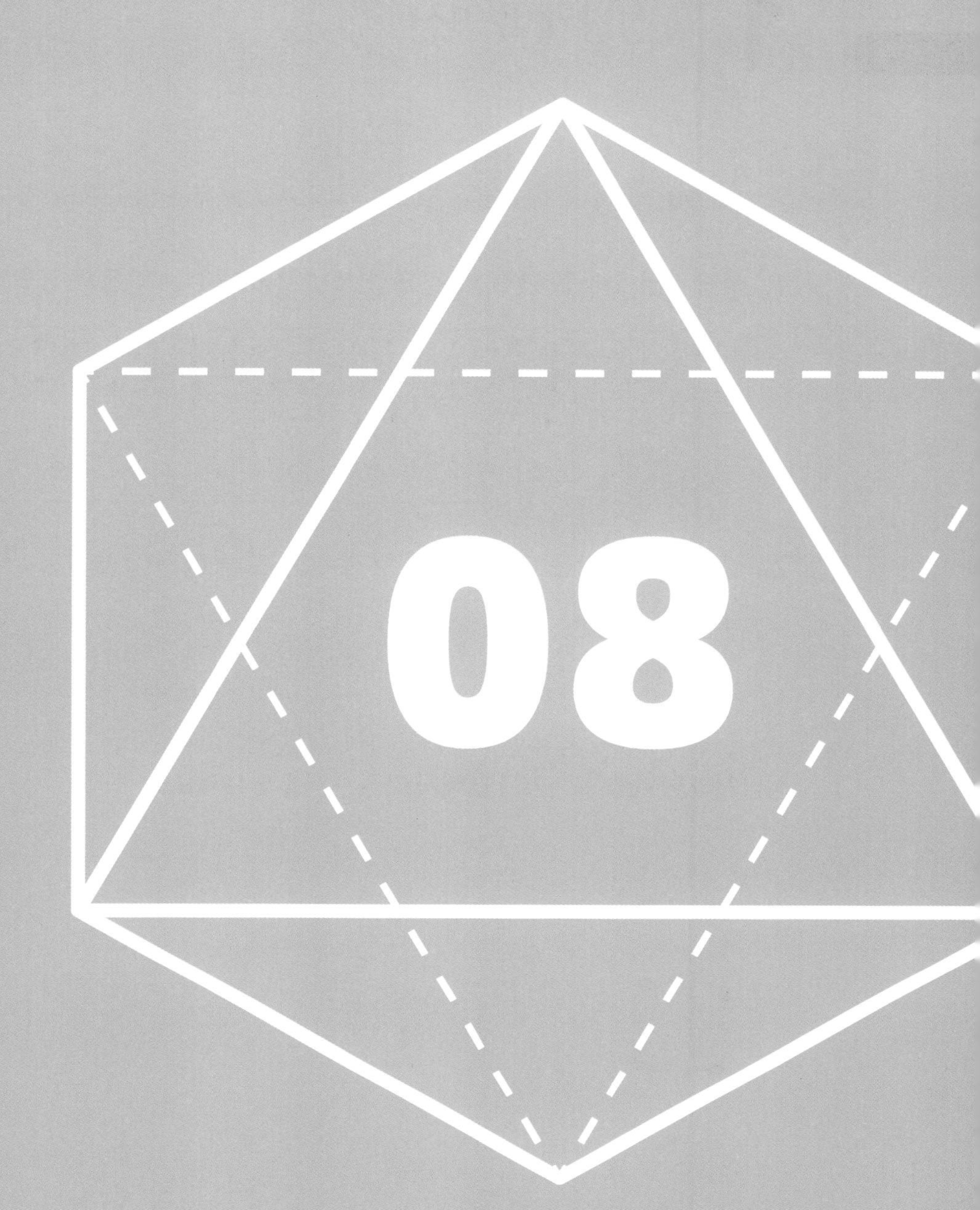

08

리뷰

성냥개비 수

1. 성냥개비 숫자를 만들 때 필요한 성냥개비 개수는 다음과 같습니다.

숫자	0	1	2	3	4	5	6	7	8	9
필요한 성냥개비 수	6	2	5	5	4	5	6	3	7	6

2. 성냥개비로 만든 숫자에서 성냥개비 한 개를 빼거나 옮기고 더해서 다른 숫자를 만들 수 있습니다.

1. 성냥개비 한 개를 옮기거나 더해서 다른 숫자를 만드세요.

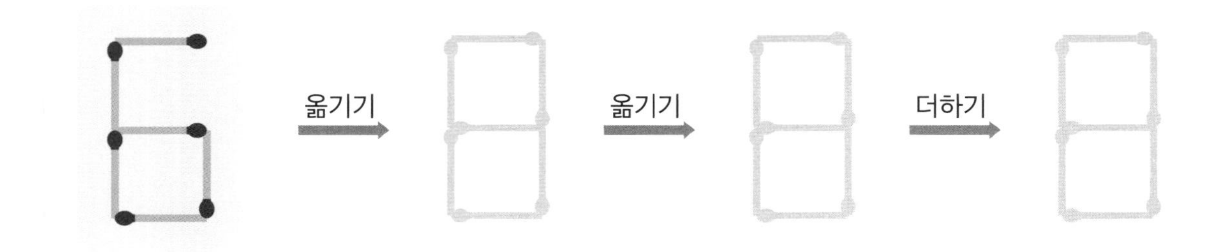

2. 보기 와 같이 수의 크기에 맞게 성냥개비 한 개를 옮기세요.

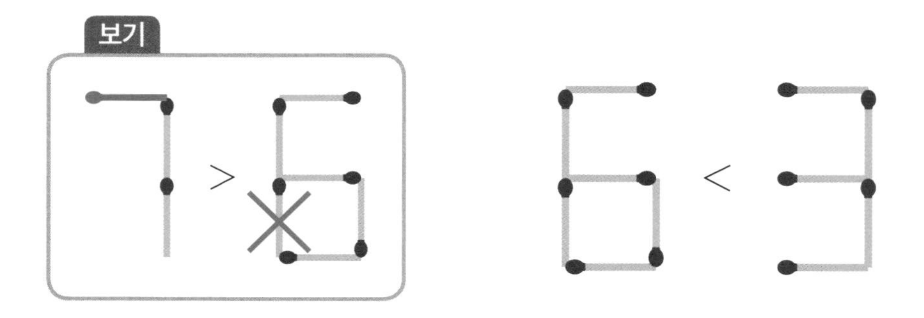

성냥개비 연산

1. 성냥개비로 만든 연산 기호(−, +)에서 성냥개비 1개를 빼거나 더하여 올바른 식을 만들 수 있습니다.

2. 성냥개비로 만든 식의 성냥개비 숫자나 연산 기호에서 뺀 성냥개비를 다른 숫자나 연산 기호로 옮겨서 올바른 식을 만들 수 있습니다.

[잘못된 식] [올바른 식]

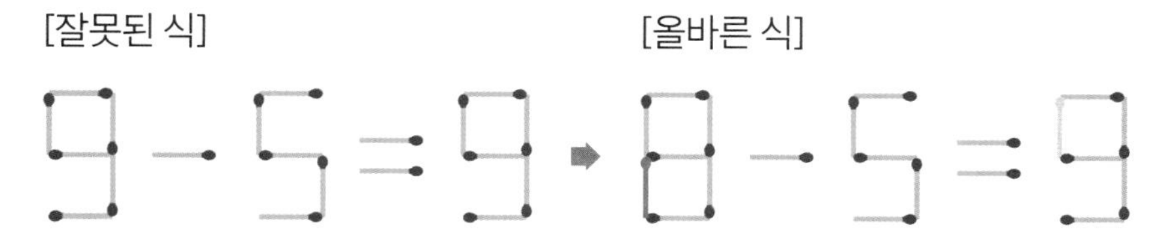

1. 성냥개비 한 개를 빼서 올바른 식을 만드세요.

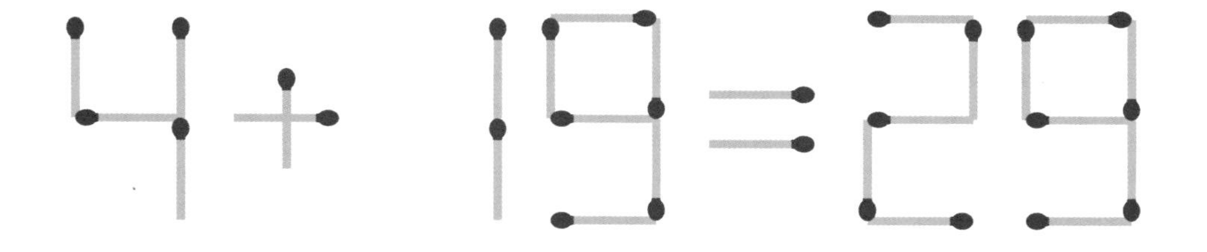

2. 성냥개비 한 개를 옮겨서 올바른 식을 만드세요.

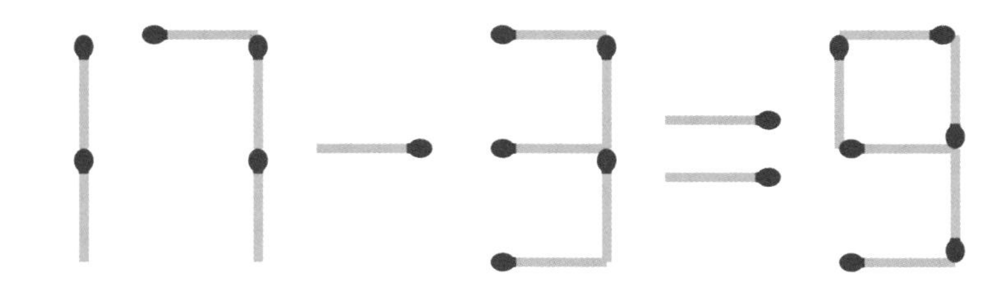

홀수와 짝수의 합과 차

1. 홀수는 일의 자리 숫자가 1, 3, 5, 7, 9인 수, 짝수는 일의 자리 숫자가 0, 2, 4, 6, 8인 수입니다.

2. ●● + ●● = ●●●● ➡ (짝수) + (짝수) = (짝수)

●●● + ●●● = ●●●●●● ➡ (홀수) + (홀수) = (짝수)

●● + ●●● = ●●●●● ➡ (짝수) + (홀수) = (홀수)

1. □ 안에 알맞은 수가 홀수인지 짝수인지 쓰세요.

(1) 17 + □ = (홀수)

(2) (짝수) + □ = 24

(3) (홀수) + 42 = □

(4) □ + (짝수) = (홀수)

2. 예원이의 반 번호는 26번입니다. 지호와 예원이의 반 번호의 합이 홀수일 때 지호의 번호는 홀수입니까? 짝수입니까?

카드 뒤집기

1. 카드를 홀수 번 뒤집으면 처음과 다른 면이 나옵니다.
2. 카드를 짝수 번 뒤집으면 처음과 같은 면이 나옵니다.

1. 그림 면과 숫자 면이 있는 카드를 주어진 횟수만큼 뒤집었습니다. 뒤집기가 끝난 후 나오는 카드의 모양에 ◯표 하세요.

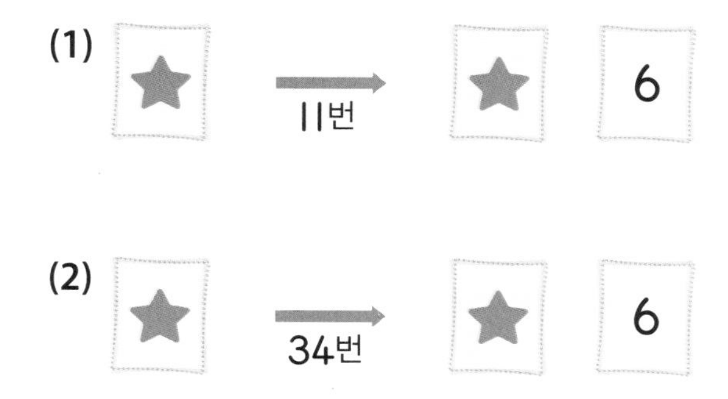

2. 예원이가 앉았다 일어나는 운동을 합니다. 예원이가 일어서서 시작하여 모두 49번 앉았다 일어난 후 예원이는 앉아있을까요? 서있을까요?

가쿠로 퍼즐

1. 가쿠로 퍼즐은 가로, 세로줄의 사각형 안의 수의 합이 삼각형 안의 수가 되도록 수를 넣는 퍼즐입니다.
2. 가로, 세로줄에서 빈칸이 1개인 곳을 먼저 찾아 알맞은 수를 씁니다.
3. 2에서 수를 쓴 후 가로, 세로줄의 합에 맞도록 남은 칸에 알맞은 수를 씁니다.

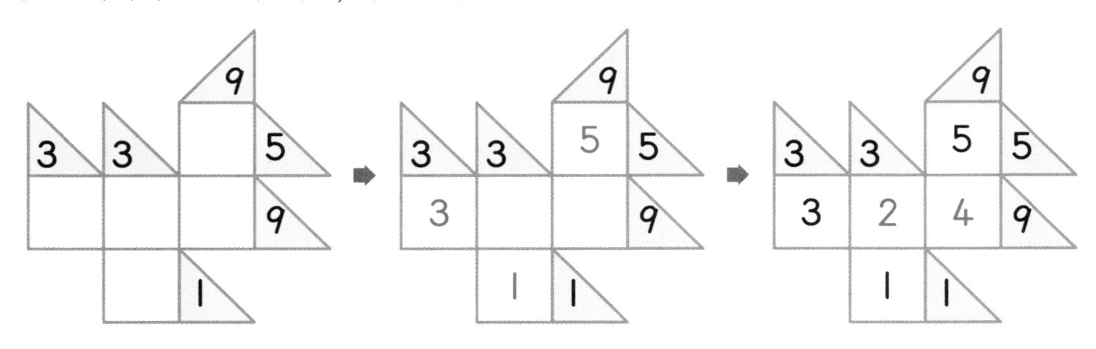

1. 주어진 수를 한 번씩 모두 사용하여 가쿠로 퍼즐을 완성하세요.

(1)

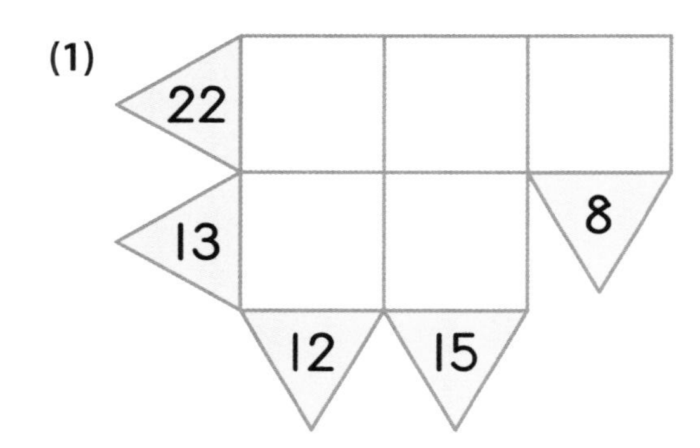

5, 6, 7, 8, 9

(2)

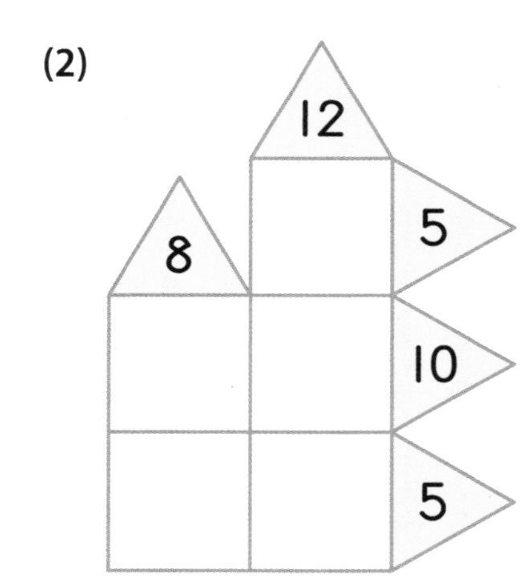

2, 3, 4, 5, 6

패밀리 넘버

1. 하나의 식을 이루는 세 수를 패밀리 넘버라고 합니다.
   패밀리 넘버(3, 4, 7) ➡ $3+4=7$, $4+3=7$, $7-3=4$, $7-4=3$
2. 가로줄에 놓인 세 수를 모두 확인한 후 세로줄에 놓인 세 수를 확인합니다.

1. 가로와 세로로 이웃한 수의 합이 주어진 수가 되는 세 수를 모두 ⬭로 묶으세요.

합 10

1	4	5	3
1	2	4	5
6	5	3	4
2	3	4	3

합 11

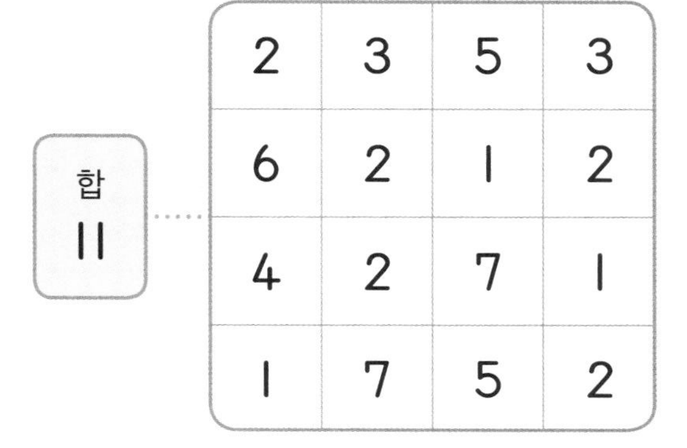

2	3	5	3
6	2	1	2
4	2	7	1
1	7	5	2

2. 가로, 세로로 이웃한 세 수를 사용하여 뺄셈식을 만드세요.

1	7	3	4
4	8	9	6
4	3	2	7
6	5	7	3

도형 약속 연산

1. 도형 약속 연산에서 같은 도형은 같은 수, 다른 도형은 다른 수를 나타냅니다.

2. 도형을 나열한 방법에 따라 각 도형이 나타내는 수를 더하거나 뺍니다.

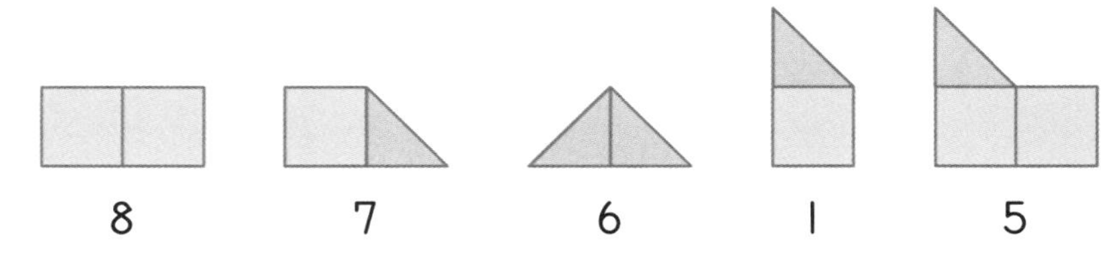

① □이 2개 있으면 8, ◺이 2개 있으면 6이므로 □은 4, ◺은 3을 나타냅니다.
② 옆으로 나란히 놓은 것은 덧셈, 위아래로 나란히 놓은 것은 뺄셈을 나타냅니다.

1. 암호 열쇠를 보고 다음 물음에 답하세요.

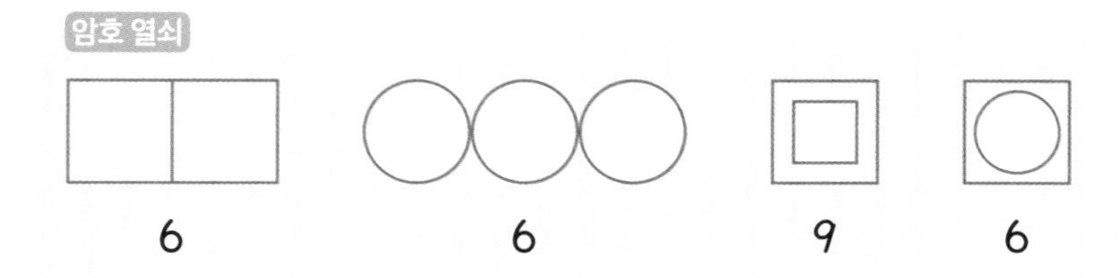

(1) 각 모양이 나타내는 수를 구하세요.

(2) 도형을 놓는 방법의 규칙을 찾아 다음 모양이 나타내는 수를 구하세요.

약속 연산

1. 기호를 이용하여 새로운 연산 방법을 약속하고, 약속에 따라 계산하는 것을 약속 연산이라고 합니다.
2. 새로운 연산 방법에 따라 계산하거나 계산 방법을 보고 연산 방법을 알아낼 수 있습니다.

1. 기호 ★은 규칙이 있는 연산 약속입니다. 규칙을 찾아 23★3을 계산하세요.

10★3＝4	21★7＝7	18★4＝10
16★5＝6	13★4＝5	9★1＝7

2. 가✳나＝가＋나－3, 가◎나＝가＋가－나로 약속했습니다. 다음 계산을 하세요.

(1) 6✳1＝□

5✳8＝□

7✳3＝□

(2) 6◎1＝□

5◎8＝□

7◎3＝□

표로 나타내기

1. 기준에 따라 분류하여 표로 나타내면 자료를 쉽게 정리할 수 있습니다.
2. 표를 이용하면 자료별 수를 알기 편리합니다.

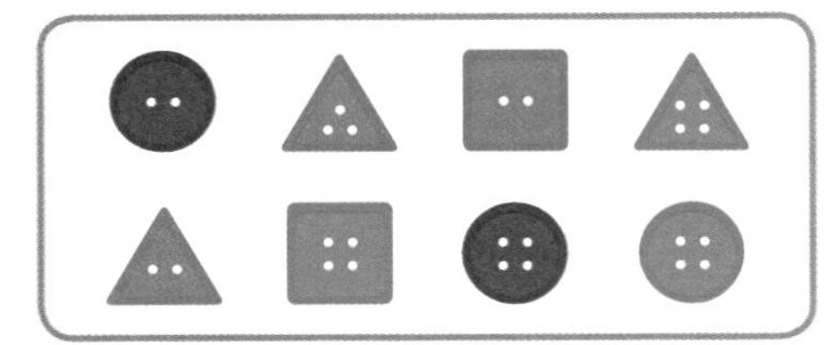

색깔별 단추의 개수

색깔	빨간색	파란색	주황색	합계
개수	3	2	3	8

1. 민서네 모둠 학생들이 좋아하는 놀이터의 놀이기구를 조사한 것입니다. 물음에 답하세요.

민서	지안	연우	희준
그네	미끄럼틀	시소	정글짐
지호	**서영**	**지한**	**광석**
그네	미끄럼틀	그네	미끄럼틀
민서	**서진**	**민우**	**승수**
미끄럼틀	정글짐	그네	그네

(1) 학생들이 좋아하는 놀이기구를 표로 나타내세요.

좋아하는 놀이기구

놀이기구	그네	미끄럼틀	시소	정글짐	합계
학생 수					

(2) 두 번째로 많은 학생들이 좋아하는 놀이기구는 무엇입니까?

그래프로 나타내기

1. 표를 보고 각 자료가 해당하는 수만큼 ○표 하여 그래프로 나타낼 수 있습니다.

2. 자료가 많고 복잡할수록 표보다 그래프가 자료를 비교하기 편리합니다.

1. 어느 반 학생 26명이 가장 좋아하는 놀이를 나타낸 표와 그래프입니다. 표와 그래프를 완성하세요.

좋아하는 놀이

놀이	술래잡기	무궁화 꽃	숨바꼭질	구슬치기	땅따먹기	합계
학생 수		8				26

좋아하는 놀이

9					
8					
7					
6					
5	○				
4	○				○
3	○		○		○
2	○		○		○
1	○		○		○
학생 수 / 놀이	술래잡기	무궁화 꽃	숨바꼭질	구슬치기	땅따먹기

6 가능성

가능성

1. 가능성은 어떤 상황에서 특정한 일이 일어나길 기대할 수 있는 정도를 말합니다.
2. 회전판에서 파란색을 칠한 부분이 가장 넓으면 파란색, 빨간색을 칠한 부분이 가장 넓으면 빨간색이 나올 가능성이 가장 큽니다.
3. 동전을 던지면 숫자면이 나올 가능성과 그림면이 나올 가능성이 서로 같습니다.

1. 구슬을 뽑을 때 파란색 구슬을 뽑을 가능성이 작은 것부터 차례로 기호를 쓰세요.

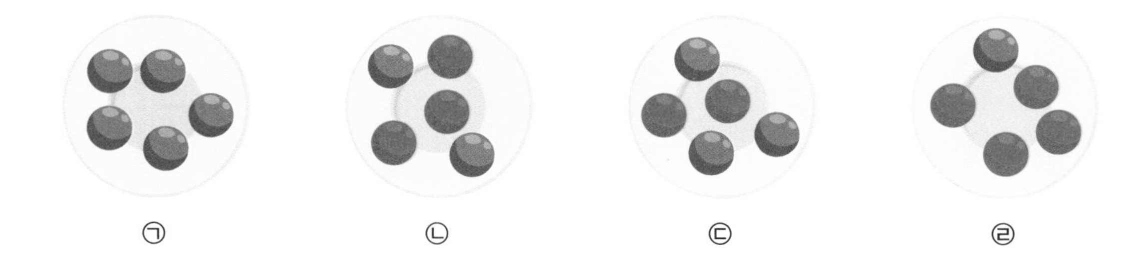

2. 회전판을 돌려 상품을 뽑으려고 합니다. 조건에 맞게 회전판의 빈 곳에 알맞은 물건의 이름을 쓰세요.

- 연필을 뽑을 가능성이 가장 큽니다.
- 가방을 뽑을 가능성은 필통을 뽑을 가능성보다 작습니다.

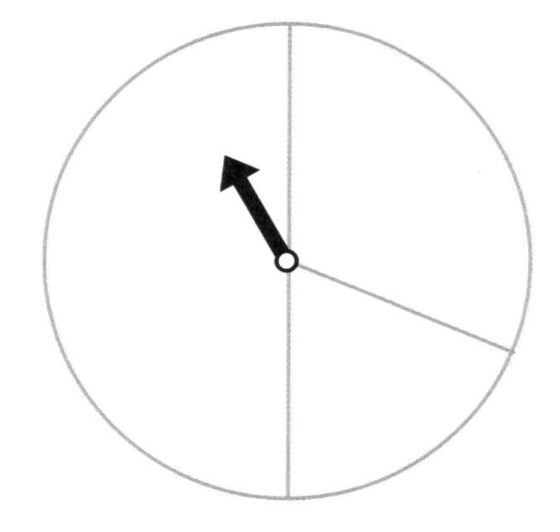

공정한 게임

1. 공정한 게임이란 어떤 일이 벌어질 가능성이 어느 쪽으로도 치우치지 않고 같은 것을 말합니다.

2. 각각의 일이 벌어질 가능성이 모두 같아야 가능성이 어느 쪽으로도 치우치지 않습니다.

주사위를 던져 짝수가 나오면 이기고, 홀수가 나오면 지는 게임은 짝수와 홀수가 나올 가능성이 서로 같으므로 공정한 게임입니다.

1. 상자 안에 별, 동그라미 모양 쿠키가 있습니다. 별 쿠키를 뽑으면 예원, 동그라미 쿠키를 뽑으면 민서가 이깁니다. 어떤 상자를 선택하는 것이 공정합니까?

㉠

㉡

㉢

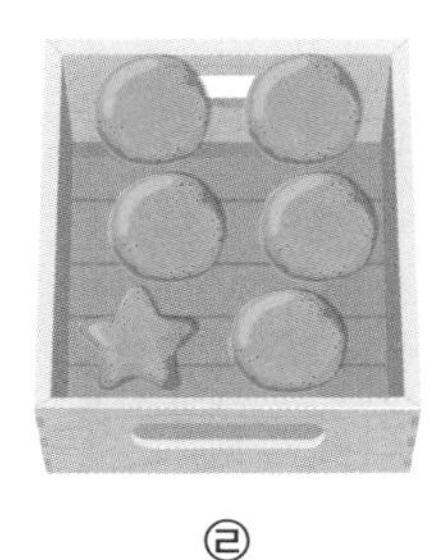
㉣

2. 공정한 게임을 말하지 않은 친구는 누구입니까?

동전의 숫자면이 나오면 내가, 그림면이 나오면 한결이가 이기는 게임을 할 거야.

예원

1부터 6까지 있는 주사위에서 1, 2, 3, 4가 나오면 내가 이기고, 5, 6이 나오면 네가 이기는 게임을 하자!

지호

1부터 8까지 있는 주사위에서 홀수가 나오면 내가 이기고, 짝수가 나오면 지한이가 이기는 게임을 해야지.

민서

줄 서는 방법

1. 두 명이 한 줄로 서는 방법을 모두 구할 때에는 첫 번째 두 사람을 차례로 세우고, 두 번째 두 사람의 순서를 바꿉니다.

2. 한 명의 순서가 정해진, 세 명이 한 줄로 서는 방법을 모두 구할 때에는 순서가 정해진 사람의 이름을 먼저 쓴 후 두 명이 한 줄로 서는 방법으로 줄을 섭니다.

① 수아, 지호 줄 서기 ② 수아, 지호, 예원 줄 서기 (단, 수아가 항상 앞)

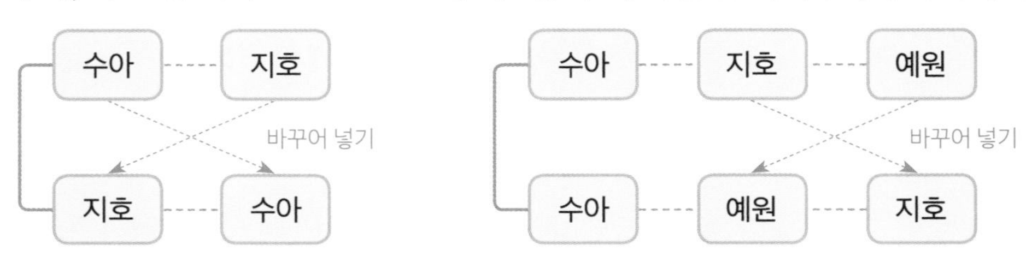

1. 민서와 한결이가 줄을 서는 방법은 모두 몇 가지입니까?

2. 지한이는 간식으로 케이크, 아이스크림, 쿠키를 한 개씩 먹으려고 합니다. 아이스크림을 반드시 마지막에 먹는 방법을 모두 쓰세요.

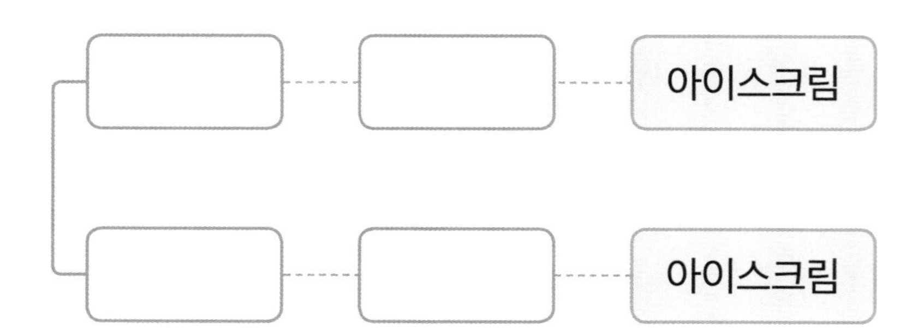

나뭇가지 그림

1. 방법의 가짓수를 구할 때 나뭇가지 모양으로 순서대로 나열하는 것을 나뭇가지 그림이라고 합니다.
2. 2, 4, 6을 한 번씩 사용하여 만들 수 있는 세 자리 수도 나뭇가지 그림으로 모두 구할 수 있습니다.

백	십	일		
2	4	6	➡	246
	6	4	➡	264
4	2	6	➡	426
	6	2	➡	462
6	2	4	➡	624
	4	2	➡	642

1. 1, 2, 3을 한 번씩 모두 사용하여 만들 수 있는 세 자리 수를 나뭇가지 그림으로 나타내세요.

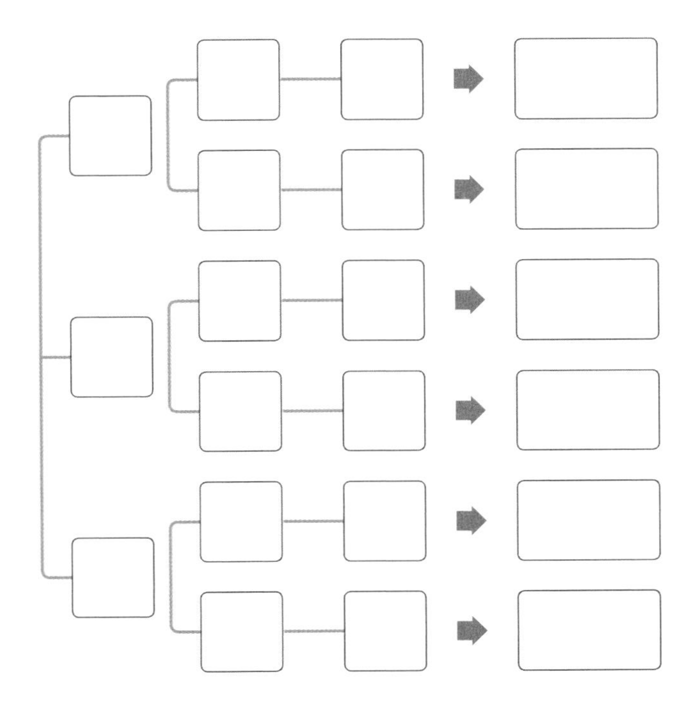

Memo

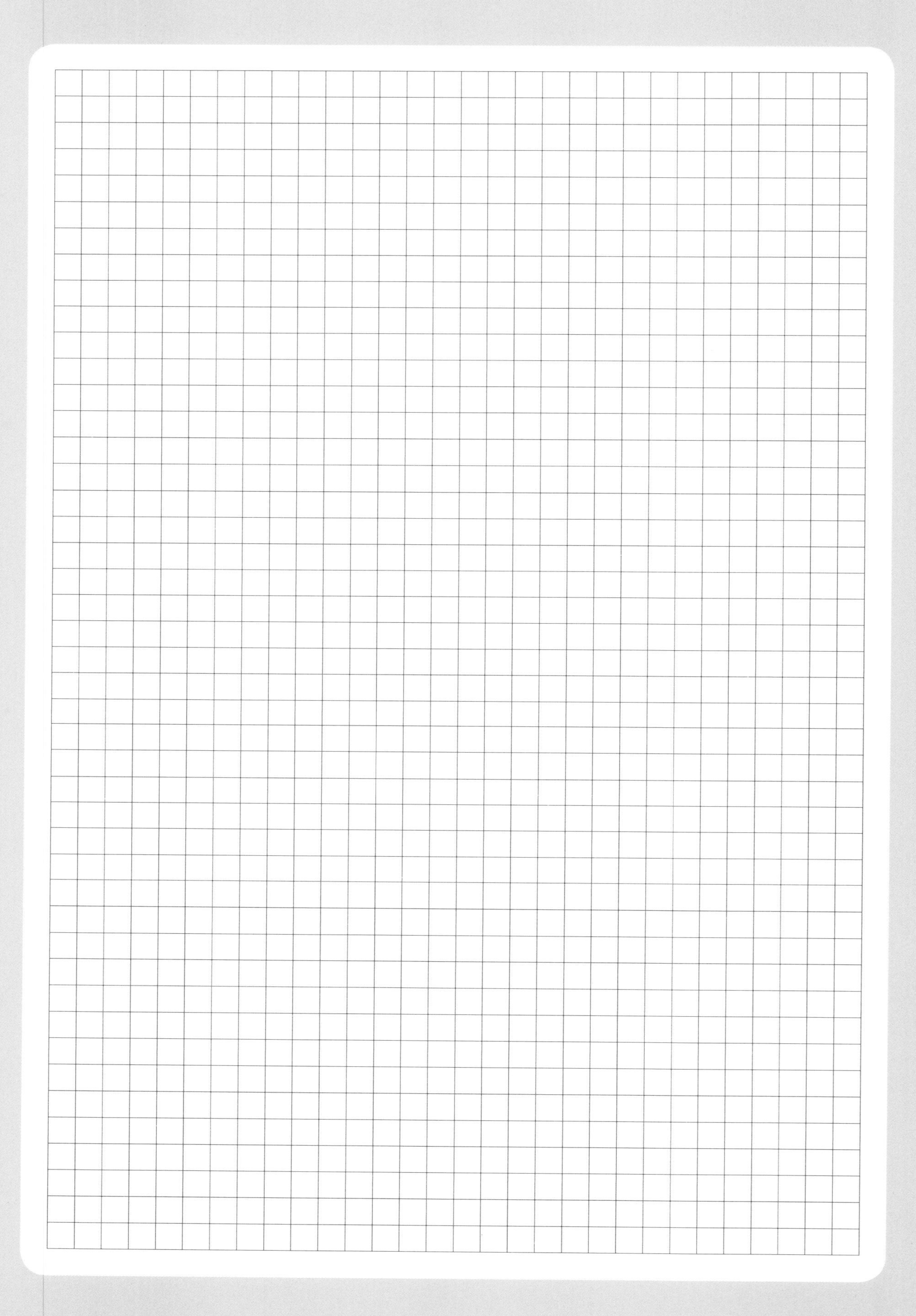

Memo

Memo

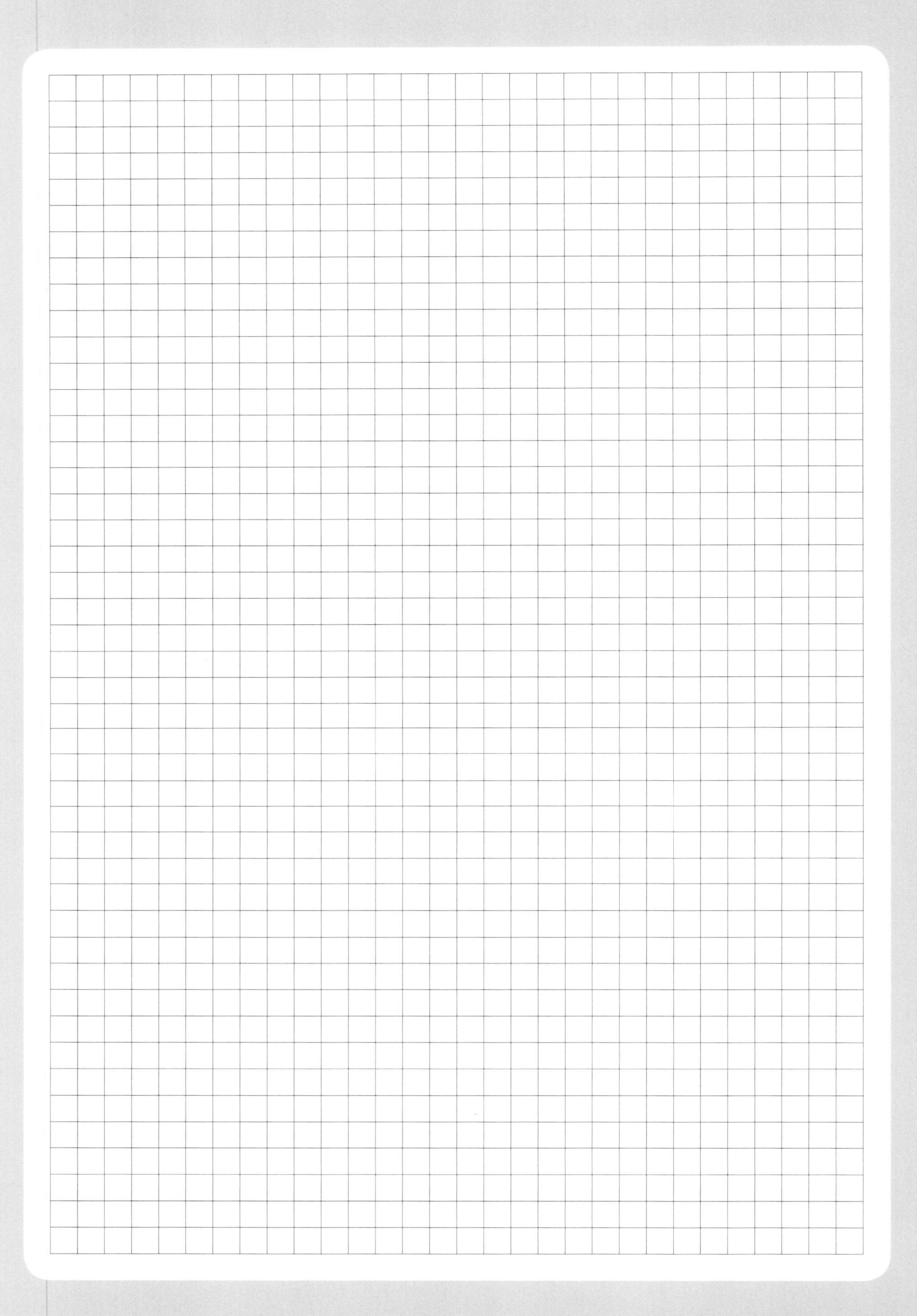

Memo

Memo

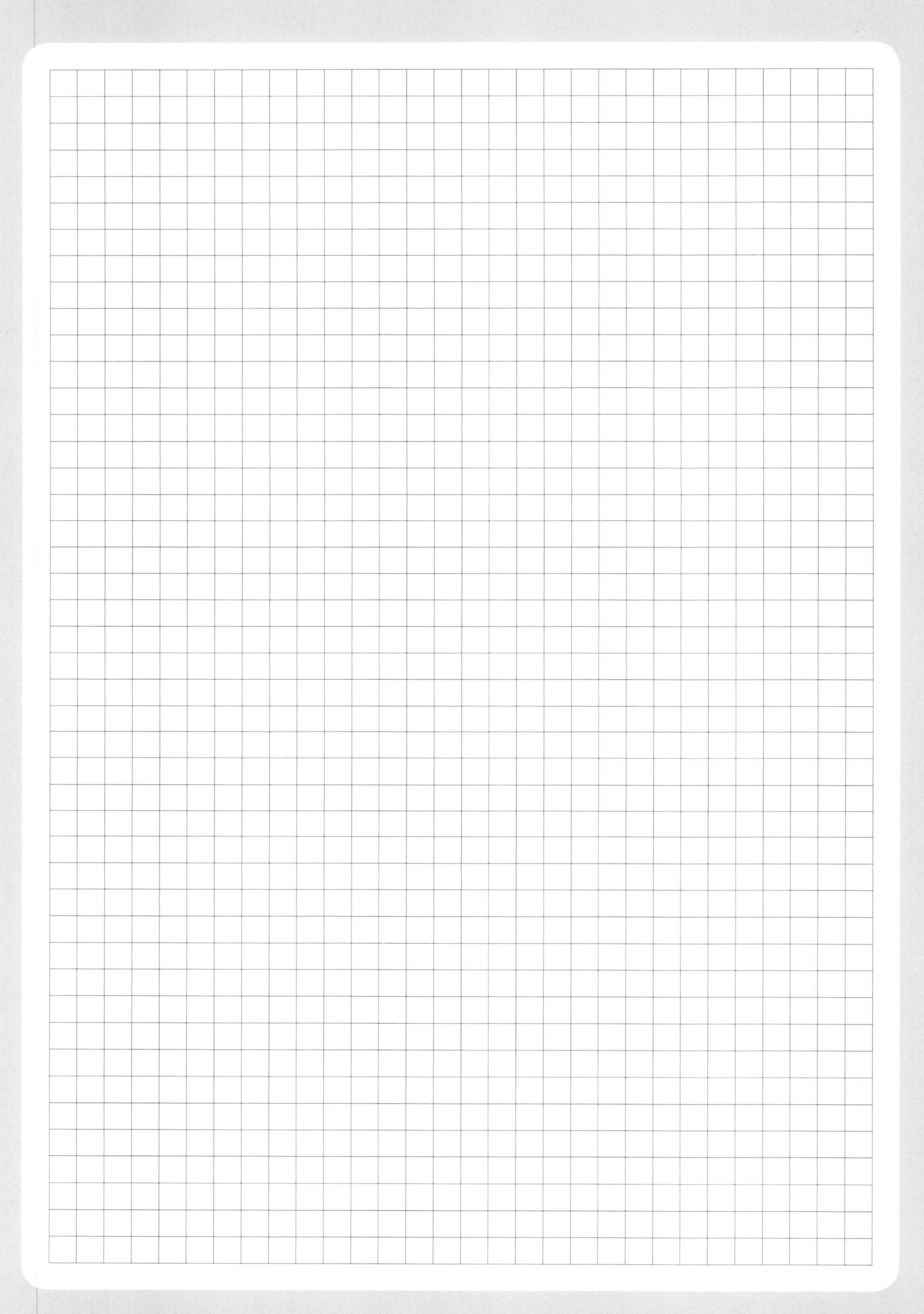

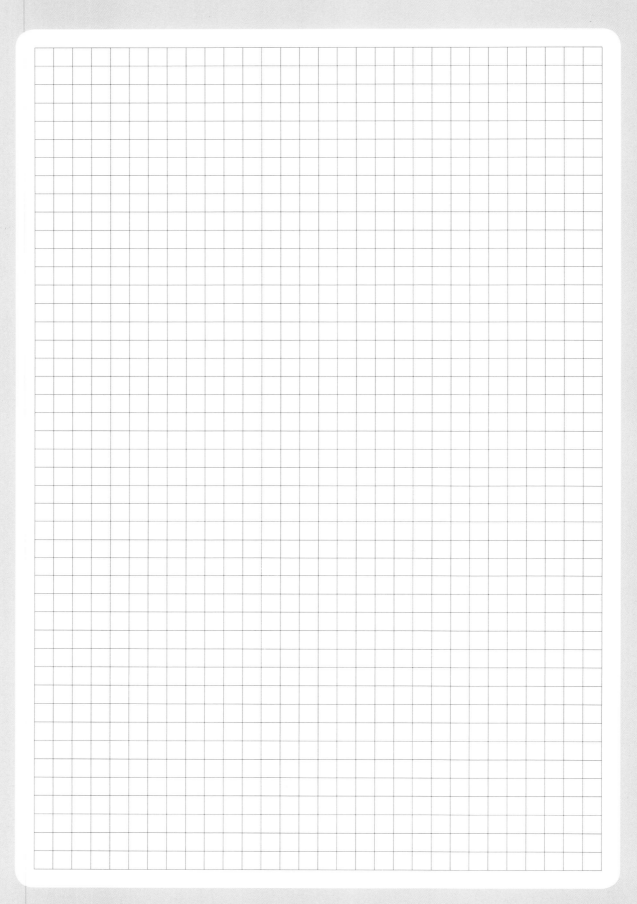

정답 및 해설

영재 사고력수학 필즈

초등학교 1, 2학년을 위한

베이직 하 _ 수와 연산의 활용, 경우의 수와 논리

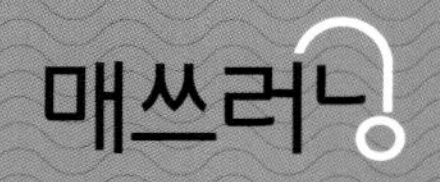

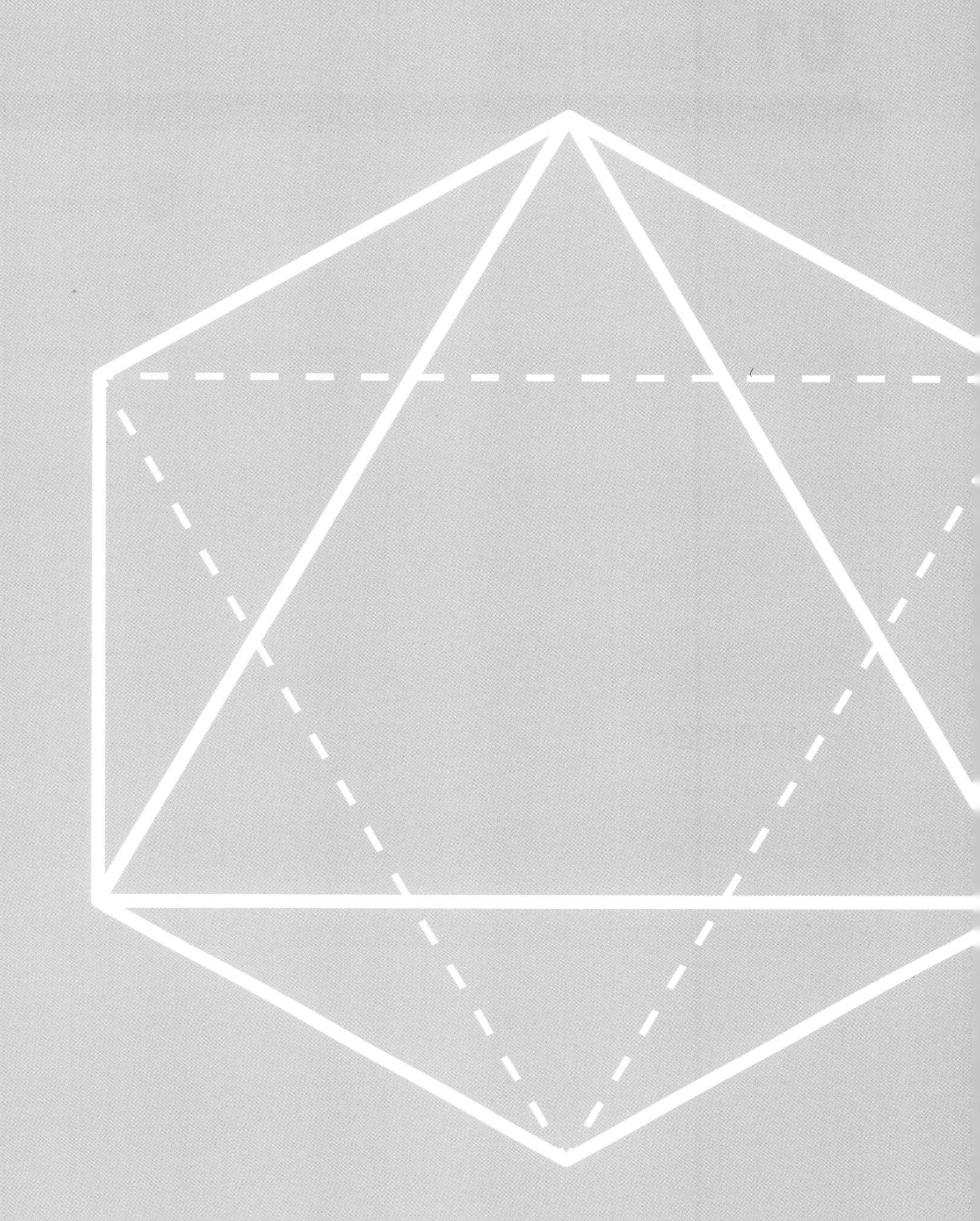

정답 및 해설

01 성냥개비 연산

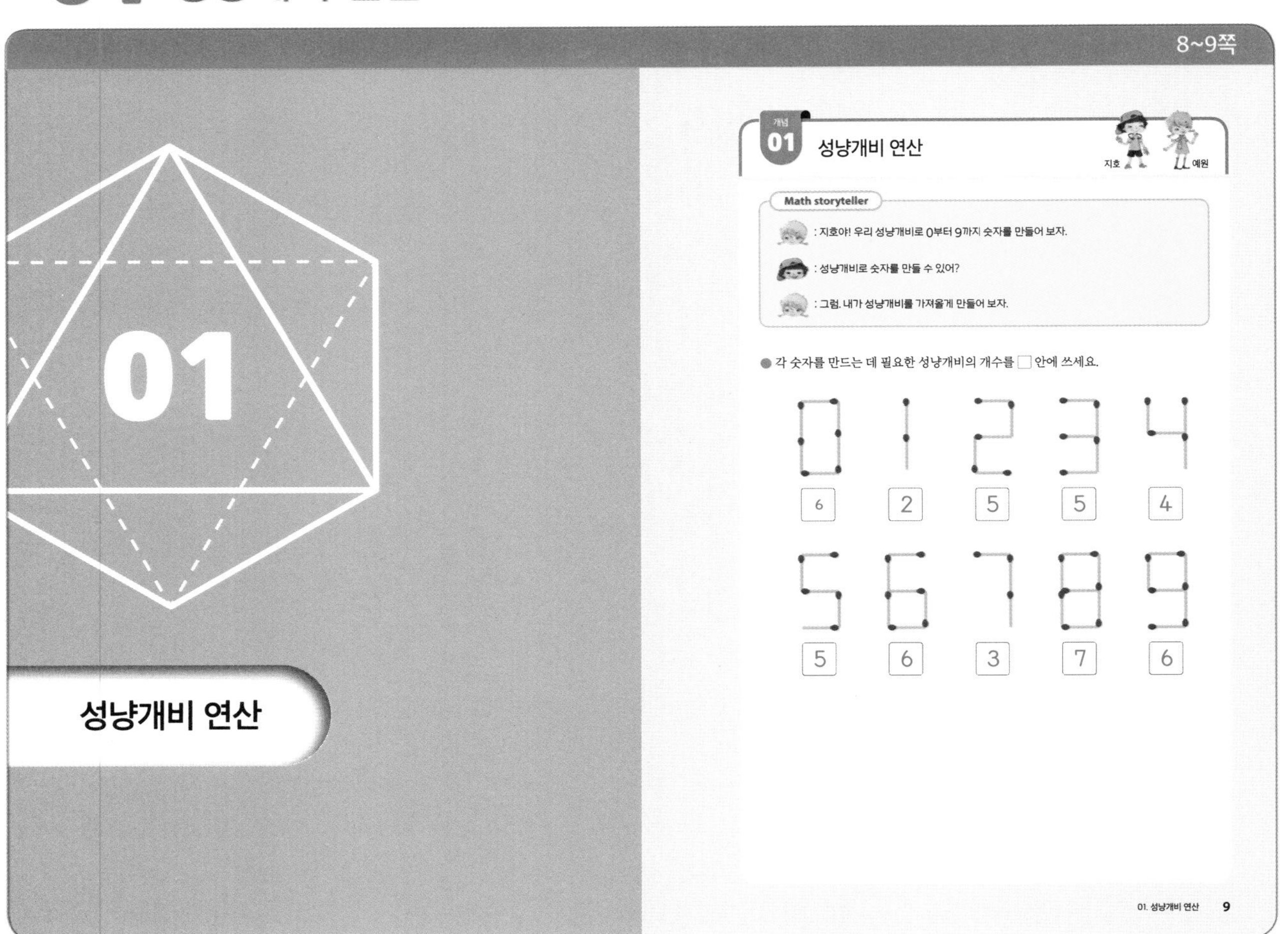
8~9쪽
01
성냥개비 연산
개념
01
성냥개비 연산
지호
예원
Math storyteller
: 지호야! 우리 성냥개비로 0부터 9까지 숫자를 만들어 보자.
: 성냥개비로 숫자를 만들 수 있어?
: 그럼. 내가 성냥개비를 가져올게 만들어 보자.
각 숫자를 만드는 데 필요한 성냥개비의 개수를 □ 안에 쓰세요.
6
2
5
5
4
5
6
3
7
6
01. 성냥개비 연산 9

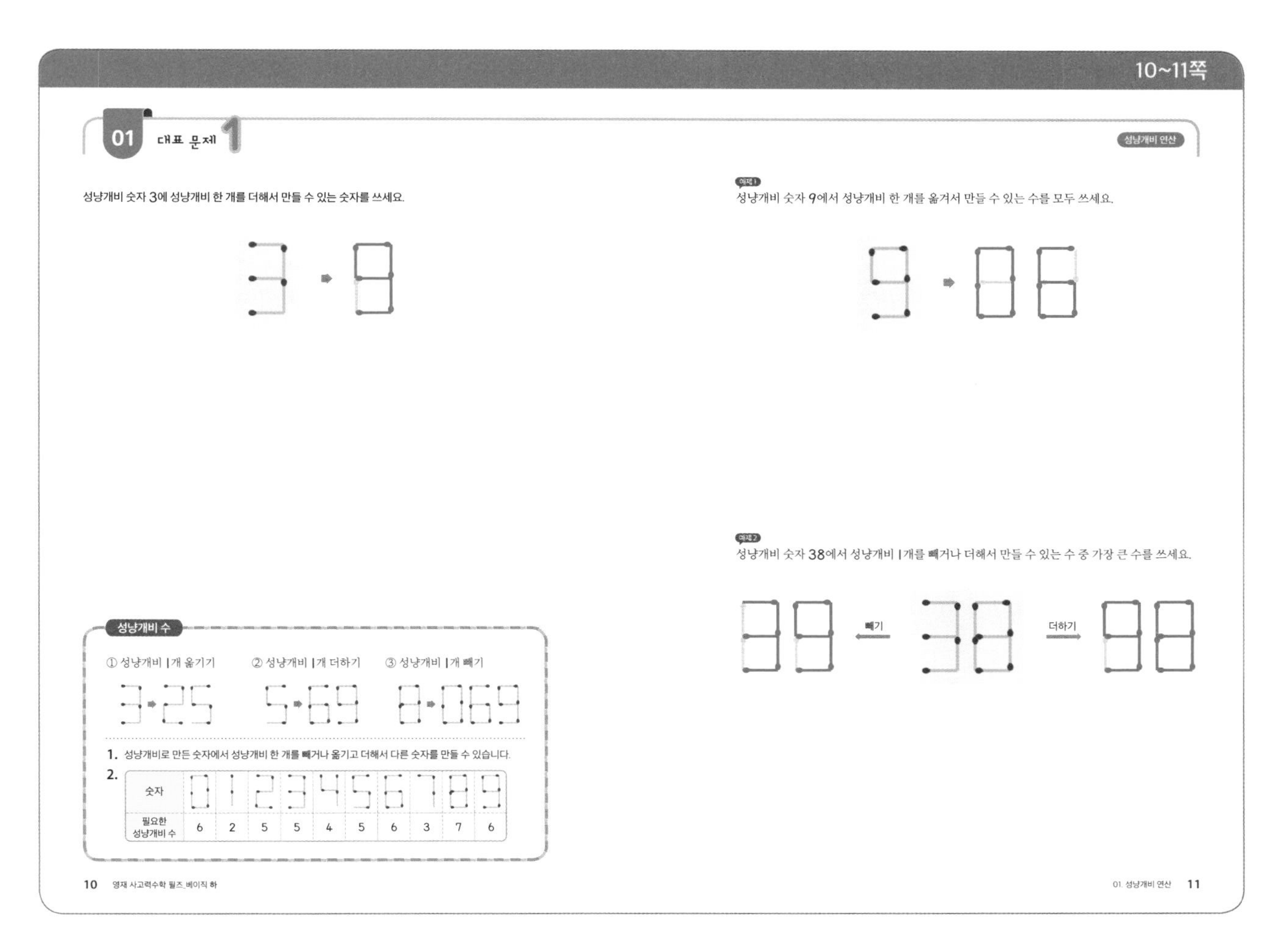

1) 3은 성냥개비 5개를 사용하여 만든 것입니다.
2) 성냥개비 1개를 더하면 성냥개비 6개를 사용하여 만들 수 있는 수 0, 6, 9 중 3에 성냥개비 1개를 더하여 만들 수 있는 수는 9입니다.

예제 1

1) 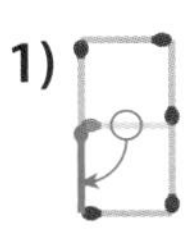

2) 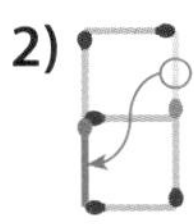

예제 2

1) 성냥개비 수 38에서 성냥개비 1개를 빼서 만들 수 있는 수 30, 36, 39 중 가장 큰 수는 39입니다.
2) 성냥개비 수 38에 성냥개비 1개를 더해서 만들 수 있는 수는 98입니다.

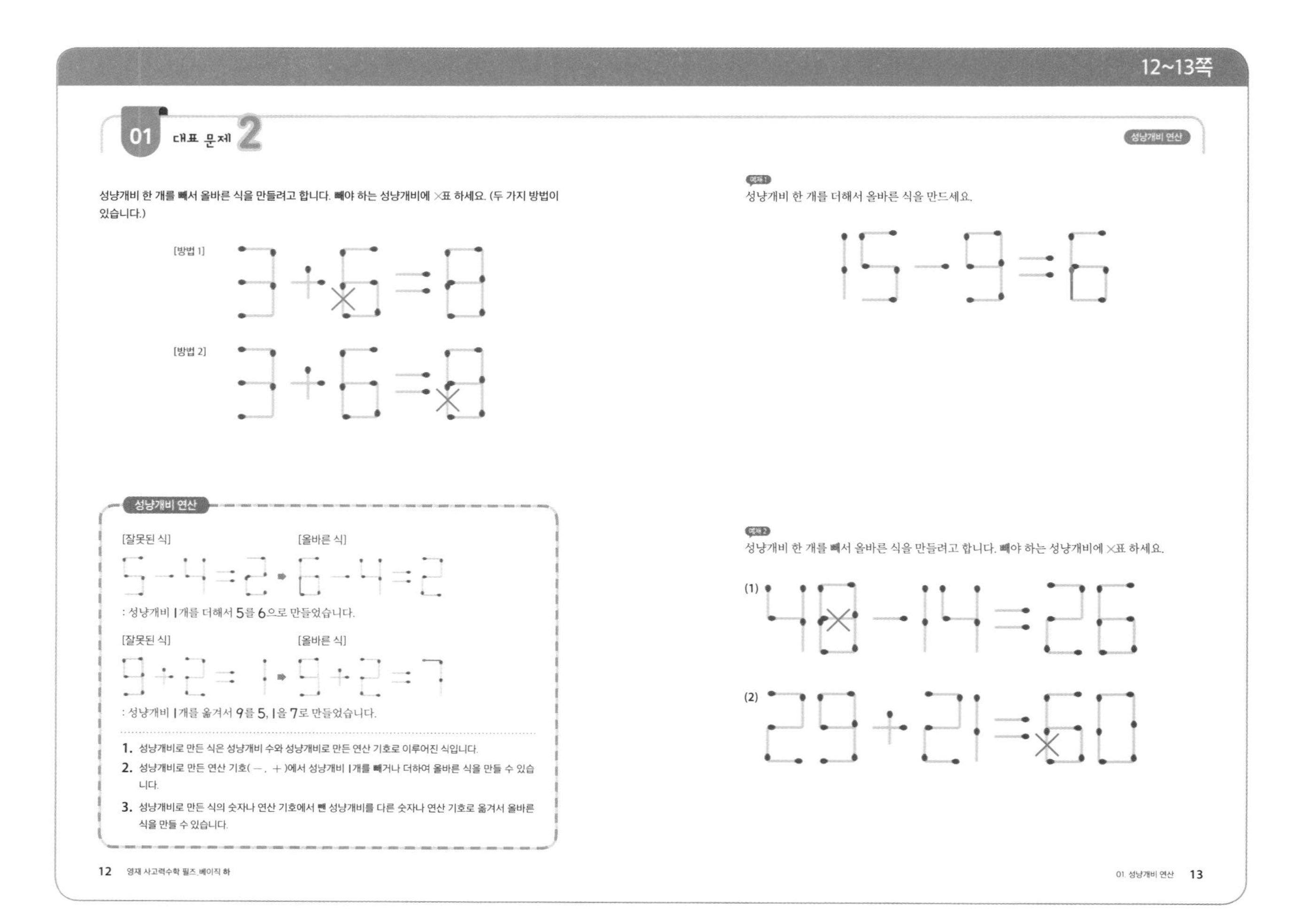
12~13쪽

01 대표 문제 2 성냥개비 연산

성냥개비 한 개를 빼서 올바른 식을 만들려고 합니다. 빼야 하는 성냥개비에 ×표 하세요. (두 가지 방법이 있습니다.)

[방법 1]

[방법 2]

성냥개비 연산

[잘못된 식] [올바른 식]

: 성냥개비 1개를 더해서 5를 6으로 만들었습니다.

[잘못된 식] [올바른 식]

: 성냥개비 1개를 옮겨서 9를 5, 1을 7로 만들었습니다.

1. 성냥개비로 만든 식은 성냥개비 수와 성냥개비로 만든 연산 기호로 이루어진 식입니다.
2. 성냥개비로 만든 연산 기호(−, +)에서 성냥개비 1개를 빼거나 더하여 올바른 식을 만들 수 있습니다.
3. 성냥개비로 만든 식의 숫자나 연산 기호에서 뺀 성냥개비를 다른 숫자나 연산 기호로 옮겨서 올바른 식을 만들 수 있습니다.

예제 1
성냥개비 한 개를 더해서 올바른 식을 만드세요.

예제 2
성냥개비 한 개를 빼서 올바른 식을 만들려고 합니다. 빼야 하는 성냥개비에 ×표 하세요.

(1)

(2)

12 영재 사고력수학 필즈_베이직 하

01. 성냥개비 연산 13

1) $3+5=8$
2) $3+6=9$

예제 1

성냥개비 숫자 5에 성냥개비 1개를 더해서 6을 만들어 올바른 식 $15-9=6$을 만듭니다.

예제 2

(1) 성냥개비 숫자 8에서 성냥개비 1개를 빼서 0을 만들어 올바른 식 $40-14=26$을 만듭니다.
(2) 성냥개비 숫자 6에서 성냥개비 1개를 빼서 5를 만들어 올바른 식 $29+21=50$을 만듭니다.

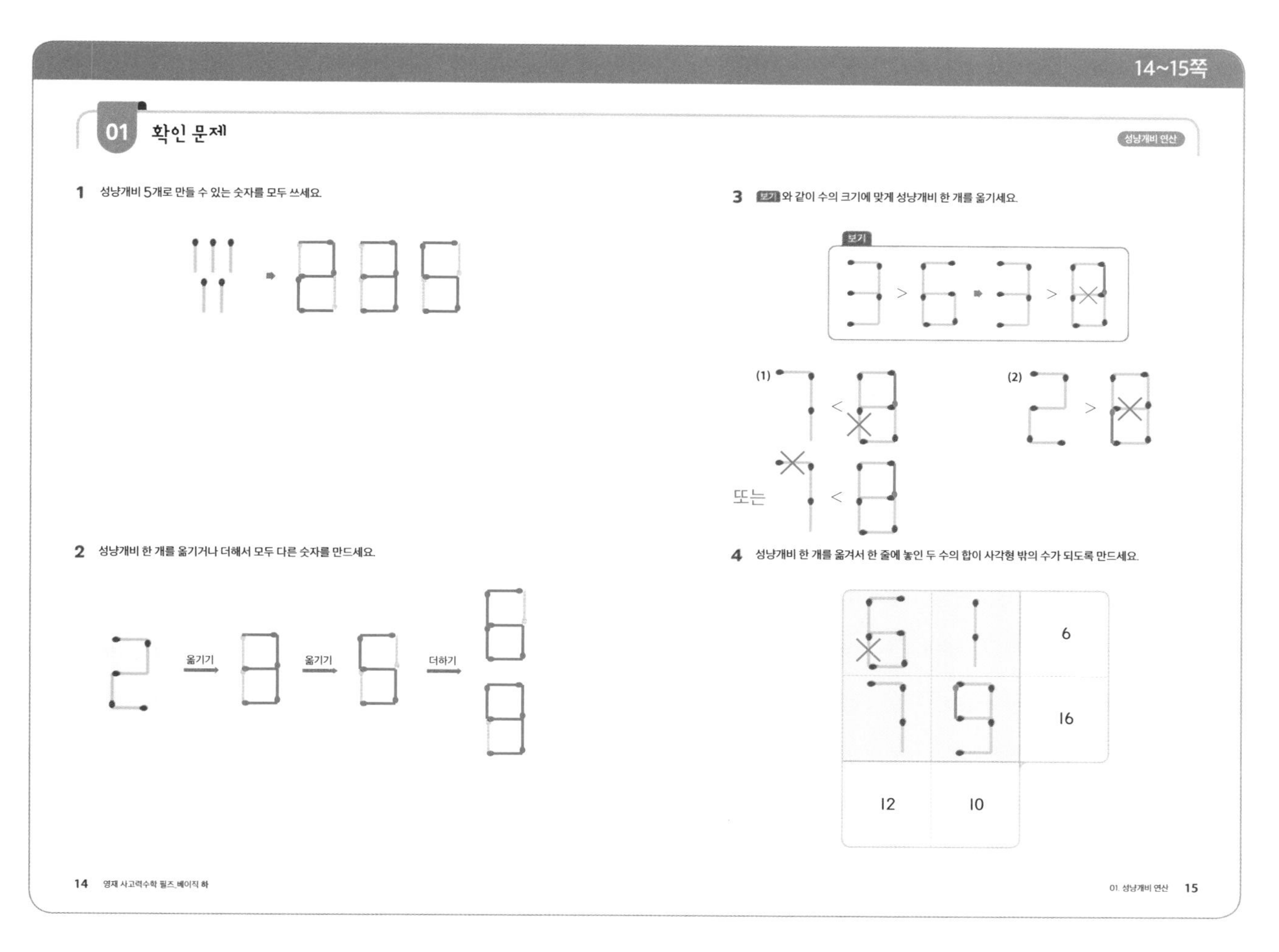

1 성냥개비 5개로 만들 수 있는 숫자는 2, 3, 5입니다.

2 **1)** 성냥개비를 옮겨서 다른 성냥개비 숫자를 만들 때에는 사용하는 성냥개비의 개수가 변하지 않습니다.

2) 성냥개비를 1개 더해서 다른 성냥개비 숫자를 만들 때에는 사용하는 성냥개비 개수가 하나 많아집니다.

3 **(1)** 성냥개비 숫자 6에서 성냥개비 1개를 옮겨서 9를 만들어 $7<6$을 $7<9$로 만들었습니다.
또는 성냥개비 숫자 7에서 성냥개비 1개를 옮겨서 7을 1, 6을 8로 만들어 $7<6$을 $1<8$로 만들었습니다.

(2) 성냥개비 숫자 9에서 성냥개비 1개를 옮겨서 0을 만들어 $2>9$를 $2>0$으로 만들었습니다.

4 **1)** 성냥개비 숫자 6에서 성냥개비 1개를 옮겨서 3을 9로 만들었습니다.

2)

5	1	6
7	9	16
12	10	

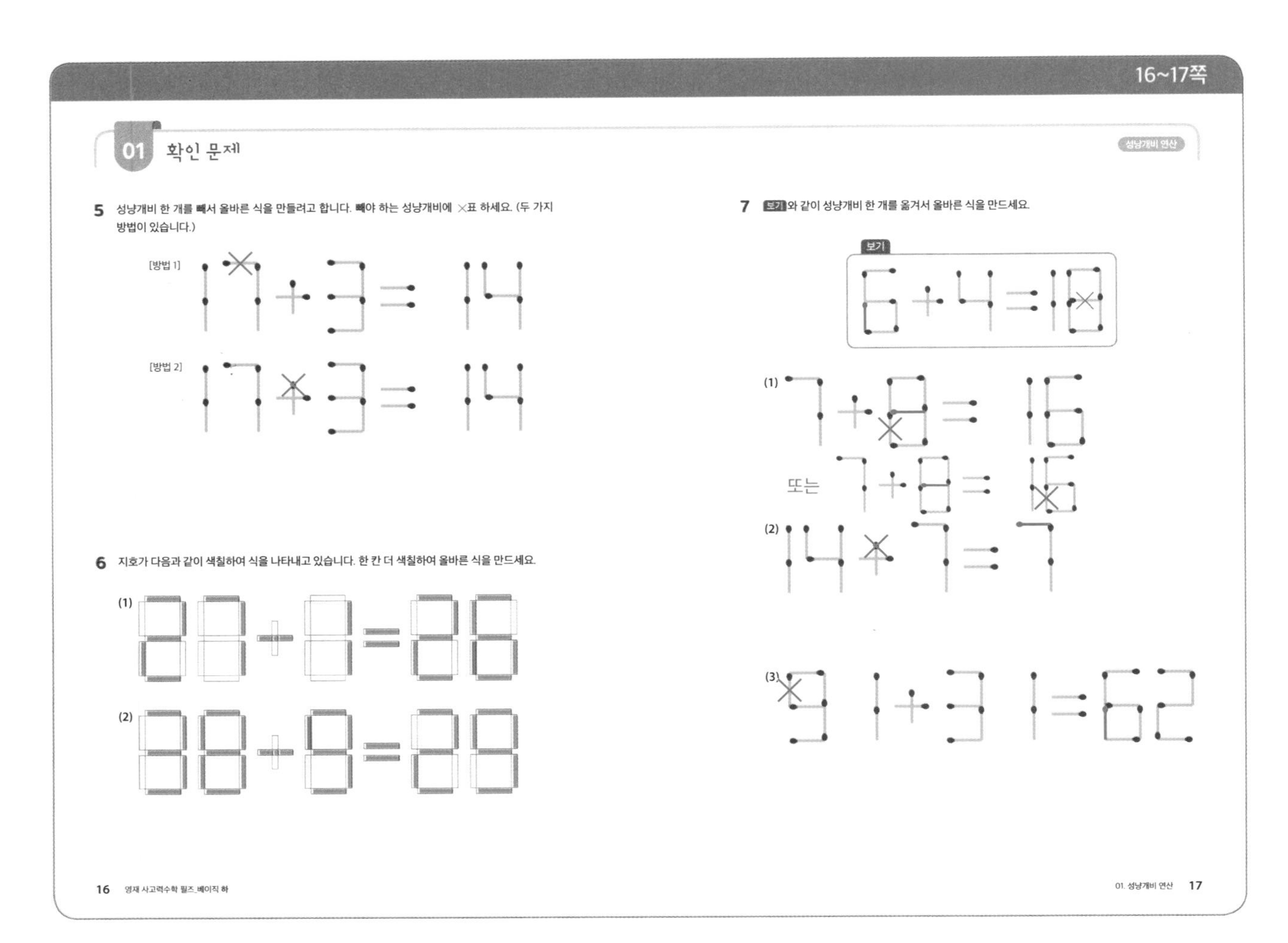

16~17쪽

01 확인 문제

성냥개비 연산

5 성냥개비 한 개를 빼서 올바른 식을 만들려고 합니다. 빼야 하는 성냥개비에 ×표 하세요. (두 가지 방법이 있습니다.)

[방법 1]

[방법 2]

6 지호가 다음과 같이 색칠하여 식을 나타내고 있습니다. 한 칸 더 색칠하여 올바른 식을 만드세요.

(1)

(2)

7 보기 와 같이 성냥개비 한 개를 옮겨서 올바른 식을 만드세요.

보기

(1)

또는

(2)

(3)

16 영재 사고력수학 필즈_베이직 하

01. 성냥개비 연산 17

5 1) $11+3=14$
2) $17-3=14$

6 (1) $27-1=26$
(2) $38-9=29$

7 (1) $7+9=16$ 또는 $7+8=15$
(2) $14-7=7$
(3) $31+31=62$

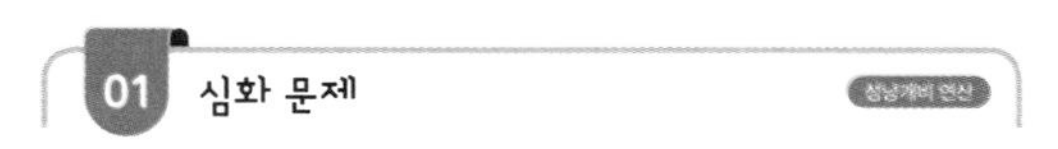

1 성냥개비 한 개를 옮겨서 올바른 식을 만드세요.

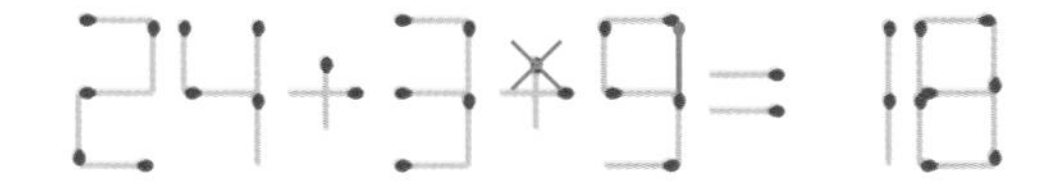

2 성냥개비 19개로 만든 서로 다른 세 수의 합이 23입니다. 세 수를 사용하여 다음 식을 완성하세요.

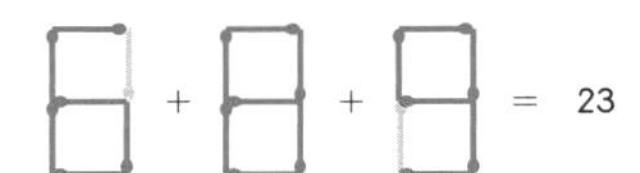

- 성냥개비 수로 만든 매트릭스입니다. 성냥개비 한 개를 옮겨서 한 줄에 놓인 세 수의 합이 모두 같도록 만드세요.

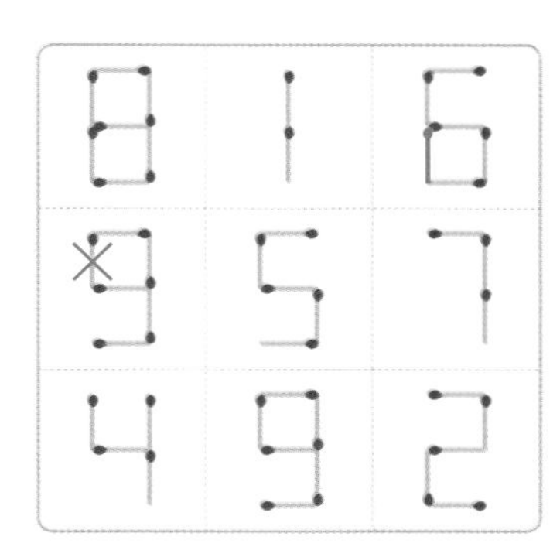

1 24+3−9=18

2 **1)** 각 숫자를 만드는 데 필요한 성냥개비의 개수를 생각합니다.

성냥개비 수	1	2	3	4	5
성냥개비 개수	2	5	5	4	5
성냥개비 수	6	7	8	9	0
성냥개비 개수	6	3	7	6	6

2) 숫자 3개를 만드는 데 필요한 성냥개비가 19개이므로 성냥개비의 개수가 많이 필요한 숫자를 사용하여 식을 만들어 봅니다.

- **1)** 각 가로줄과 세로줄에 놓인 세 수의 합을 구합니다.

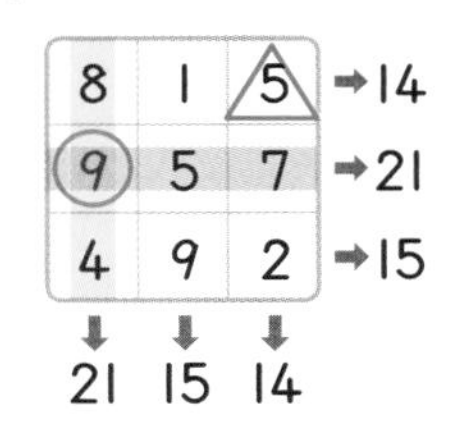

8 1 5 →14
9 5 7 →21
4 9 2 →15
21 15 14

2) 합이 가장 큰 가로줄과 세로줄을 표시하여 두 줄에 모두 포함되는 수를 찾습니다.

3) 2)에서 찾은 수 ⑨에서 성냥개비 한 개를 옮겨서 세 수의 합이 가장 작은 두 줄에 모두 포함되는 수 △5를 더 큰 수로 바꿉니다.

4) 성냥개비를 옮겨서 9를 3, 5를 6으로 바꾸면 한 줄에 놓인 세 수의 합이 모두 15가 됩니다.

02 홀수와 짝수

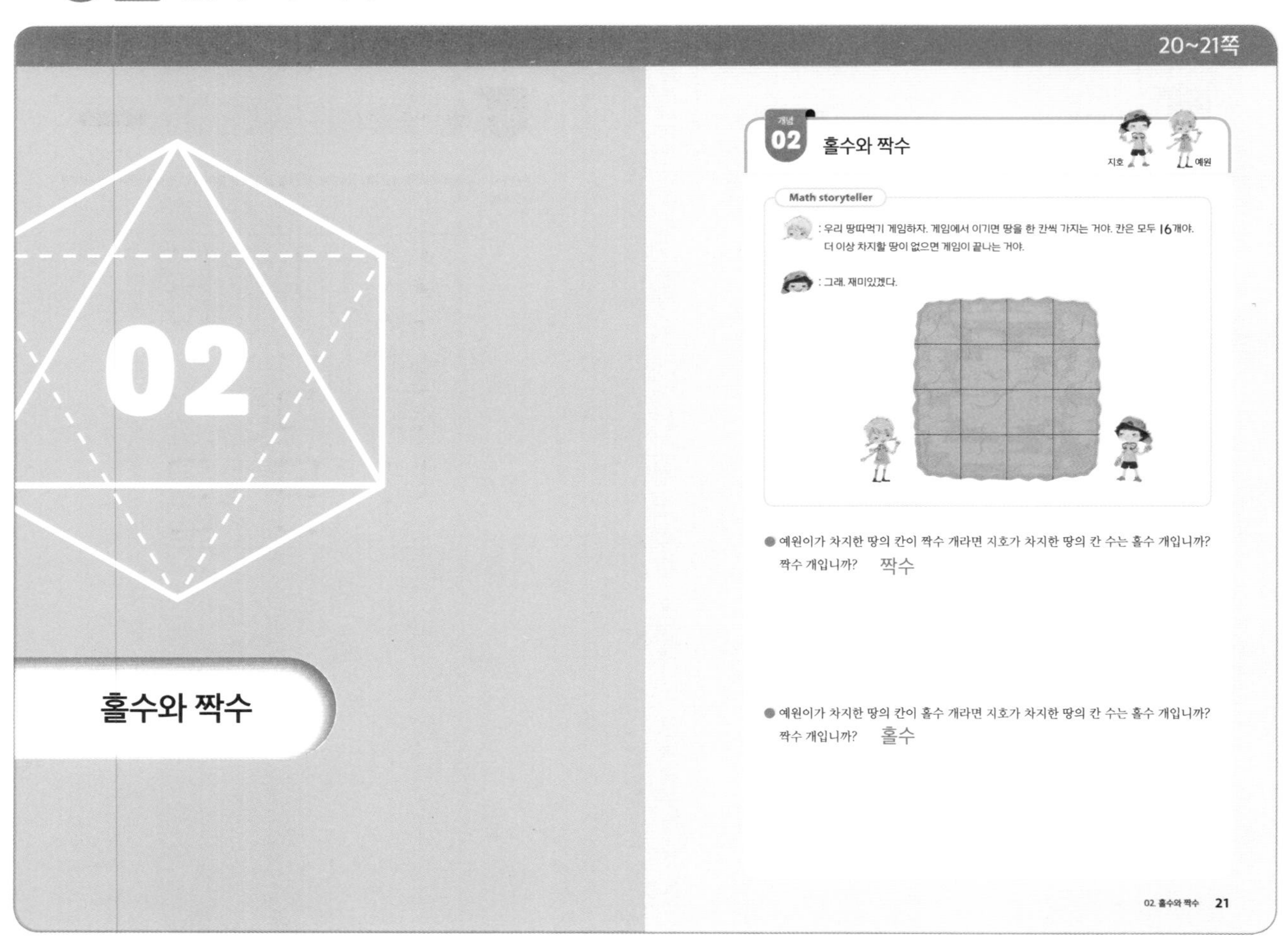

20~21쪽
02
홀수와 짝수
개념 02 홀수와 짝수
지호
예원
Math storyteller
: 우리 땅따먹기 게임하자. 게임에서 이기면 땅을 한 칸씩 가지는 거야. 칸은 모두 16개야.
더 이상 차지할 땅이 없으면 게임이 끝나는 거야.
: 그래, 재미있겠다.
● 예원이가 차지한 땅의 칸이 짝수 개라면 지호가 차지한 땅의 칸 수는 홀수 개입니까?
짝수 개입니까? 짝수
● 예원이가 차지한 땅의 칸이 홀수 개라면 지호가 차지한 땅의 칸 수는 홀수 개입니까?
짝수 개입니까? 홀수
02. 홀수와 짝수 21

- **1)** 전체 칸 수 16은 짝수입니다.
  2) (짝수)+(짝수)=(짝수)
  3) 예원이 땅이 짝수 개이므로 지호의 땅도 짝수 개입니다.

- **1)** 전체 칸 수 16은 짝수입니다.
  2) (홀수)+(홀수)=(짝수)
  3) 예원이 땅이 홀수 개이므로 지호의 땅도 홀수 개입니다.

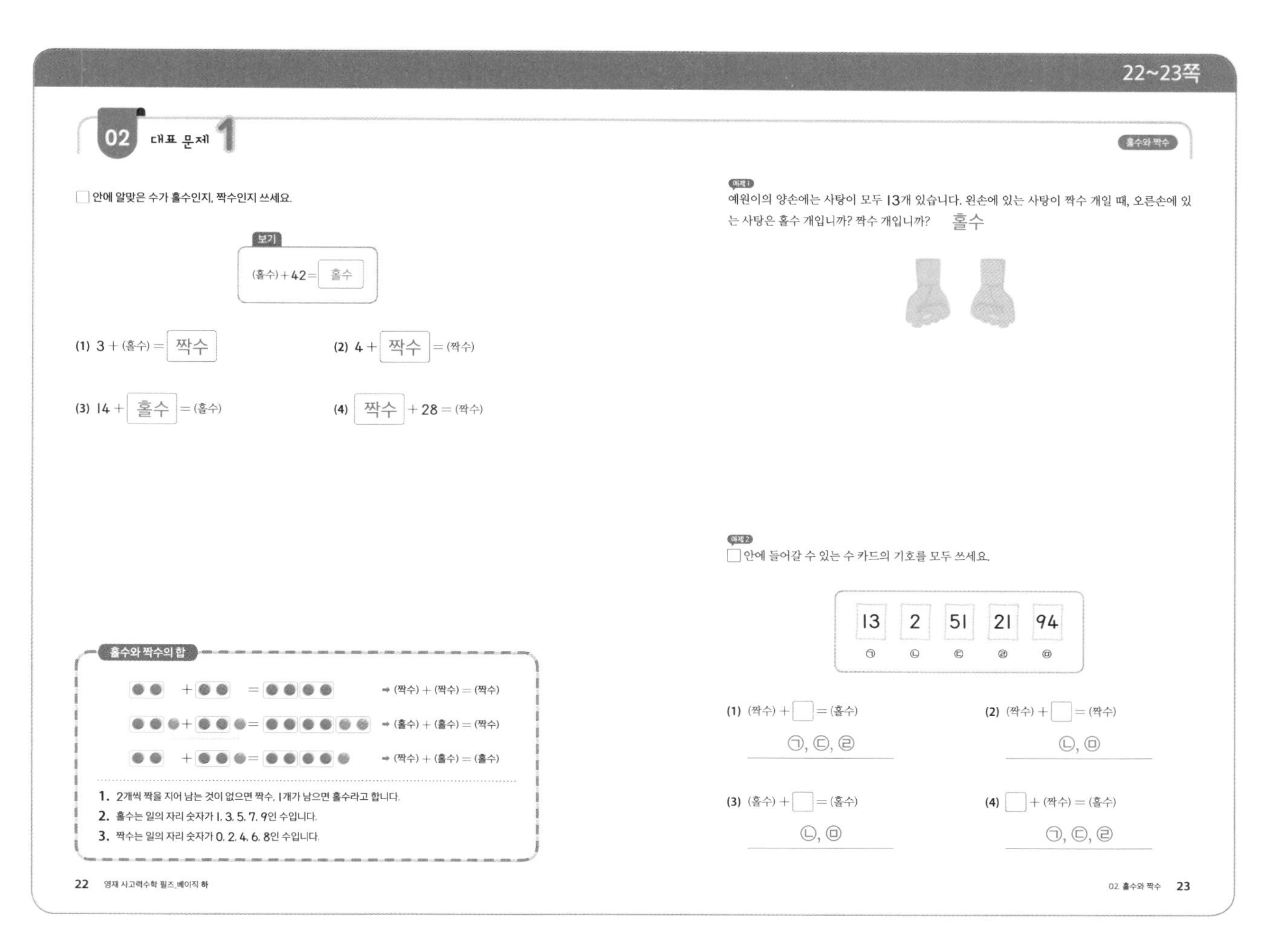
22~23쪽

02 대표 문제 1 — 홀수와 짝수

□ 안에 알맞은 수가 홀수인지, 짝수인지 쓰세요.

보기: (홀수)+42= 홀수

(1) 3+(홀수)= 짝수
(2) 4+ 짝수 =(짝수)
(3) 14+ 홀수 =(홀수)
(4) 짝수 +28=(짝수)

홀수와 짝수의 합

➡ (짝수)+(짝수)=(짝수)
➡ (홀수)+(홀수)=(짝수)
➡ (짝수)+(홀수)=(홀수)

1. 2개씩 짝을 지어 남는 것이 없으면 짝수, 1개가 남으면 홀수라고 합니다.
2. 홀수는 일의 자리 숫자가 1, 3, 5, 7, 9인 수입니다.
3. 짝수는 일의 자리 숫자가 0, 2, 4, 6, 8인 수입니다.

22 영재 사고력수학 필즈 베이직 하

예제 1
예원이의 양손에는 사탕이 모두 13개 있습니다. 왼손에 있는 사탕이 짝수 개일 때, 오른손에 있는 사탕은 홀수 개입니까? 짝수 개입니까? 홀수

예제 2
□ 안에 들어갈 수 있는 수 카드의 기호를 모두 쓰세요.

13 ㉠, 2 ㉡, 51 ㉢, 21 ㉣, 94 ㉤

(1) (짝수)+□=(홀수) ㉠, ㉢, ㉣
(2) (짝수)+□=(짝수) ㉡, ㉤
(3) (홀수)+□=(홀수) ㉡, ㉤
(4) □+(짝수)=(홀수) ㉠, ㉢, ㉣

02. 홀수와 짝수 23

(1) 3은 홀수이고 (홀수)+(홀수)=(짝수)
(2) 4는 짝수이고 (짝수)+□=(짝수), □=(짝수)
(3) 14는 짝수이고 (짝수)+□=(홀수), □=(홀수)
(4) 28은 짝수이고 □+(짝수)=(짝수), □=(짝수)

예제 1

1) 13은 홀수입니다.
2) (홀수)=(짝수)+(홀수)
3) 사탕이 왼손에 짝수 개 있으므로 오른손에는 홀수 개가 있습니다.

예제 2

(1) (짝수)+(홀수)=(홀수), 홀수는 ㉠, ㉢, ㉣
(2) (짝수)+(짝수)=(짝수), 짝수는 ㉡, ㉤
(3) (홀수)+(짝수)=(홀수), 짝수는 ㉡, ㉤
(4) (홀수)+(짝수)=(홀수), 홀수는 ㉠, ㉢, ㉣

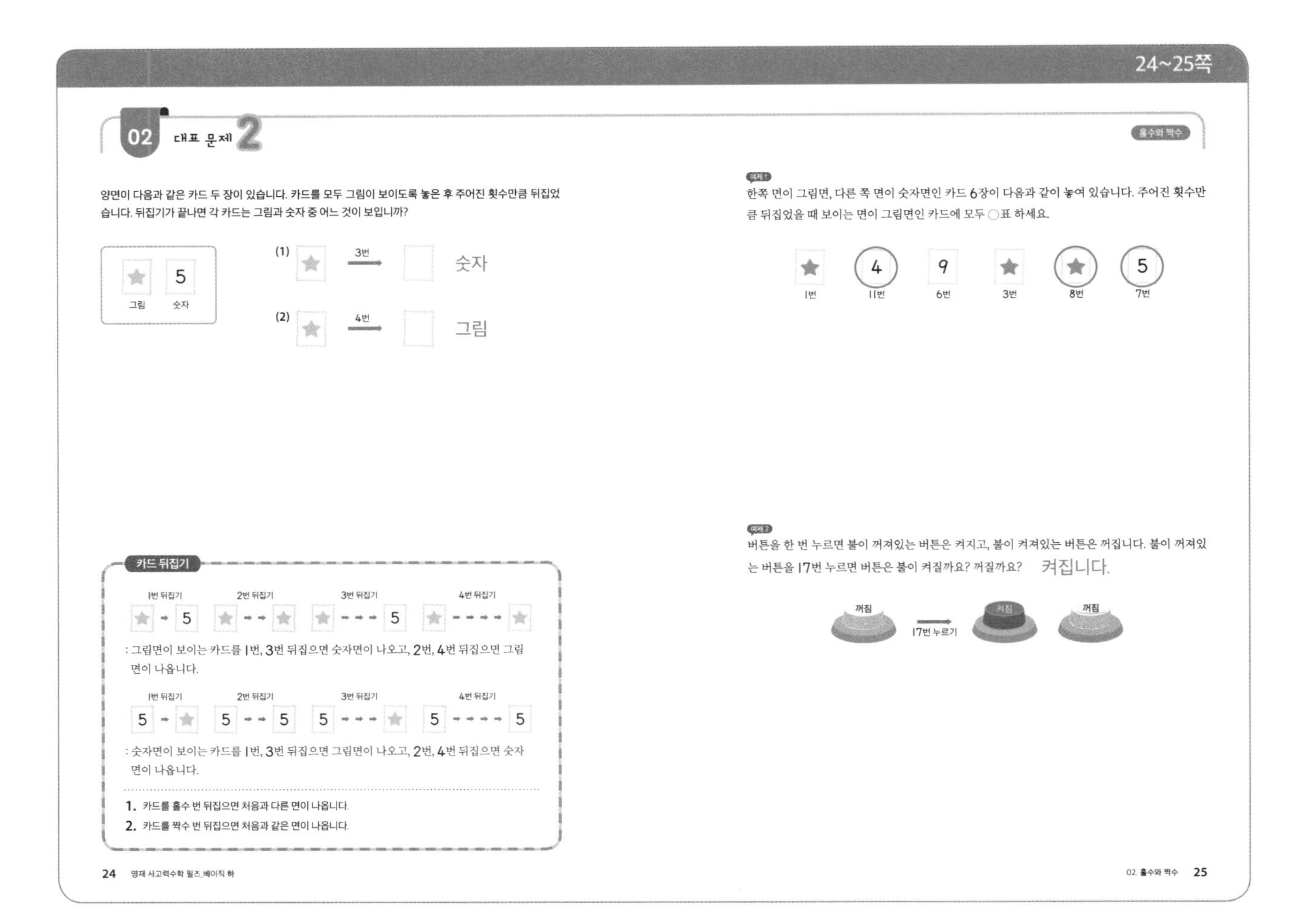

(1) 카드를 3번 뒤집으면 처음과 다른 숫자면이 됩니다.

(2) 카드를 4번 뒤집으면 처음과 같은 그림면이 됩니다.

예제 1

1) 홀수 번 뒤집으면 다른 면, 짝수 번 뒤집으면 같은 면이 됩니다.
2) 1번 뒤집으면 그림면은 숫자면이 됩니다. (숫자)
3) 11번 뒤집으면 숫자면은 그림면이 됩니다. (그림)
4) 6번 뒤집으면 숫자면은 숫자면이 됩니다. (숫자)
5) 3번 뒤집으면 그림면은 숫자면이 됩니다. (숫자)
6) 8번 뒤집으면 그림면은 그림면이 됩니다. (그림)
7) 7번 뒤집으면 숫자면은 그림면이 됩니다. (그림)

예제 2

1) 홀수 번 누르면 켜지고, 짝수 번 누르면 꺼집니다.
2) 17번은 홀수 번이므로 켜집니다.

02 확인 문제

홀수와 짝수

1 다음 중 옳은 말을 한 친구는 누구입니까? 지호

짝수 더하기 홀수는 짝수야.
예원

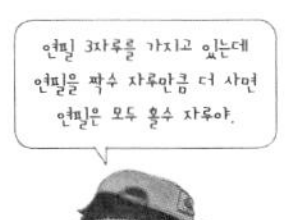
연필 3자루를 가지고 있는데
연필을 짝수 자루만큼 더 사면
연필은 모두 홀수 자루야.
지호

사탕 15개 중에 사탕을
홀수 개만큼 먹으면
남은 사탕의 개수도 홀수 개야.
수아

2 목걸이의 총 구슬 개수가 홀수 개라면 가려진 부분의 구슬 개수는 홀수입니까? 짝수입니까? 짝수

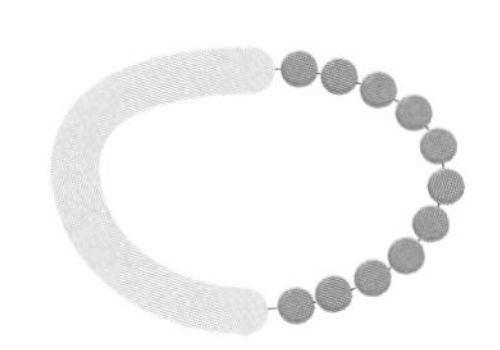

3 민서는 6월 한 달 중 19일을 놀이터에 갔습니다. 민서가 6월에 놀이터에 가지 않은 날 수는 홀수입니까? 짝수입니까? 홀수

4 다음 식에서 ★은 모두 같은 수라고 할 때, ★은 홀수입니까? 짝수입니까? 홀수

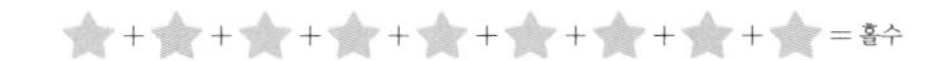
★+★+★+★+★+★+★+★+★=홀수

1 1) 짝수 더하기 홀수는 홀수입니다.
2) 3(홀수)자루 더하기 짝수 자루는 홀수 자루가 맞습니다.
3) 15(홀수)에서 홀수 개를 빼면 짝수 개가 됩니다.

2 1) (전체 구슬 개수)=(가려진 구슬 개수)+11(홀수)
2) (홀수)=(짝수)+(홀수)
3) 가려진 구슬 개수는 짝수 개입니다.

3 1) 6월 한 달은 30일이므로 짝수이고, 놀이터에 간 19일은 홀수입니다.
2) (홀수)+(홀수)=(짝수)이므로 놀이터에 가지 않은 날 수는 홀수입니다.

4 1) ★이 짝수라면 답은 짝수가 됩니다.
2) ★은 홀수입니다.
(홀수를 홀수 번 더하면 계산 결과는 홀수입니다.)

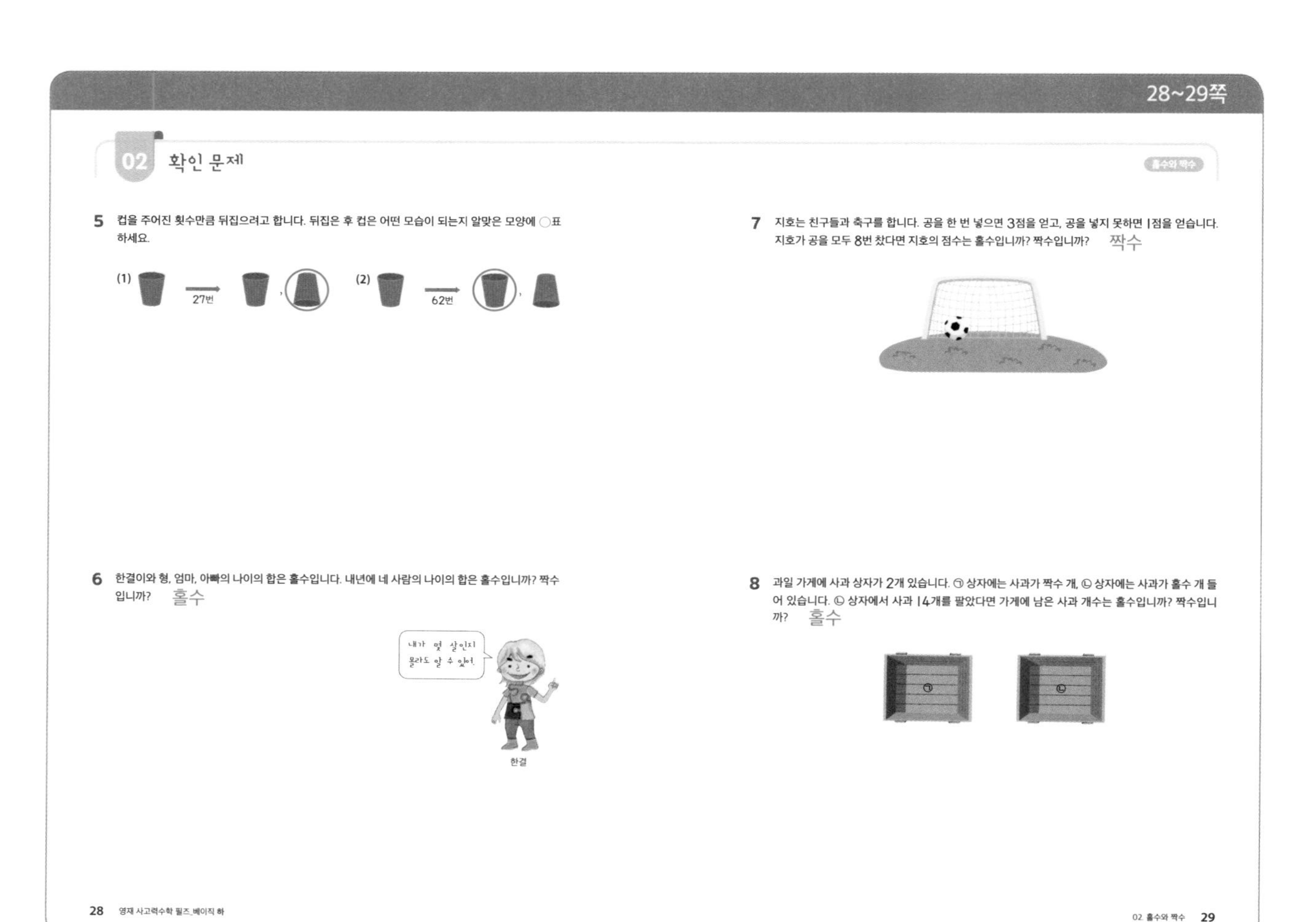
28~29쪽

02 확인 문제

홀수와 짝수

5 컵을 주어진 횟수만큼 뒤집으려고 합니다. 뒤집은 후 컵은 어떤 모습이 되는지 알맞은 모양에 ○표 하세요.

(1) 27번

(2) 62번

6 한결이와 형, 엄마, 아빠의 나이의 합은 홀수입니다. 내년에 네 사람의 나이의 합은 홀수입니까? 짝수입니까? 홀수

7 지호는 친구들과 축구를 합니다. 공을 한 번 넣으면 3점을 얻고, 공을 넣지 못하면 1점을 얻습니다. 지호가 공을 모두 8번 찼다면 지호의 점수는 홀수입니까? 짝수입니까? 짝수

8 과일 가게에 사과 상자가 2개 있습니다. ㉠ 상자에는 사과가 짝수 개, ㉡ 상자에는 사과가 홀수 개 들어 있습니다. ㉡ 상자에서 사과 14개를 팔았다면 가게에 남은 사과 개수는 홀수입니까? 짝수입니까? 홀수

28 영재 사고력수학 필즈_베이직 하

02. 홀수와 짝수 29

5 **(1)** 27(홀수)번 뒤집으면 처음과 다른 모습이 됩니다.
(2) 62(짝수)번 뒤집으면 처음과 같은 모습이 됩니다.

6 **1)** 모두 4명이므로 내년 나이의 합은 4만큼 커집니다.
2) 현재 나이의 합은 홀수이므로 1년 뒤 나이 합은 (홀수)+(짝수)=(홀수)입니다.

7 **1)** 지호가 공을 8번 찼다면 점수는 홀수를 짝수 번 더한 수입니다.
2) 홀수를 짝수 번 더하면 짝수가 됩니다.

8 **1)** 상자 ㉡에 남은 사과 개수는 (홀수)−(짝수)=(홀수)입니다.
2) 남은 사과 개수는 (짝수)+(홀수)=(홀수)입니다.

30~31쪽

02 심화 문제 홀수와 짝수

1 예원이와 지호가 한 번에 한 명씩 앉았다 일어나는 운동을 합니다. 처음 두 친구 모두 일어서서 시작하여 모두 합쳐 14번 앉았다 일어나기 운동을 한 후 지호가 앉아 있다면 예원이는 앉아있습니까? 서 있습니까? 앉아있습니다.

예원 지호

2 둥근 테이블에 남학생과 여학생이 반드시 번갈아 가며 앉는다고 할 때 전체 학생 수는 홀수입니까? 짝수입니까? 짝수

30 영재 사고력수학 필즈_베이직 하

02 경시 기출 유형 홀수와 짝수

● 앞면은 빨간색, 뒷면은 파란색인 카드 두 장을 다음과 같이 놓은 후 각각 뒤집습니다. 카드 두 장을 뒤집은 횟수가 모두 합쳐 짝수 번이라고 할 때, 뒤집기가 끝난 후 나올 수 있는 모양의 기호를 모두 쓰세요. ㉠, ㉣

㉠ ㉡ ㉢ ㉣

● 다음과 같이 놓여 있는 컵 3개를 각각 뒤집습니다. 컵을 모두 합쳐 홀수 번 뒤집으면 오른쪽과 같은 모양이 된다고 할 때, 마지막 컵이 어떻게 놓여있는지 그려 보세요.

02. 홀수와 짝수 31

1 **1)** 모두 14번(짝수 번) 운동하였습니다.

2) (홀수)+(홀수)=(짝수)

3) 지호가 홀수 번 운동하였으므로, 예원이도 홀수 번 운동한 것입니다.

2 **1)** 번갈아 가며 앉아있으므로 남학생 수와 여학생 수가 같습니다.

2) (홀수)+(홀수)=(짝수), (짝수)+(짝수)=(짝수) 이므로 전체 학생 수는 짝수입니다.

● **1)** 합쳐서 짝수 번 뒤집었으므로 (짝수)+(짝수) 또는 (홀수)+(홀수)입니다.

2) 짝수 번 뒤집으면 처음과 같은 면이 나옵니다.

3) 홀수 번 뒤집으면 처음과 다른 면이 나옵니다.

4) 두 장 모두 앞면 또는 모두 뒷면이 나옵니다.

● **1)** 첫 번째 컵은 짝수 번, 두 번째 컵은 홀수 번 뒤집은 것입니다.

2) 첫 번째 컵과 두 번째 컵을 뒤집은 횟수의 합은 홀수 번입니다.

3) (홀수)+□=(홀수), □=(짝수)

4) 마지막 컵을 짝수 번 뒤집으면 처음과 같은 모양이 됩니다.

03 연산 퍼즐

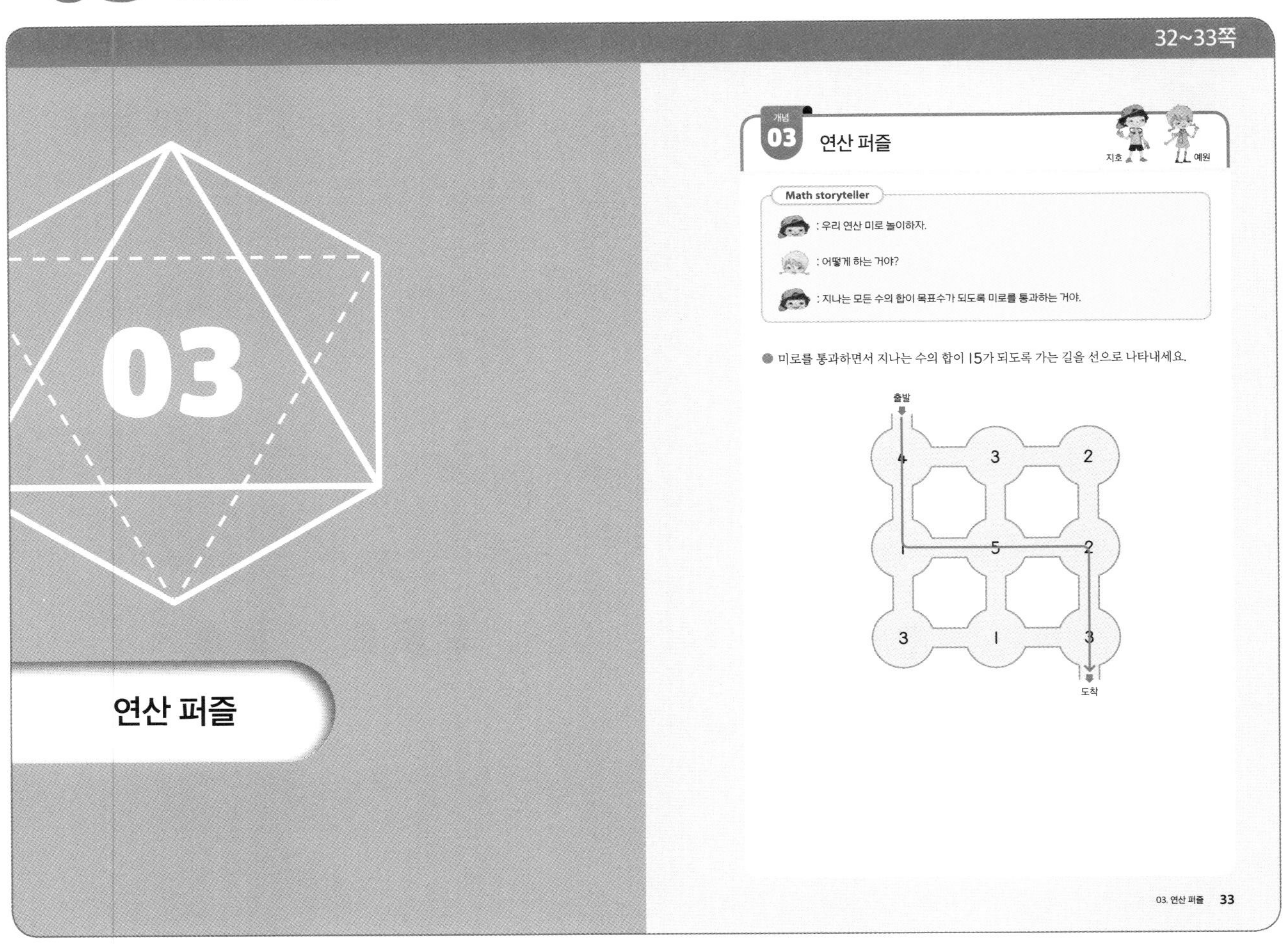

1) 출발과 도착인 4, 3이 있는 칸은 반드시 지납니다.

2) 나머지 칸 중 합이 $15-4-3=8$인 칸을 찾습니다.

연산 퍼즐

가로, 세로줄의 사각형 안의 수의 합이 삼각형 안의 수가 되도록 수를 넣는 것을 가쿠로 퍼즐이라고 합니다. 1, 2, 3, 4, 5, 6을 한 번씩 모두 사용하여 다음 퍼즐을 완성하세요.

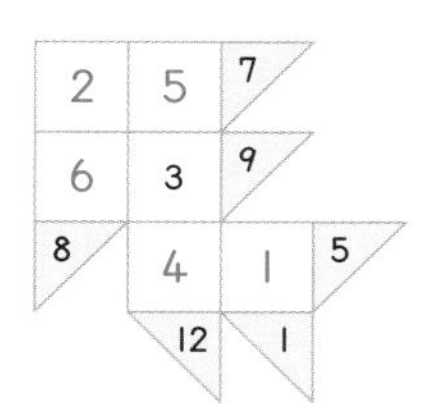

가쿠로 퍼즐

1. 가로, 세로줄에서 빈칸이 1개인 곳을 먼저 찾아 알맞은 수를 씁니다.
2. 1에서 수를 쓴 후 가로, 세로줄의 합에 맞도록 남은 칸에 알맞은 수를 씁니다.

예제 1
삼각형 안에 알맞은 수를 넣어 가쿠로 퍼즐을 완성하세요.

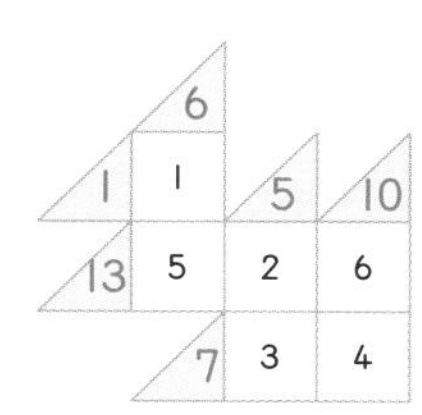

예제 2
4, 5, 6, 7, 8을 한 번씩 모두 사용하여 가쿠로 퍼즐을 완성하세요.

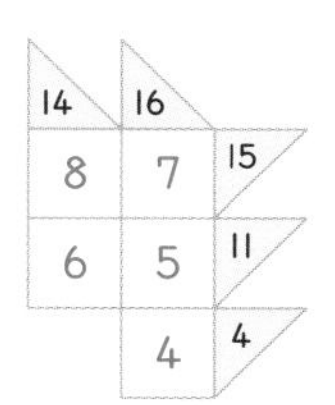

34 영재 사고력수학 필즈_베이직 하 / 03. 연산 퍼즐 35

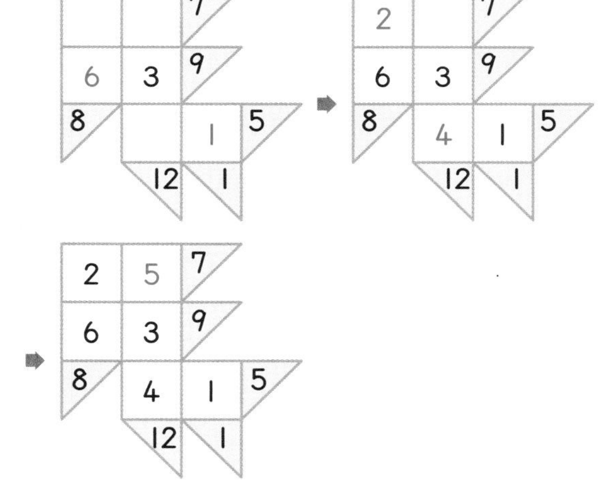

예제 1

1) 각 가로줄에 있는 수의 합을 삼각형 안에 씁니다.

2) 각 세로줄에 있는 수의 합을 삼각형 안에 씁니다.

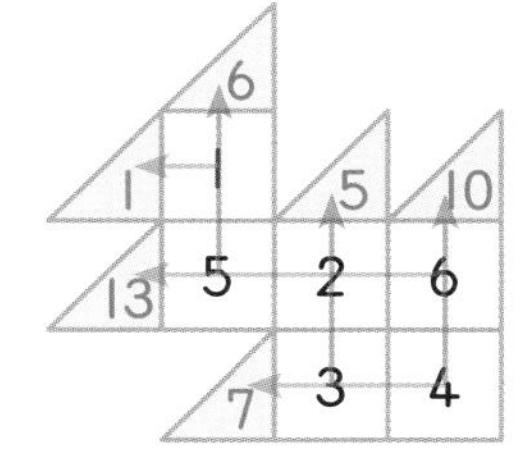

예제 2

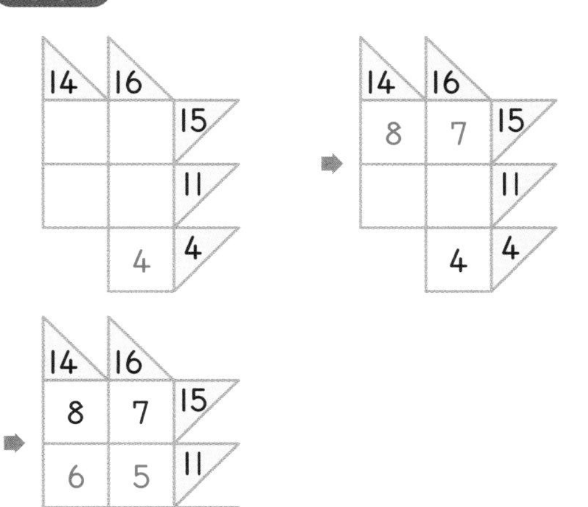

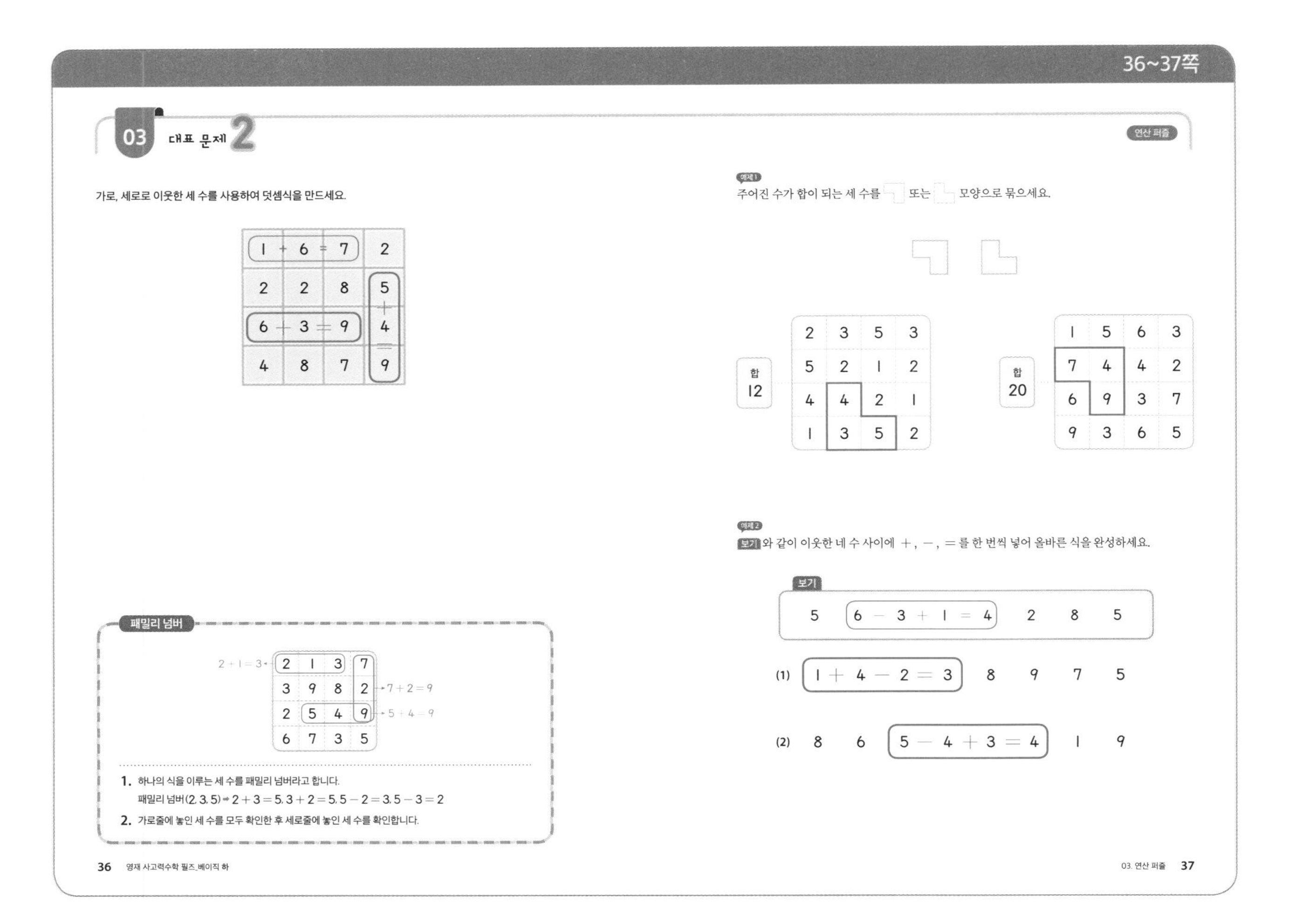

1) $1+6=7$
2) $6+3=9$
3) $5+4=9$

예제 1

1) $4+3+5=12$
2) $7+4+9=20$

예제 2

+, −의 순서를 바꾸어 가며 올바른 식이 되는 네 수를 찾습니다.

03 확인 문제

연산 퍼즐

1 미로를 통과하면서 지나는 수의 합이 17이 되도록 지나는 길을 선으로 나타내세요.

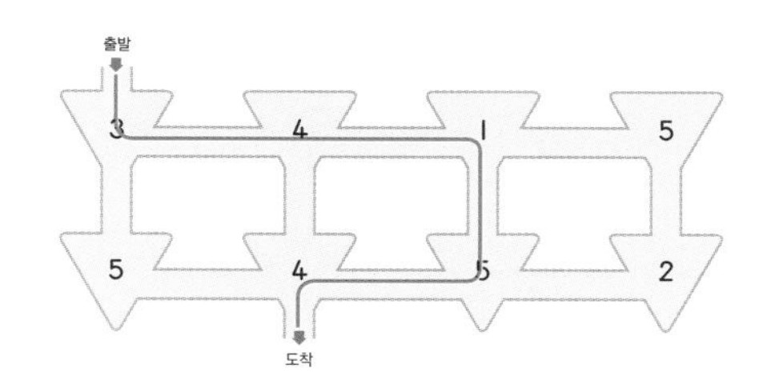

2 수의 합이 같도록 모양과 크기가 같은 두 부분으로 나누세요.

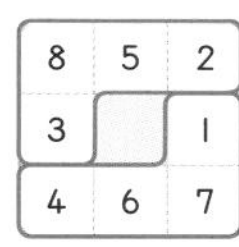

3 1, 2, 3, 4, 5, 6을 한 번씩 모두 사용하여 가쿠로 퍼즐을 완성하세요.

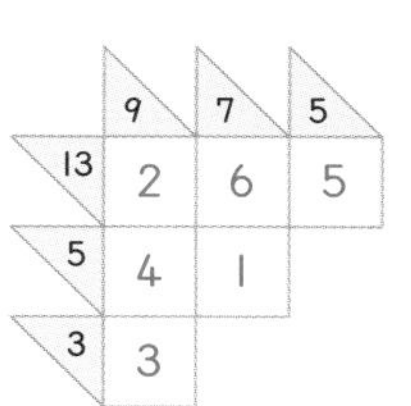

4 가로, 세로로 이웃한 세 수를 사용하여 뺄셈식을 만드세요.

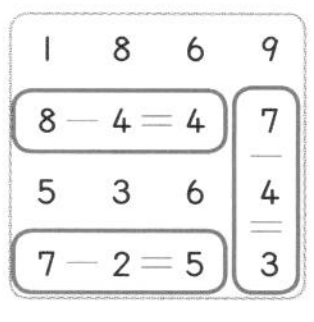

1 1) 출발과 도착인 3, 4가 있는 칸은 반드시 지납니다.
2) 나머지 칸 중 합이 17−3−4=10인 칸을 찾습니다.

2 1) 모든 수의 합은
$8+5+2+3+1+4+6+7=36$
2) □+□=36, □=18
3) 합이 각각 18이 되도록 두 부분으로 나눕니다.

3

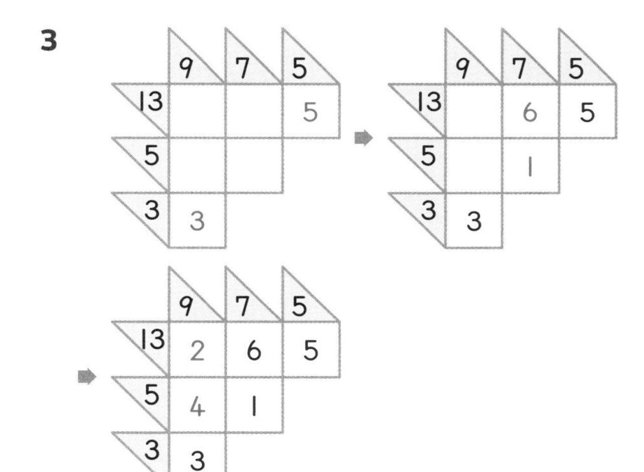

4 뺄셈식이 되는 이웃한 세 수를 찾을 때에는 가장 큰 수가 가장 앞의 수가 되는 세 수를 먼저 찾은 후 올바른 계산이 되는지 확인합니다.

연산 퍼즐

5 오른쪽과 아래의 수는 한 줄에 있는 두 수의 합입니다. 빈칸에 1부터 8까지의 수를 한 번씩 넣어 매트릭스를 완성하세요.

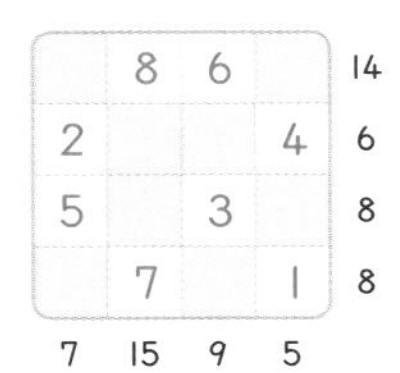

7 한 줄로 이웃한 세 수를 사용하여 덧셈식을 만드세요.

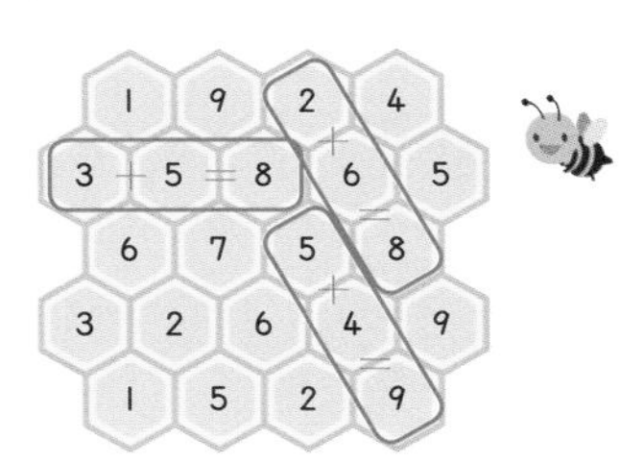

6 빈칸에 알맞은 수를 넣어 연산 퍼즐을 완성하세요.

18	+	16	=	34
−		−		−
10	+	9	=	19
=		=		=
8	+	7	=	15

8 한 줄에 놓인 세 수의 합이   안의 수가 되도록 1부터 9까지의 수를 넣으려고 합니다. 잘못 들어간 두 수를 찾아 모두 ×표 하세요.

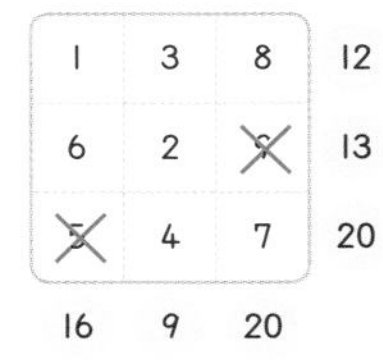

5

	8	6		14
				6
				8
	7			8
7	15	9	5	

➡

	8	6		14
				6
		3		8
	7		1	8
7	15	9	5	

➡

	8	6		14
2			4	6
5		3		8
	7		1	8
7	15	9	5	

6

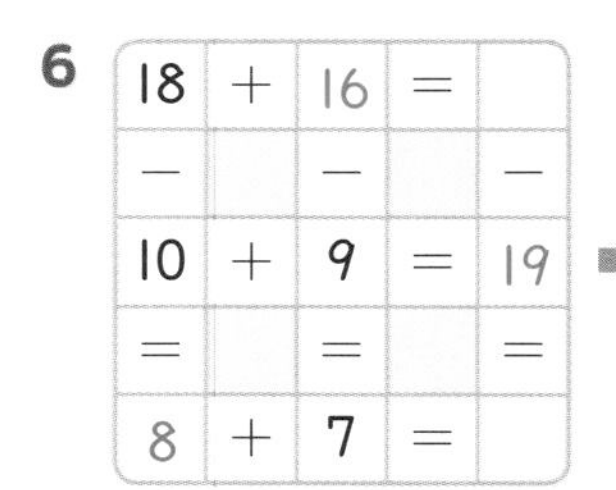

➡

18	+	16	=	34
−		−		−
10	+	9	=	19
=		=		=
8	+	7	=	15

7 1) 벌집 모양으로 되어 있는 퍼즐에서 패밀리 넘버를 찾을 때에는 가로로 놓인 세 수와 대각선으로 놓인 세 수를 모두 찾아야 합니다.

2) $2+6=8$, $3+5=8$, $5+4=9$

8 1) 가로 첫째 줄과 세로 둘째 줄은 합이 맞으므로 두 줄에 있는 수는 바꾸지 않습니다.

1	3	8	12
6	2	9	13
5	4	7	20
16	9	20	

2) 가로 둘째 줄의 합이 13이 되려면 9와 5가 바뀌어야 합니다.

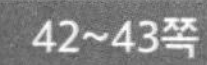
42~43쪽

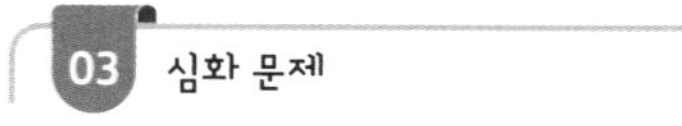
03 심화 문제
연산 퍼즐

1 1부터 9까지의 수를 한 번씩 모두 사용하여 가쿠로 퍼즐을 완성하세요.

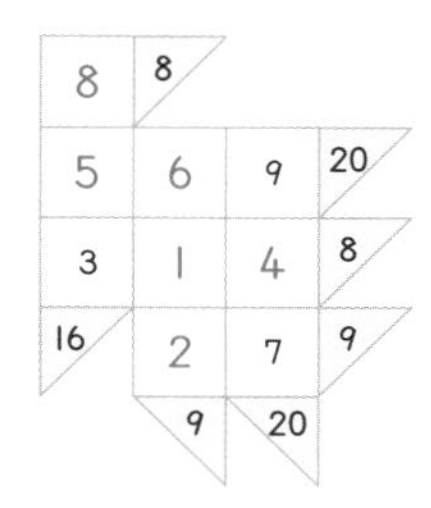

2 친구 5명이 0부터 9까지의 수 카드를 2장씩 나누어 가졌습니다. 친구들이 자신이 가진 두 수의 합을 이야기합니다. 민서가 뽑은 카드의 수를 모두 쓰세요. 0, 5

두 수의 합은 16이야.
내 두 수의 합은 9!
내 두 수의 합은 3!
내 두 수의 합은 12야.
내 두 수를 맞혀 봐.
예원
지호
수아
지한
민서

03 경시 기출 유형 연산 퍼즐

● 0부터 9까지의 수를 한 번씩 모두 사용하여 가쿠로 퍼즐을 완성하세요.

1

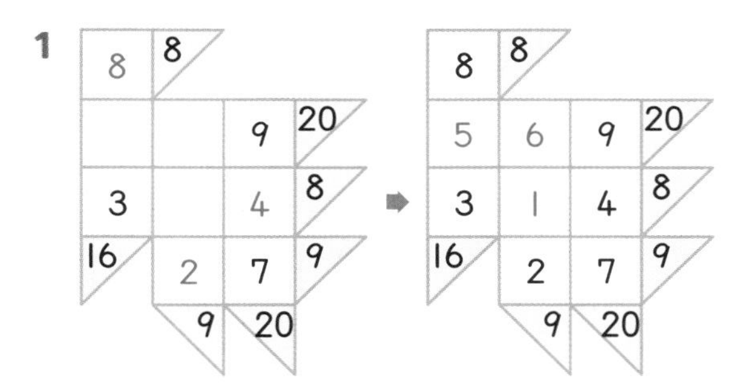

2 1) 예원이가 가진 카드는 7, 9입니다.
2) 남은 수 중 합이 12가 되는 두 수는 4, 8입니다.
3) 남은 수 중 합이 9가 되는 두 수는 3, 6입니다.
4) 남은 수 중 합이 3이 되는 두 수는 1, 2입니다.
5) 그러므로 남은 카드는 0, 5입니다.

●

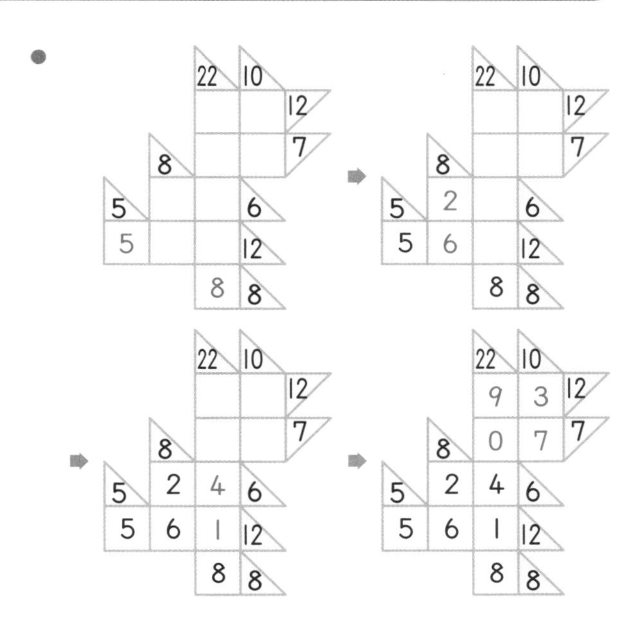

04 약속 연산

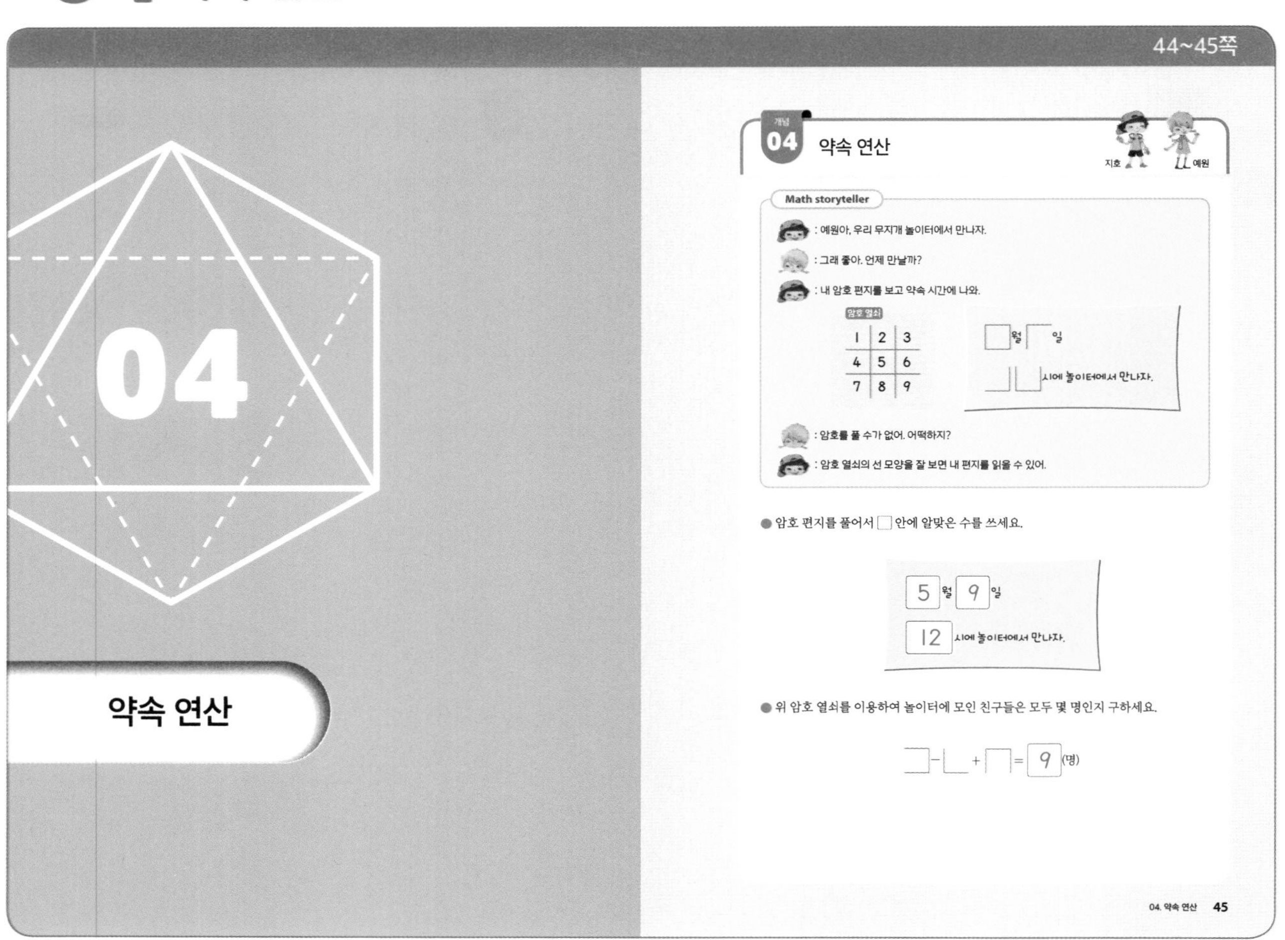

44~45쪽

04 약속 연산

04 약속 연산

지호 예원

Math storyteller

: 예원아, 우리 무지개 놀이터에서 만나자.

: 그래 좋아. 언제 만날까?

: 내 암호 편지를 보고 약속 시간에 나와.

암호 열쇠

1	2	3
4	5	6
7	8	9

□월 □일

□□시에 놀이터에서 만나자.

: 암호를 풀 수가 없어. 어떡하지?

: 암호 열쇠의 선 모양을 잘 보면 내 편지를 읽을 수 있어.

● 암호 편지를 풀어서 □ 안에 알맞은 수를 쓰세요.

5 월 9 일

12 시에 놀이터에서 만나자.

● 위 암호 열쇠를 이용하여 놀이터에 모인 친구들은 모두 몇 명인지 구하세요.

□−□+□= 9 (명)

1) 선의 모양을 보고 암호를 해독합니다.

2)

1	2	3
4	5	6
7	8	9

➡ 5, 9

1	2	3
4	5	6
7	8	9

➡ 1, 2

3)

1	2	3
4	5	6
7	8	9

➡ 4, 3, 8

4) $4-3+8=9$(명)

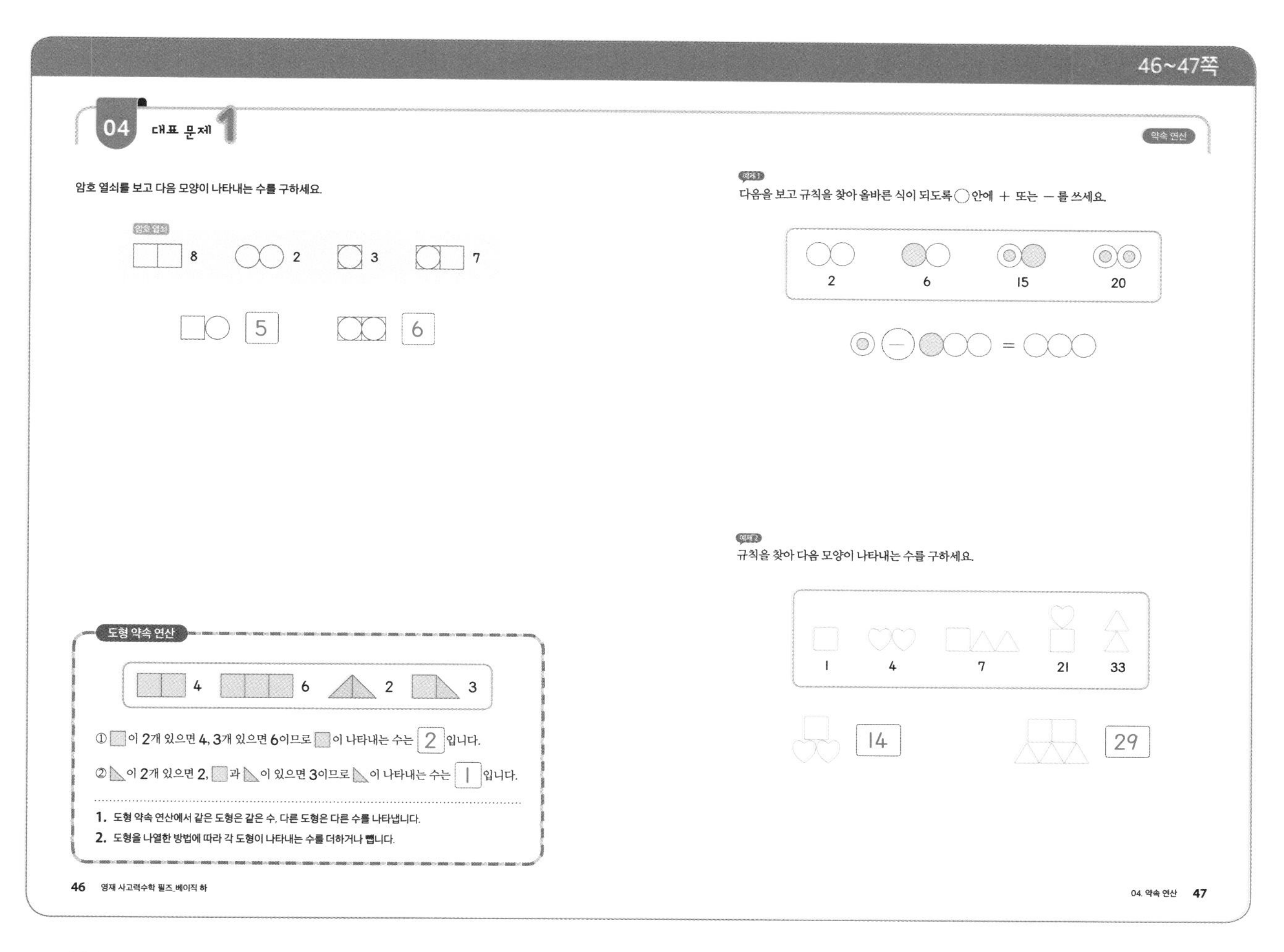
04 대표 문제 1

약속 연산

암호 열쇠를 보고 다음 모양이 나타내는 수를 구하세요.

암호 열쇠

예제 1
다음을 보고 규칙을 찾아 올바른 식이 되도록 ◯ 안에 + 또는 − 를 쓰세요.

예제 2
규칙을 찾아 다음 모양이 나타내는 수를 구하세요.

도형 약속 연산

① □이 2개 있으면 4, 3개 있으면 6이므로 □이 나타내는 수는 2입니다.

② ◺이 2개 있으면 2, □과 ◺이 있으면 3이므로 ◺이 나타내는 수는 1입니다.

1. 도형 약속 연산에서 같은 도형은 같은 수, 다른 도형은 다른 수를 나타냅니다.
2. 도형을 나열한 방법에 따라 각 도형이 나타내는 수를 더하거나 뺍니다.

46 영재 사고력수학 필즈_베이직 하

04. 약속 연산 47

1) ◯은 3, ◯□은 7이므로 □=7−3=4입니다.

2) □□은 8이므로 가로로 도형을 나열하면 덧셈을 나타내는 것을 알 수 있습니다.

3) 가로로 나열하면 덧셈이고, 같은 도형은 같은 수를 나타내므로 ◯◯은 2에서 ◯은 1임을 알 수 있습니다.

4) □은 4, ◯은 1이고 ◯은 3이므로 도형 안에 도형을 놓는 것은 뺄셈을 나타내는 것을 알 수 있습니다.

5) □◯은 덧셈이므로 4+1=5입니다.

6) ◯◯은 덧셈이므로 3+3=6입니다.

예제 1

1) 나란히 놓은 것은 덧셈을 나타내고, 같은 도형은 같은 수를 나타냅니다.

2) ◯=1, ●=5, ◎=10

3) ◎ ◯ ●◯◯ = ◯◯◯ ➡ 10 ㊀ 7=3

예제 2

1) 옆으로 나란히 놓은 것은 덧셈을 나타내고, 위아래로 놓은 것은 십의 자리와 일의 자리를 나타냅니다.

2) □=1, ♡=2, △=3

3) 에서 십의 자리 숫자는 1, 일의 자리 숫자는 2+2=4이므로 14를 나타냅니다.

4) 에서 십의 자리 숫자는 1+1=2, 일의 자리 숫자는 3+3+3=9이므로 29를 나타냅니다.

04 대표 문제 2

기호 ▲은 규칙이 있는 연산 약속입니다. 규칙을 찾아 17▲3을 계산하세요. 20

2▲3=5	1▲7=8	8▲7=15
6▲5=11	3▲4=7	9▲1=10

약속 연산

기호 ★을 '㉠★㉡=(큰 수)−(작은 수)'와 같이 계산하기로 약속하면

1★2=2−1=1　10★3=10−3=7

9★6=9−6=3　25★17=25−17=8

1. 기호를 이용하여 새로운 연산 방법을 약속하고, 약속에 따라 계산하는 것을 약속 연산이라고 합니다.
2. 새로운 연산 방법에 따라 계산하거나 계산 방법을 보고 연산 방법을 알아낼 수 있습니다.

약속 연산

예제 1

가※나=가+나+2, 가◎나=가+나+나로 약속했습니다. 다음 계산을 하세요.

(1) 3※5=10　9※4=15　8※1=11

(2) 3◎5=13　2◎7=16　8◎2=12

예제 2

다음은 약속에 따라 계산한 것입니다. 계산 결과를 보고 ◯ 안에 알맞은 연산 기호를 쓰세요.

8♡1=6	10♡3=4	5♡2=1
6▲5=12	3▲4=8	7▲2=10

10 (♡) 2=6　　4 (▲) 8=13

1) 가▲나=가+나

2) 17▲3=17+3=20

예제 1

(1) 3※5=3+5+2=10

9※4=9+4+2=15

8※1=8+1+2=11

(2) 3◎5=3+5+5=13

2◎7=2+7+7=16

8◎2=8+2+2=12

예제 2

1) 가♡나=가−나−나

2) 가▲나=가+나+1

04 확인 문제

약속 연산

1 규칙을 찾아 빈 곳에 알맞은 수를 쓰세요.

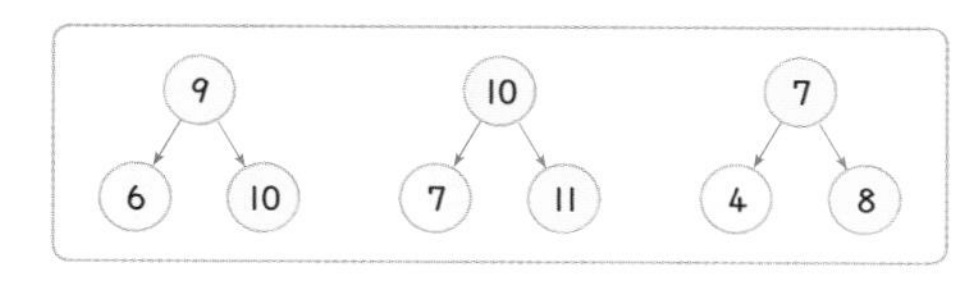

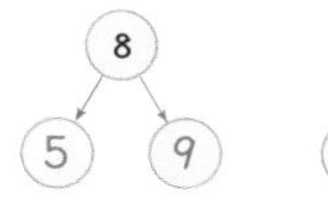

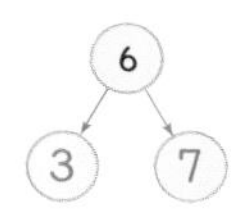

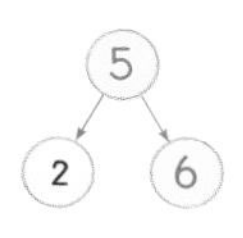

3 규칙을 찾아 빈 곳에 알맞은 수를 쓰세요.

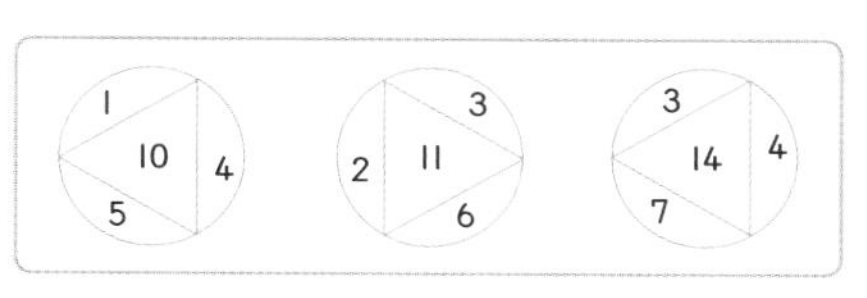

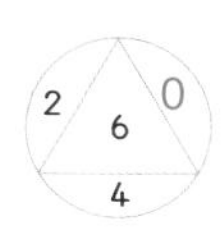

2 보석 상자를 열기 위한 비밀번호가 다음과 같습니다. 규칙을 찾아 보석 상자의 비밀번호를 구하세요. IIII

12 # 54 = 4242　36 # 98 = 6262

27 # 54 = 2727　41 # 99 = 5858

4 기호 □ 은 규칙이 있는 연산 약속입니다. 규칙을 찾아 다음 계산을 하세요.

[2] = 1 + 2

[3] = 1 + 2 + 3

[4] = 1 + 2 + 3 + 4

[4] − [2] = 7

[5] + [1] = 16

1 빨간색 화살표는 '−3', 파란색 화살표는 '+1'을 나타냅니다.

2 1) 가#나='나−가'를 두 번 씁니다.

2) 45#56: 56−45=11 ➡ 1111

3 1) 세 수의 합은 모양 안의 중앙수입니다.

2) 2+4+□= 6, □=0

4 1) [가] =1+2+3+……+가

2) [4]=1+2+3+4=10, [2]=1+2=3

[4]−[2]=10−3=7

3) [5]=1+2+3+4+5=15, [1]=1

[5]+[1]=15+1=16

약속 연산

5 규칙을 찾아 ◯ 안에 알맞은 수를 쓰세요.

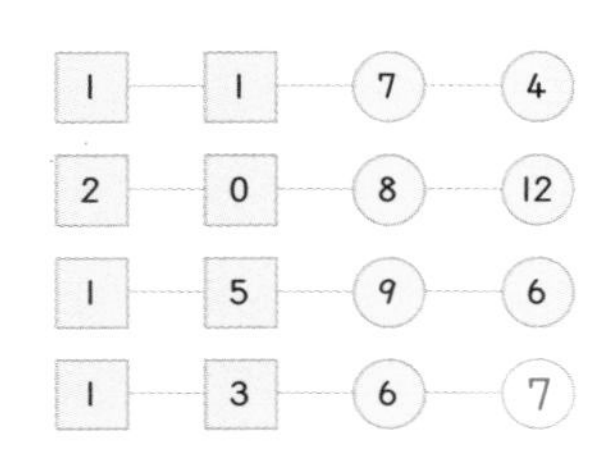

6 기호 ♣은 규칙이 있는 연산 약속입니다. 규칙을 찾아 9 ♣ 9를 계산하세요. 8

3 ♣ 4 = 7	5 ♣ 1 = 6	8 ♣ 9 = 7
9 ♣ 4 = 3	7 ♣ 7 = 4	6 ♣ 5 = 1

7 규칙을 찾아 다음 모양이 나타내는 수를 구하세요.

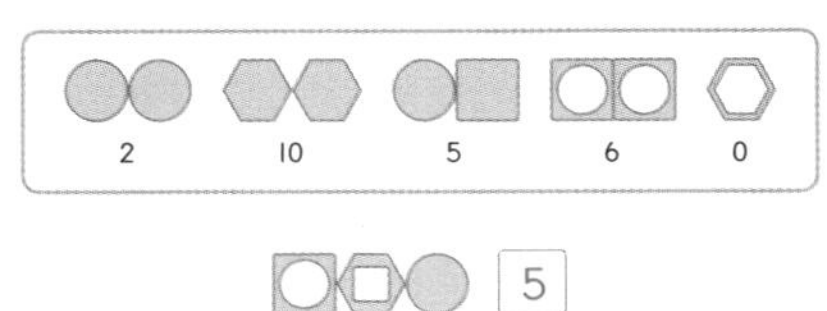

8 기호 ♥은 규칙이 있는 연산 약속입니다. 규칙을 찾아 다음 계산을 하세요.

1 ♥ 3 = 3	4 ♥ 2 = 8	5 ♥ 2 = 10
3 ♥ 4 = 12	2 ♥ 4 = 8	3 ♥ 3 = 9

8 ♥ 4 = 32　　4 ♥ 5 = 20

52 영재 사고력수학 필즈_베이직 하　　04. 약속 연산 53

5 1) 앞 두 수를 각 자리로 하는 두 자리 수는 뒤 두 수의 합입니다.

2) 6 + □ = 13, □ = 7

6 1) 가 ♣ 나: 가, 나의 합의 일의 자리 숫자

2) 9 + 9 = 18 → 9 ♣ 9 = 8

7 1) 옆으로 나란히 놓은 것은 덧셈을 나타내고, 도형 안에 도형을 놓은 것은 뺄셈을 나타냅니다.

2) ● = 1, ⬢ = 5, ■ = 4

3) ▣ = 4 − 1 = 3

4) ⬡ = 5 − 4 = 1

5) ▣⬡● = 3 + 1 + 1 = 5

8 1) 가 ♥ 나: 가를 나번 더합니다.

2) 8 ♥ 4 = 8 + 8 + 8 + 8 = 32

3) 4 ♥ 5 = 4 + 4 + 4 + 4 + 4 = 20

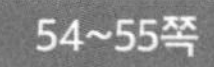

04 심화 문제

약속 연산

1 규칙을 찾아 다음 계산을 하세요.

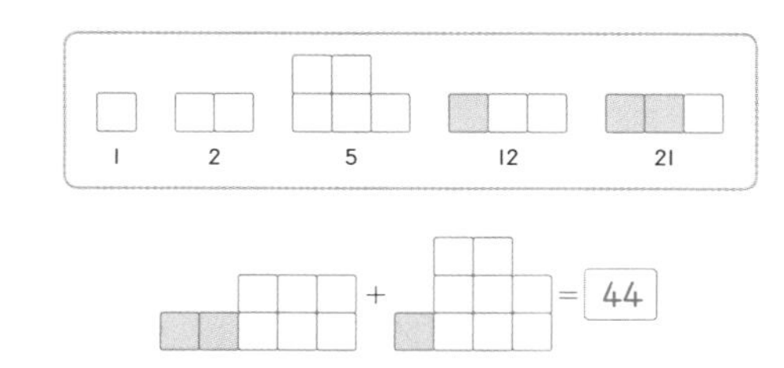

2 일정한 규칙으로 ◐과 ▭에 수를 쓴 것입니다. 규칙을 찾아 ★, ●, ■이 나타내는 숫자를 구하세요. (단, 같은 모양은 같은 숫자, 다른 모양은 다른 숫자를 나타냅니다.)

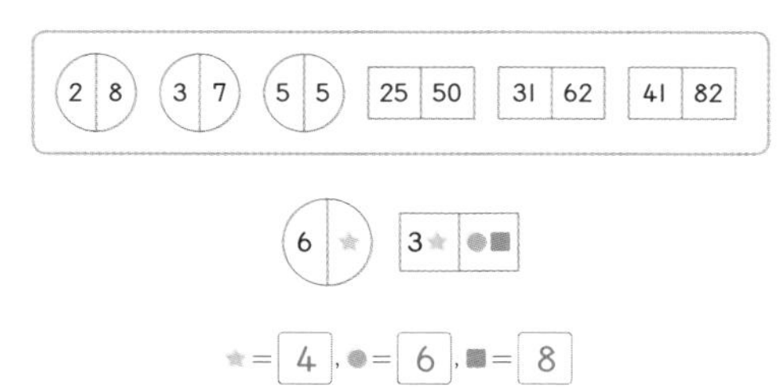

04 경시 기출 유형

약속 연산

• 규칙을 찾아 □ 안에 알맞은 수를 쓰세요.

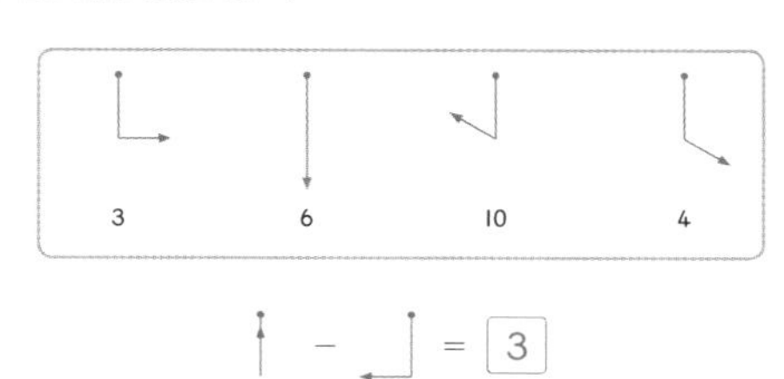

• ●은 '+4', ★은 '−1'을 나타냅니다. 다음을 보고 ㉠과 ㉡의 차를 구하세요. 5

1 1) □의 개수는 일의 자리 숫자, ■의 개수는 십의 자리 숫자를 나타냅니다.

2) 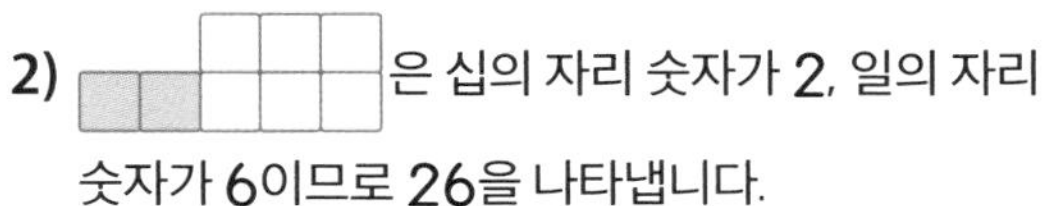 은 십의 자리 숫자가 2, 일의 자리 숫자가 6이므로 26을 나타냅니다.

3) 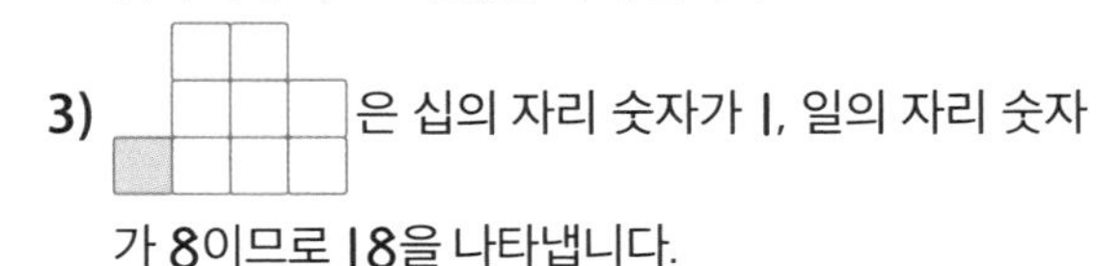 은 십의 자리 숫자가 1, 일의 자리 숫자가 8이므로 18을 나타냅니다.

4) $26+18=44$

2 1) ◐ 안 두 수의 합은 10입니다.

2) ▭ 안 오른쪽 수는 왼쪽 수의 두 배입니다.

3) 6+★=10, ★=4

4) 34의 두 배는 68, ●=6, ■=8

• 1) 규칙은 시곗바늘이 가리키는 시각입니다.

2) $12-9=3$

• 1) ㉠+4−1+4−1−1=㉡

2) $4-1+4-1-1=5$

3) ㉠과 ㉡의 차는 5가 됩니다.

05 표와 그래프

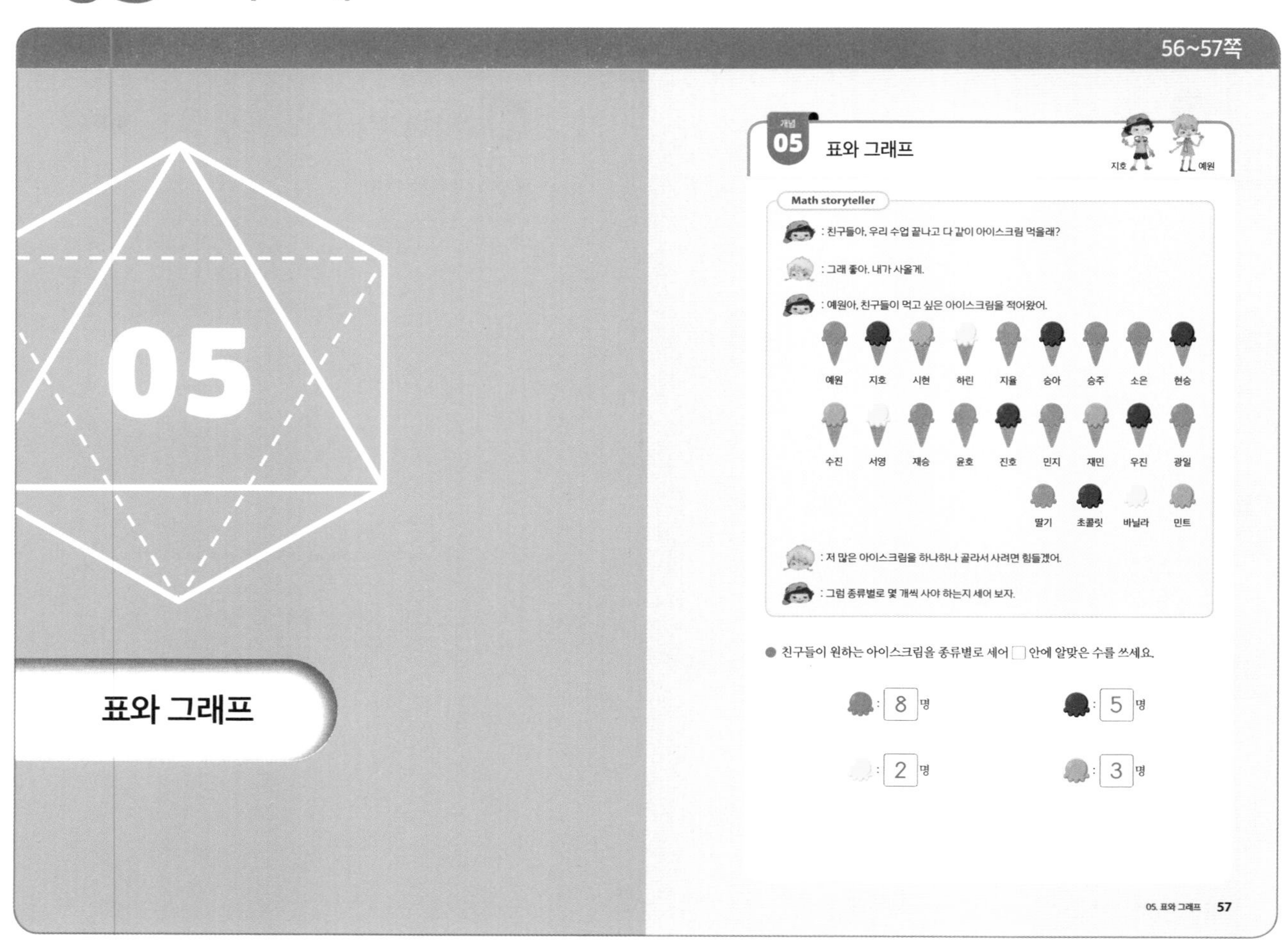
56~57쪽
05
표와 그래프
개념 05 표와 그래프
지호
예원
Math storyteller
: 친구들아, 우리 수업 끝나고 다 같이 아이스크림 먹을래?
: 그래 좋아. 내가 사올게.
: 예원아, 친구들이 먹고 싶은 아이스크림을 적어왔어.
예원 지호 시현 하린 지율 승아 승주 소은 현승
수진 서영 재승 윤호 진호 민지 재민 우진 광일
딸기 초콜릿 바닐라 민트
: 저 많은 아이스크림을 하나하나 골라서 사려면 힘들겠어.
: 그럼 종류별로 몇 개씩 사야 하는지 세어 보자.
● 친구들이 원하는 아이스크림을 종류별로 세어 □ 안에 알맞은 수를 쓰세요.
: 8 명
: 5 명
: 2 명
: 3 명
05. 표와 그래프 57

개수를 셀 때 ╱로 하나씩 지워가며 세면 좀 더 정확하게 셀 수 있습니다.

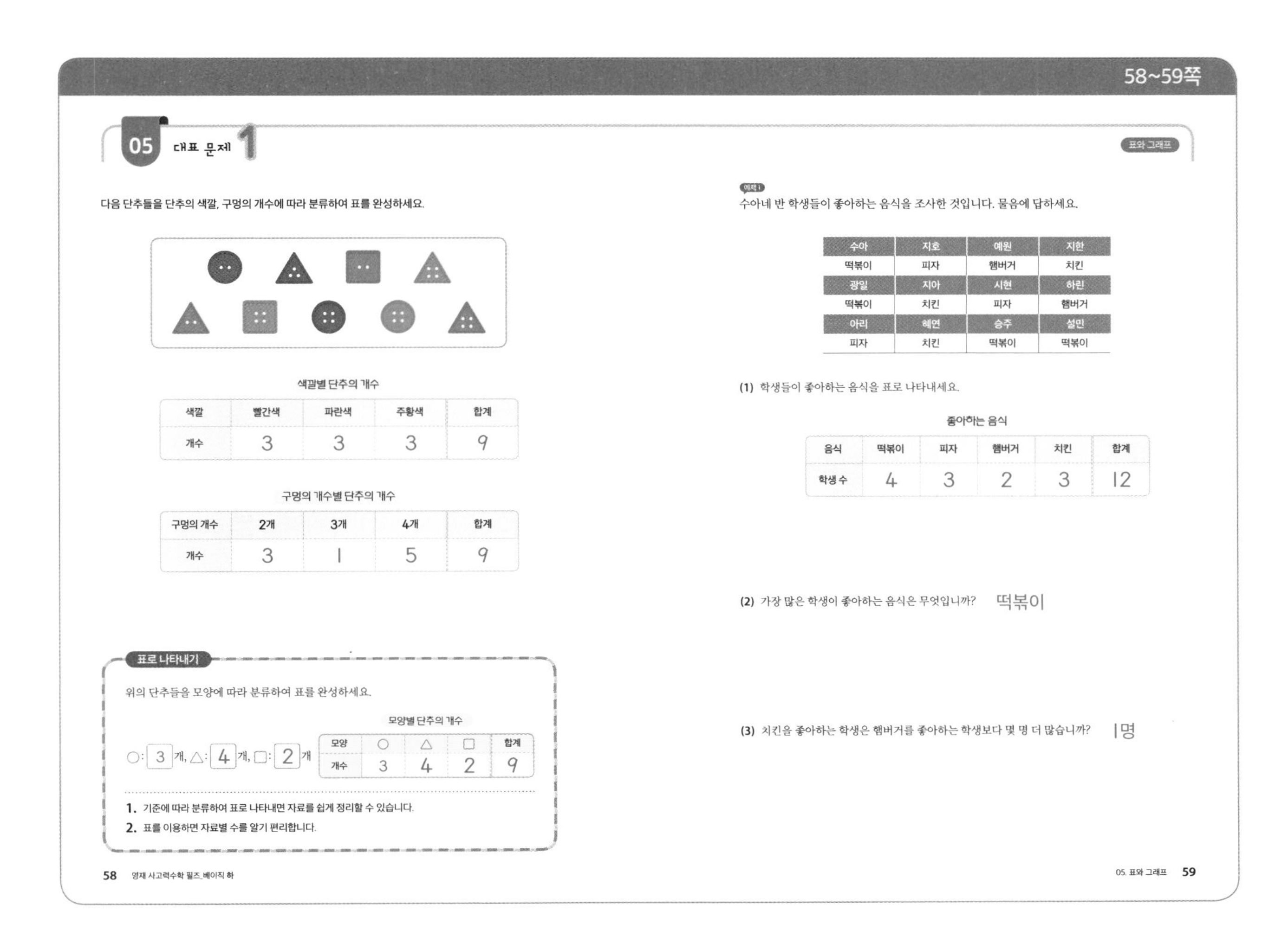

단추는 모양, 색깔, 구멍의 개수를 기준으로 분류할 수 있습니다.

예제 1

(2) 떡볶이를 좋아하는 학생이 4명으로 가장 많은 학생이 좋아합니다.

(3) 치킨을 좋아하는 학생: 3명
햄버거를 좋아하는 학생: 2명
치킨을 좋아하는 학생은 햄버거를 좋아하는 학생보다 $3-2=1$(명) 더 많습니다.

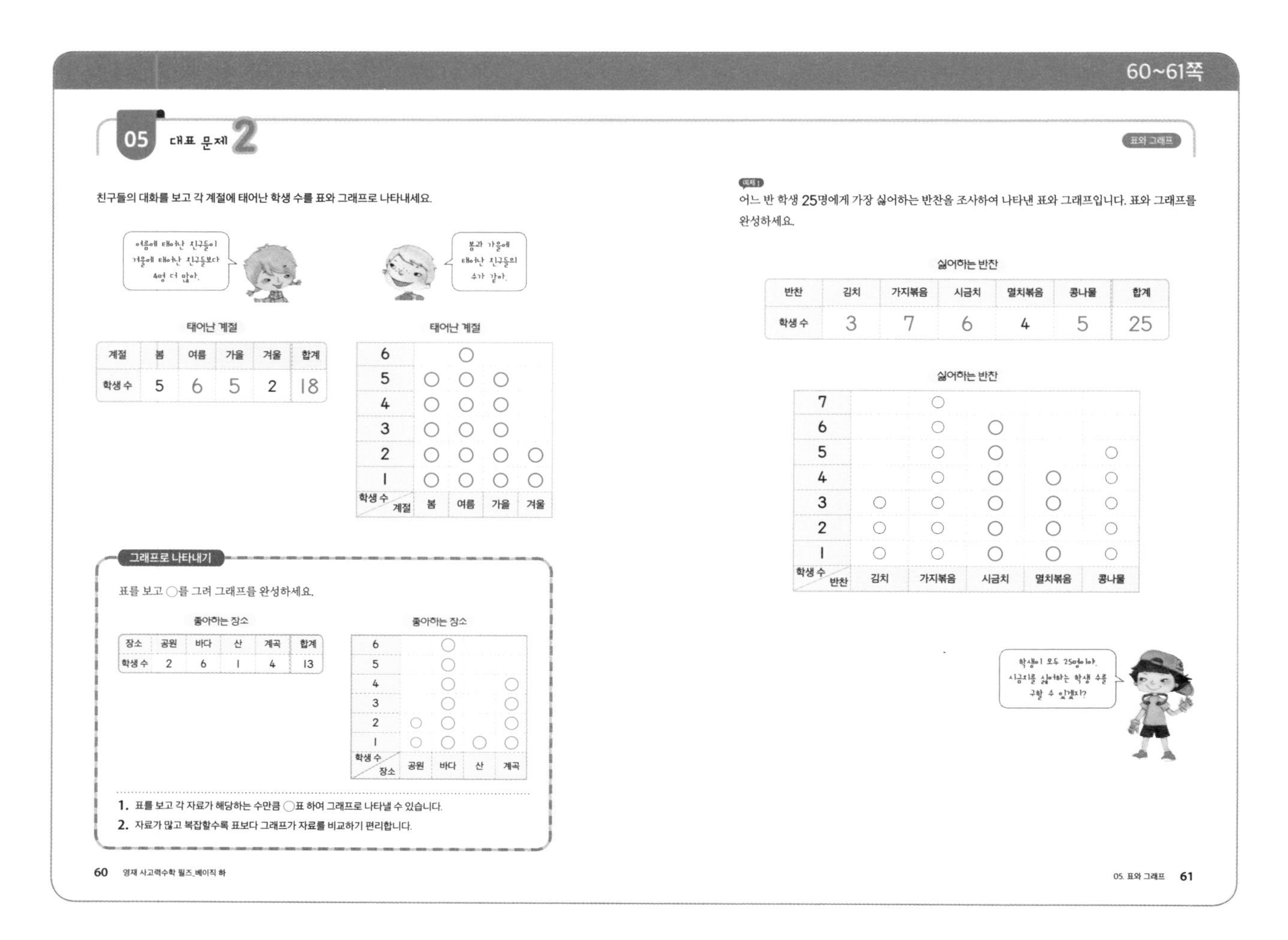

60~61쪽

05 대표 문제 2

표와 그래프

친구들의 대화를 보고 각 계절에 태어난 학생 수를 표와 그래프로 나타내세요.

태어난 계절

계절	봄	여름	가을	겨울	합계
학생 수	5	6	5	2	18

태어난 계절

6		○		
5	○	○	○	
4	○	○	○	
3	○	○	○	
2	○	○	○	○
1	○	○	○	○
학생 수 / 계절	봄	여름	가을	겨울

그래프로 나타내기

표를 보고 ○를 그려 그래프를 완성하세요.

좋아하는 장소

장소	공원	바다	산	계곡	합계
학생 수	2	6	1	4	13

좋아하는 장소

6		○		
5		○		
4		○		○
3		○		○
2	○	○		○
1	○	○	○	○
학생 수 / 장소	공원	바다	산	계곡

1. 표를 보고 각 자료가 해당하는 수만큼 ○표 하여 그래프로 나타낼 수 있습니다.
2. 자료가 많고 복잡할수록 표보다 그래프가 자료를 비교하기 편리합니다.

예제 1

어느 반 학생 25명에게 가장 싫어하는 반찬을 조사하여 나타낸 표와 그래프입니다. 표와 그래프를 완성하세요.

싫어하는 반찬

반찬	김치	가지볶음	시금치	멸치볶음	콩나물	합계
학생 수	3	7	6	4	5	25

싫어하는 반찬

7		○			
6		○	○		
5		○	○		○
4		○	○	○	○
3	○	○	○	○	○
2	○	○	○	○	○
1	○	○	○	○	○
학생 수 / 반찬	김치	가지볶음	시금치	멸치볶음	콩나물

60 영재 사고력수학 필즈_베이직 하

05. 표와 그래프 61

1) 여름에 태어난 학생: $2+4=6$(명)

2) 가을에 태어난 학생 수는 봄에 태어난 학생 수와 같으므로 5명입니다.

3) 학생은 모두 $5+6+5+2=18$(명)입니다.

예제 1

1) 그래프를 보고 표의 빈칸에 김치, 가지볶음, 콩나물을 싫어하는 학생 수를 씁니다.

2) 표를 보고 멸치볶음을 싫어하는 학생 수를 그래프에 나타냅니다.

3) 전체 학생 수 25명에서 나머지 반찬을 싫어하는 학생 수를 빼서 시금치를 싫어하는 학생 수를 구한 후 표와 그래프에 나타냅니다.

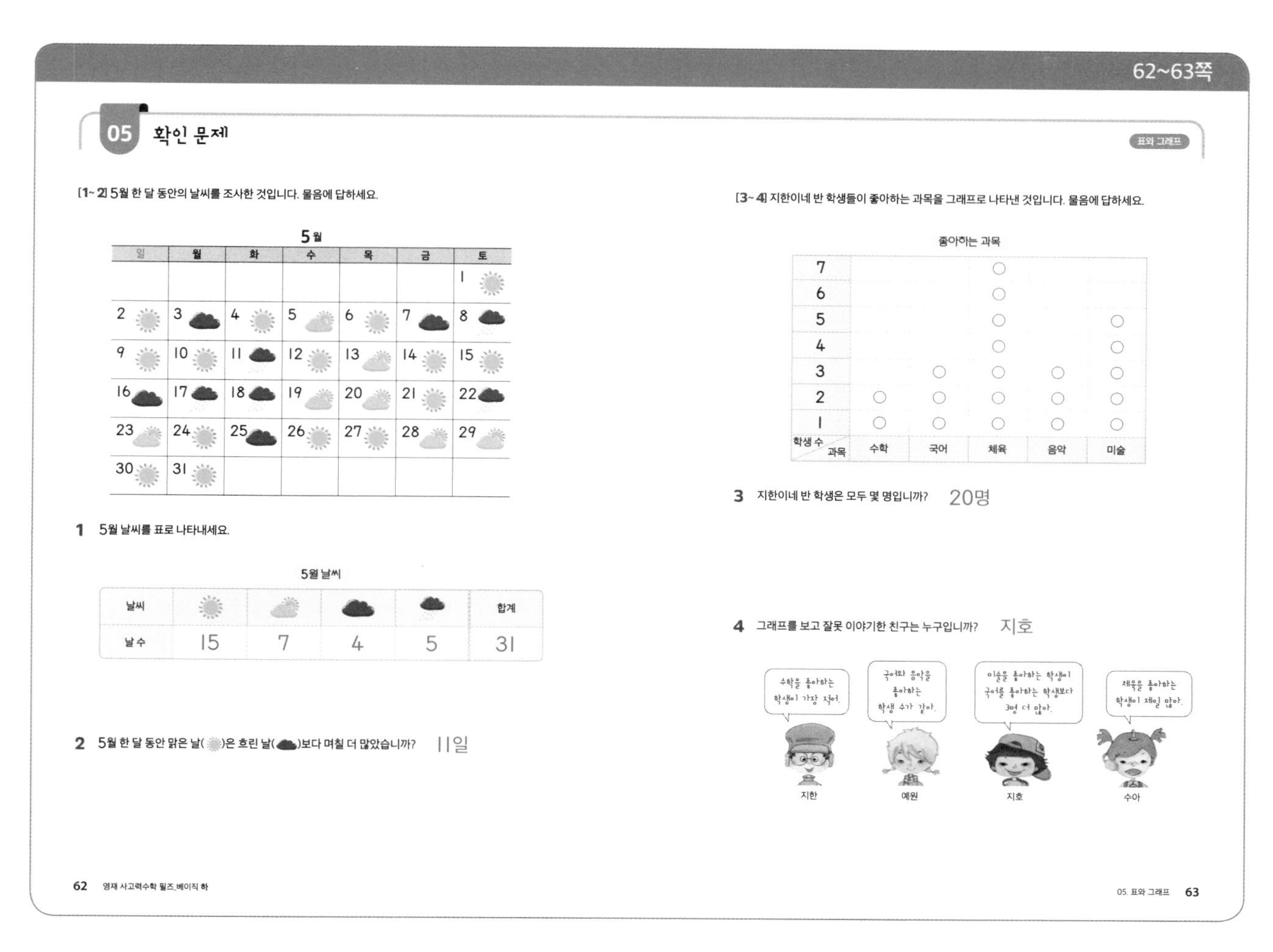

1 5월이 31일까지이므로 각 날씨에 해당하는 날짜 수의 합이 31이 되어야 합니다.

2 5월에 맑은 날은 15일, 흐린 날은 4일이므로 맑은 날이 흐린 날보다 11일 더 많습니다.

3 $2+3+7+3+5=20$(명)

4 미술을 좋아하는 학생은 국어를 좋아하는 학생보다 2명 더 많습니다.

05 확인 문제

5 어느 반 학생 15명이 미술 시간에 그리고 싶은 동물을 나타낸 그래프입니다. 강아지와 호랑이를 그리고 싶은 학생 수가 같다고 할 때, 다음 그래프를 완성하세요.

그리고 싶은 동물

6 어느 모둠 학생들이 좋아하는 놀이기구를 나타낸 표와 그래프의 일부가 물에 젖어 보이지 않습니다. 모둠 학생들은 모두 몇 명입니까? 14명

좋아하는 놀이기구

놀이기구	그네	시소	미끄럼틀	정글짐	합계
학생 수			2	3	

좋아하는 놀이기구

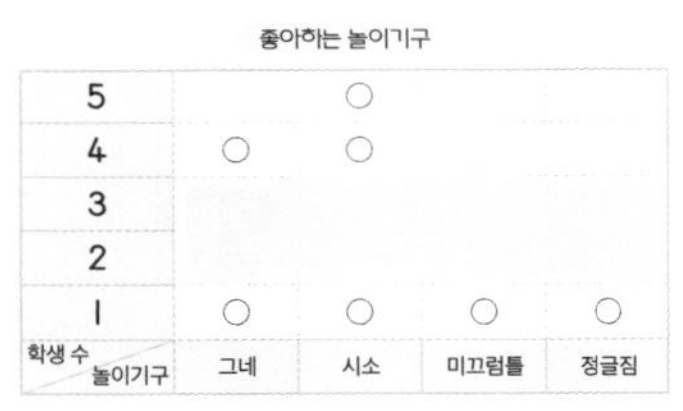

7 어느 모둠 학생들이 좋아하는 과일을 나타낸 표입니다. 망고를 좋아하는 학생은 딸기를 좋아하는 학생보다 1명 더 많고, 블루베리를 좋아하는 학생보다 3명 적습니다. 블루베리를 좋아하는 학생은 사과를 좋아하는 학생보다 5명 더 많다고 할 때, 표를 완성하세요.

좋아하는 과일

과일	딸기	망고	바나나	블루베리	사과	합계
학생 수	6	7	3	10	5	31

8 수아네 반 학생 18명이 좋아하는 운동을 나타낸 그래프입니다. 야구를 좋아하는 학생은 배구를 좋아하는 학생보다 3명 더 많습니다. 가장 많은 학생이 좋아하는 운동은 무엇이고, 몇 명이 좋아합니까? 야구, 6명

좋아하는 운동

5 1) 강아지와 호랑이를 그리고 싶은 학생:
$15-5-2=8$(명)

2) 강아지와 호랑이를 그리고 싶은 학생 수가 같으므로 강아지와 호랑이를 그리고 싶은 학생은 각각 4명씩입니다.

6 1) 그래프를 보면 그네를 좋아하는 학생이 4명, 시소를 좋아하는 학생이 5명인 것을 알 수 있습니다.

2) 총 학생 수: $4+5+2+3=14$(명)

7 1) 망고를 좋아하는 학생: $6+1=7$(명)

2) 블루베리를 좋아하는 학생: $7+3=10$(명)

3) 사과를 좋아하는 학생: $\square+5=10$, $\square=5$(명)

4) 바나나를 좋아하는 학생: $6+7+10+5=28$,
$31-28=3$(명)

8 좋아하는 운동

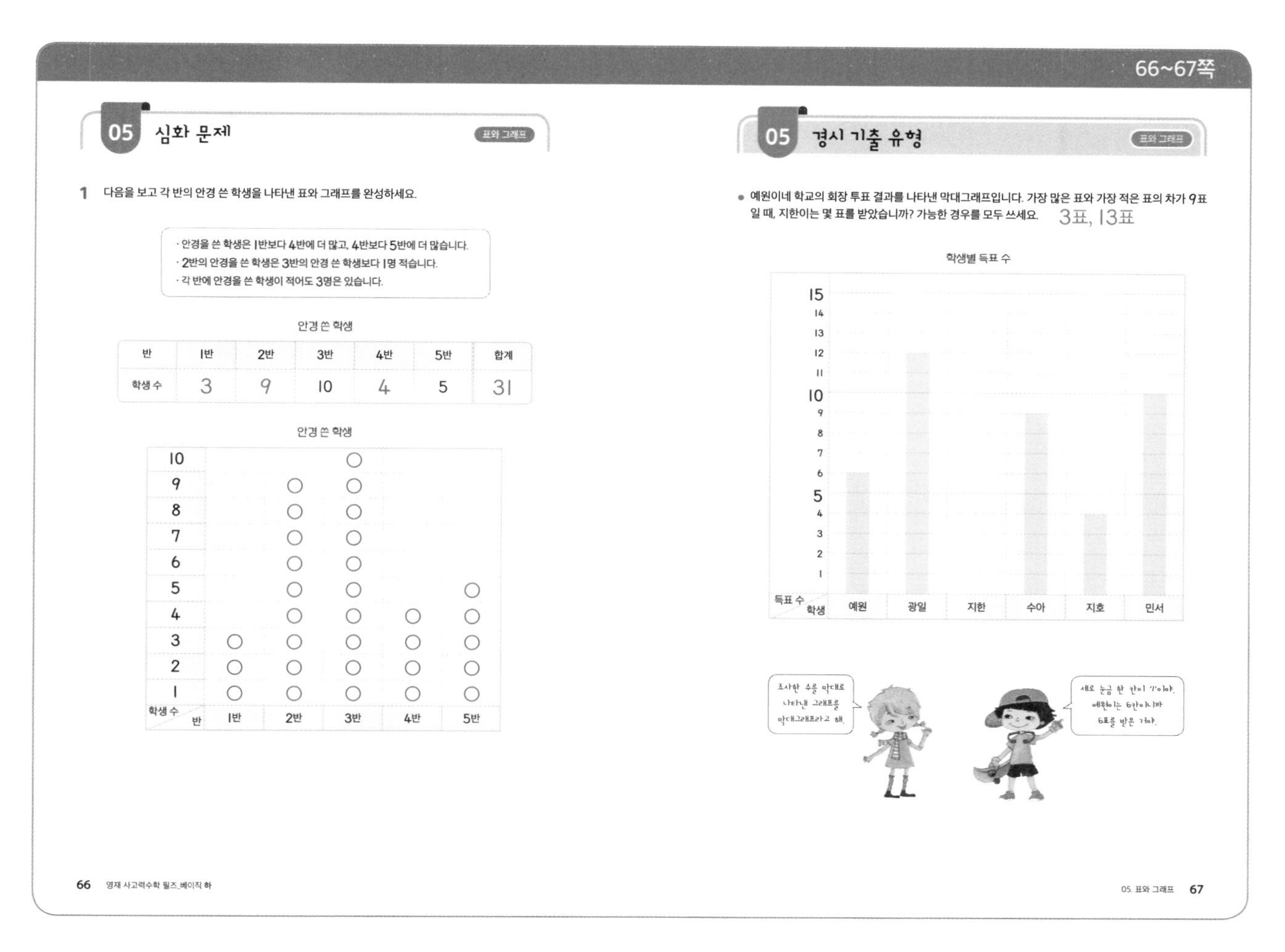
66~67쪽

05 심화 문제

표와 그래프

1 다음을 보고 각 반의 안경 쓴 학생을 나타낸 표와 그래프를 완성하세요.

· 안경을 쓴 학생은 1반보다 4반에 더 많고, 4반보다 5반에 더 많습니다.
· 2반의 안경을 쓴 학생은 3반의 안경 쓴 학생보다 1명 적습니다.
· 각 반에 안경을 쓴 학생이 적어도 3명은 있습니다.

안경 쓴 학생

반	1반	2반	3반	4반	5반	합계
학생 수	3	9	10	4	5	31

안경 쓴 학생

10			○		
9		○	○		
8		○	○		
7		○	○		
6		○	○		
5		○	○		○
4		○	○	○	○
3	○	○	○	○	○
2	○	○	○	○	○
1	○	○	○	○	○
학생 수 / 반	1반	2반	3반	4반	5반

66 영재 사고력수학 필즈_베이직 하

05 경시 기출 유형

표와 그래프

● 예원이네 학교의 회장 투표 결과를 나타낸 막대그래프입니다. 가장 많은 표와 가장 적은 표의 차가 9표일 때, 지한이는 몇 표를 받았습니까? 가능한 경우를 모두 쓰세요. 3표, 13표

05. 표와 그래프 67

1 1) 첫 번째와 세 번째 조건에 따라 1반에서 안경 쓴 학생은 3명, 4반에서 안경 쓴 학생은 4명입니다.
2) 두 번째 조건에 따라 2반에서 안경 쓴 학생은 $10-1=9$(명)입니다.
3) 안경 쓴 학생 수: $3+9+10+4+5=31$(명)

● 1) 예원: 6표, 광일: 12표, 수아: 9표, 지호: 4표, 민서: 10표
2) 지호의 득표 수가 가장 적다고 할 때 지한이의 표: $4+9=13$(표)
3) 광일이의 득표 수가 가장 많다고 할 때 지한이의 표: $12-9=3$(표)

06 가능성

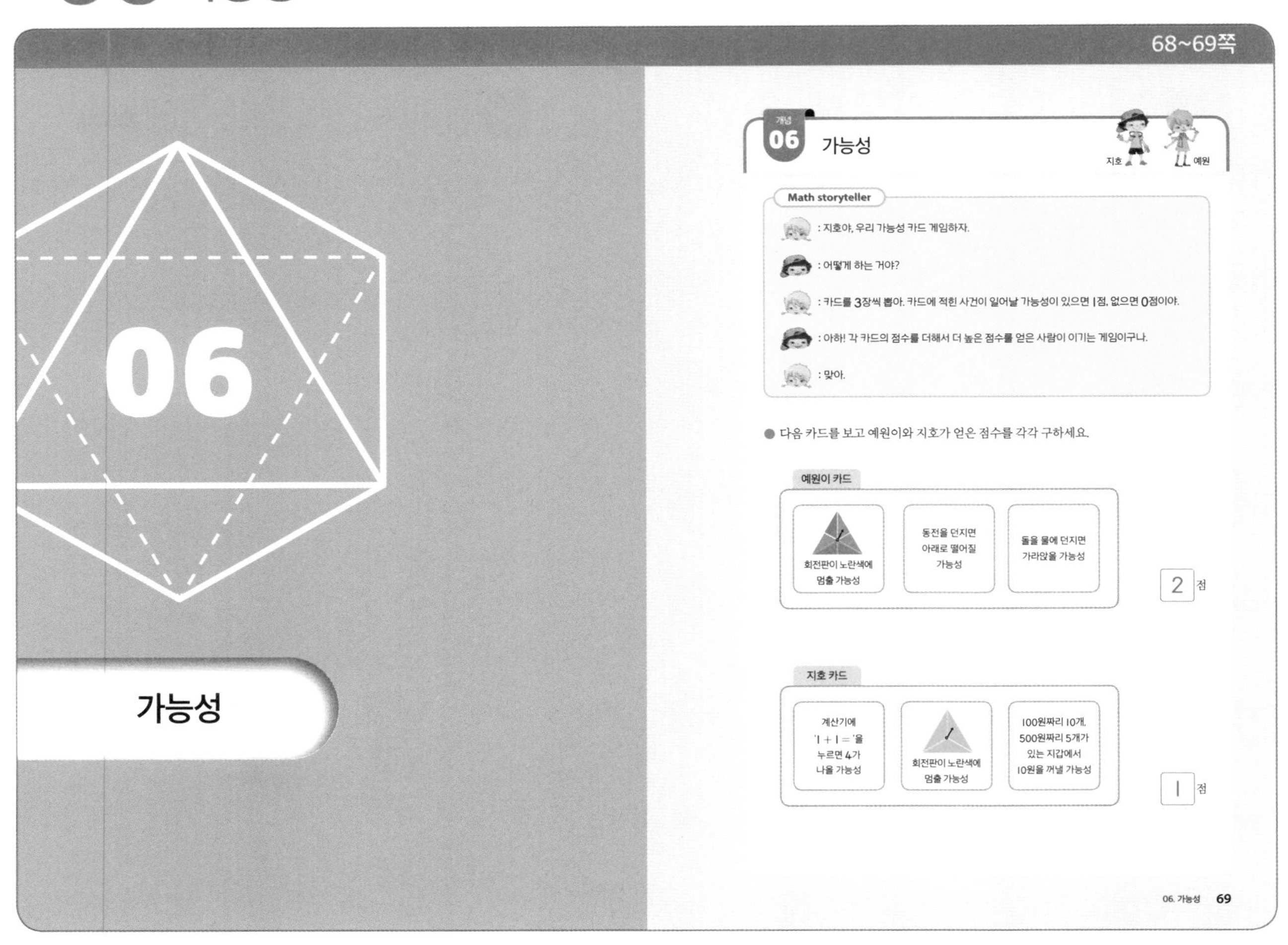

①	②	③
 회전판이 노란색에 멈출 가능성	동전을 던지면 바닥에 떨어질 가능성	돌을 물에 던지면 가라앉을 가능성

① 가능성이 없다. (0점)
② 가능성이 있다. (1점)
③ 가능성이 있다. (1점) ➡ 2점

①	②	③
계산기에 '1+1='을 누르면 4가 나올 가능성	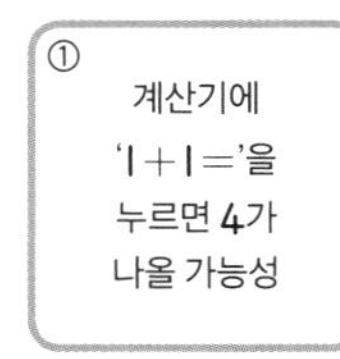 회전판이 노란색에 멈출 가능성	100원짜리 10개, 500원짜리 5개가 있는 지갑에서 10원을 꺼낼 가능성

① 가능성이 없다. (0점)
② 가능성이 있다. (1점)
③ 가능성이 없다. (0점) ➡ 1점

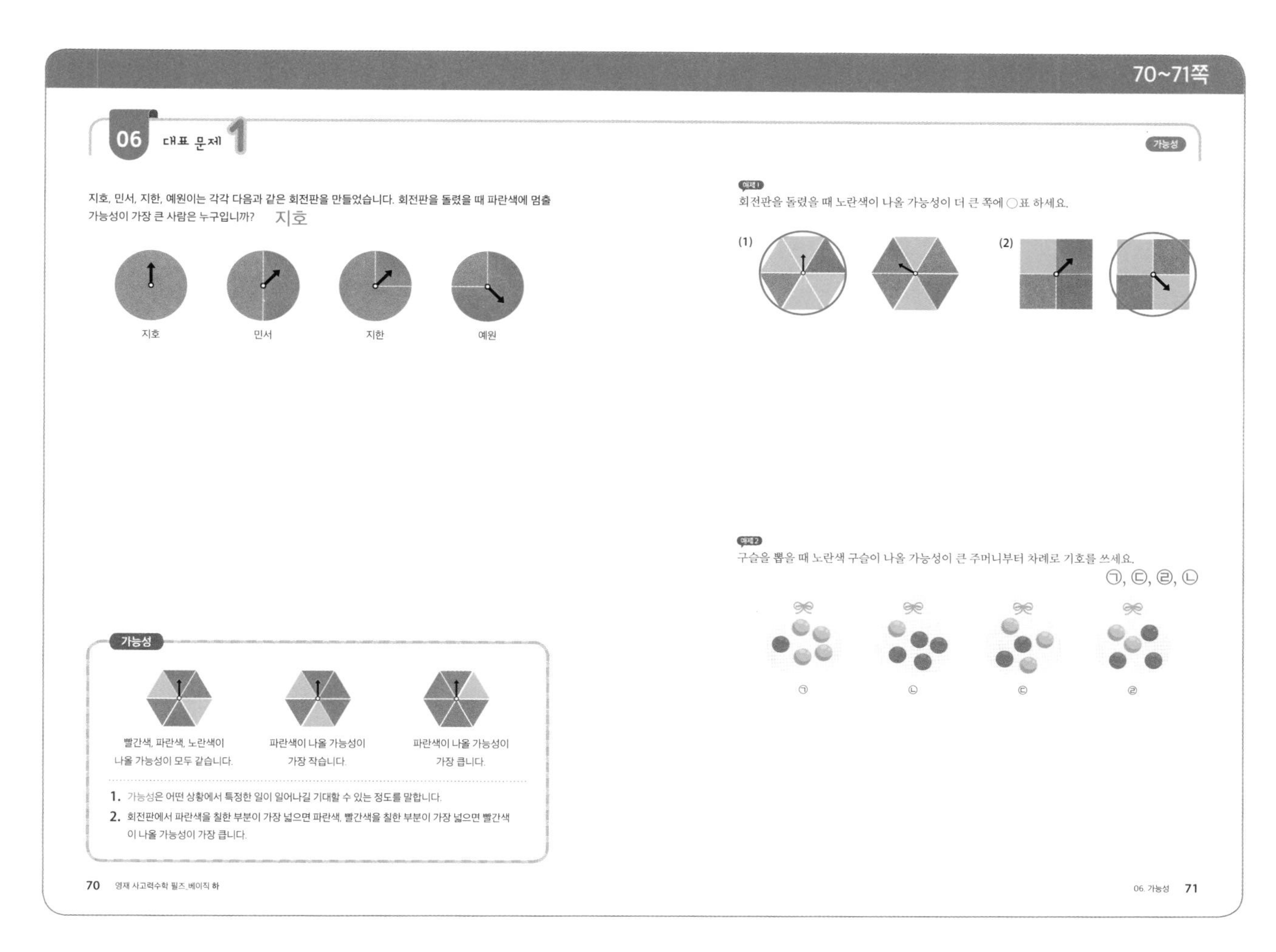
70~71쪽

06 대표 문제 1

지호, 민서, 지한, 예원이는 각각 다음과 같은 회전판을 만들었습니다. 회전판을 돌렸을 때 파란색에 멈출 가능성이 가장 큰 사람은 누구입니까? 지호

지호 민서 지한 예원

가능성

빨간색, 파란색, 노란색이 나올 가능성이 모두 같습니다. 파란색이 나올 가능성이 가장 작습니다. 파란색이 나올 가능성이 가장 큽니다.

1. 가능성은 어떤 상황에서 특정한 일이 일어나길 기대할 수 있는 정도를 말합니다.
2. 회전판에서 파란색을 칠한 부분이 가장 넓으면 파란색, 빨간색을 칠한 부분이 가장 넓으면 빨간색이 나올 가능성이 가장 큽니다.

70 영재 사고력수학 필즈_베이직 하

가능성

예제 1
회전판을 돌렸을 때 노란색이 나올 가능성이 더 큰 쪽에 ○표 하세요.

(1) (2)

예제 2
구슬을 뽑을 때 노란색 구슬이 나올 가능성이 큰 주머니부터 차례로 기호를 쓰세요.
㉠, ㉢, ㉣, ㉡

㉠ ㉡ ㉢ ㉣

06. 가능성 71

지호가 만든 회전판은 모두 파란색이므로 회전판을 돌렸을 때 항상 파란색이 나옵니다.

예제 1

(1) 회전판 6칸 중 왼쪽은 노란색이 4칸, 오른쪽은 노란색이 2칸이므로 왼쪽 회전판을 돌렸을 때 노란색이 나올 가능성이 더 큽니다.

(2) 회전판 4칸 중 왼쪽은 노란색이 1칸, 오른쪽은 노란색이 2칸이므로 오른쪽 회전판을 돌렸을 때 노란색이 나올 가능성이 더 큽니다.

예제 2

1) 노란색 구슬의 개수가 많을수록 가능성이 커집니다.

2) ㉠(4개) ➡ ㉢(3개) ➡ ㉣(2개) ➡ ㉡(1개)

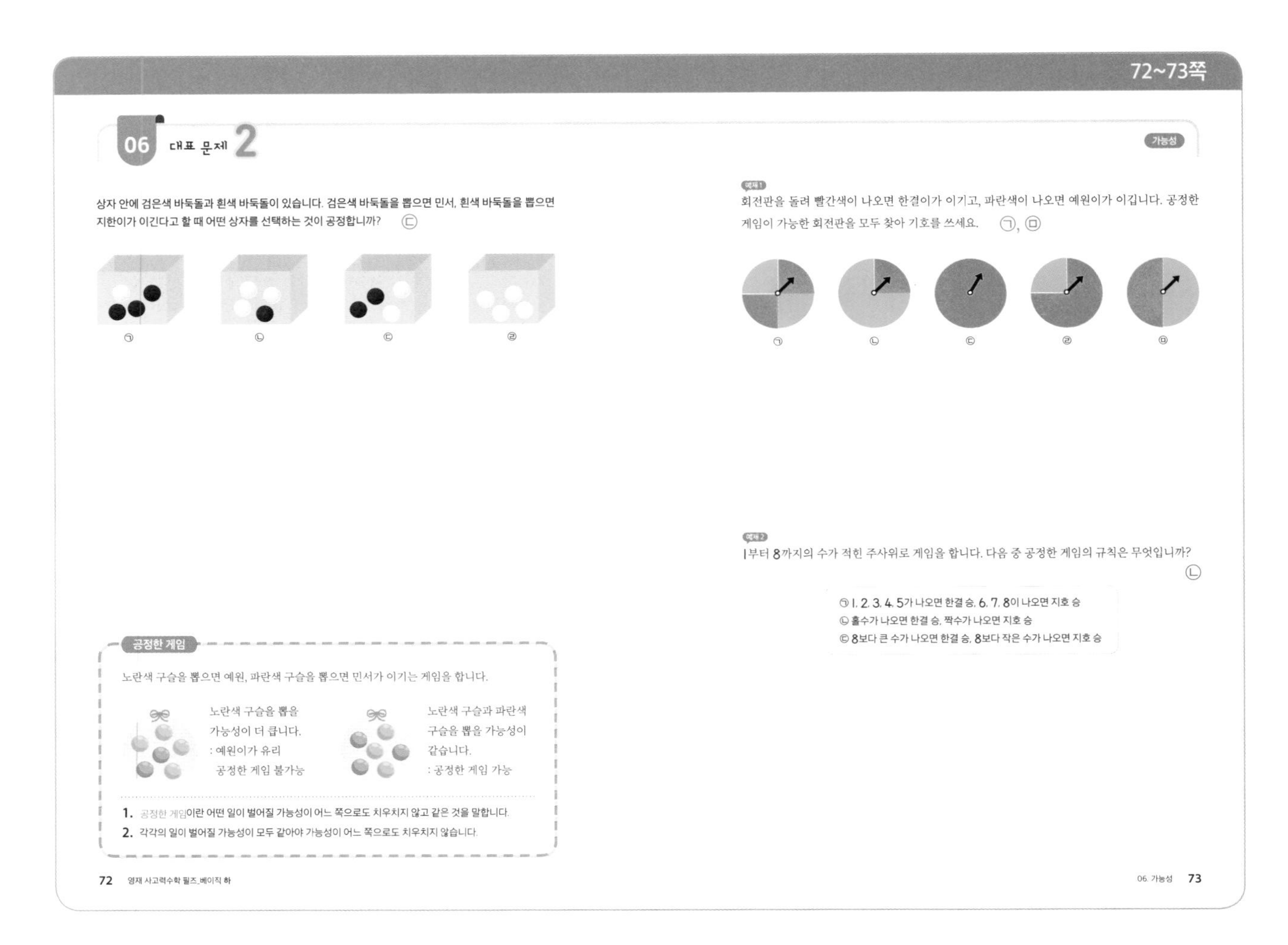
72~73쪽

06 대표 문제 2 가능성

상자 안에 검은색 바둑돌과 흰색 바둑돌이 있습니다. 검은색 바둑돌을 뽑으면 민서, 흰색 바둑돌을 뽑으면 지한이가 이긴다고 할 때 어떤 상자를 선택하는 것이 공정합니까? ㉢

㉠ ㉡ ㉢ ㉣

예제 1
회전판을 돌려 빨간색이 나오면 한결이가 이기고, 파란색이 나오면 예원이가 이깁니다. 공정한 게임이 가능한 회전판을 모두 찾아 기호를 쓰세요. ㉠, ㉤

㉠ ㉡ ㉢ ㉣ ㉤

예제 2
1부터 8까지의 수가 적힌 주사위로 게임을 합니다. 다음 중 공정한 게임의 규칙은 무엇입니까? ㉡

㉠ 1, 2, 3, 4, 5가 나오면 한결 승, 6, 7, 8이 나오면 지호 승
㉡ 홀수가 나오면 한결 승, 짝수가 나오면 지호 승
㉢ 8보다 큰 수가 나오면 한결 승, 8보다 작은 수가 나오면 지호 승

공정한 게임

노란색 구슬을 뽑으면 예원, 파란색 구슬을 뽑으면 민서가 이기는 게임을 합니다.

노란색 구슬을 뽑을 가능성이 더 큽니다.
: 예원이가 유리
공정한 게임 불가능

노란색 구슬과 파란색 구슬을 뽑을 가능성이 같습니다.
: 공정한 게임 가능

1. 공정한 게임이란 어떤 일이 벌어질 가능성이 어느 쪽으로도 치우치지 않고 같은 것을 말합니다.
2. 각각의 일이 벌어질 가능성이 모두 같아야 가능성이 어느 쪽으로도 치우치지 않습니다.

72 영재 사고력수학 필즈_베이직 하 06. 가능성 73

검은색 바둑돌과 흰색 바둑돌의 개수가 같을 때 공정한 게임이 가능합니다.

예제 1

1) 빨간색이 나올 가능성과 파란색이 나올 가능성이 같아야 공정한 게임입니다.
2) 회전판 ㉠, ㉤이 공정한 게임이 가능한 회전판입니다.

예제 2

1) 규칙 ㉠: 한결이 유리합니다.
2) 규칙 ㉡: 홀수와 짝수가 나올 가능성이 같으므로 공정한 게임이 가능합니다.
3) 규칙 ㉢: 지호가 유리합니다.

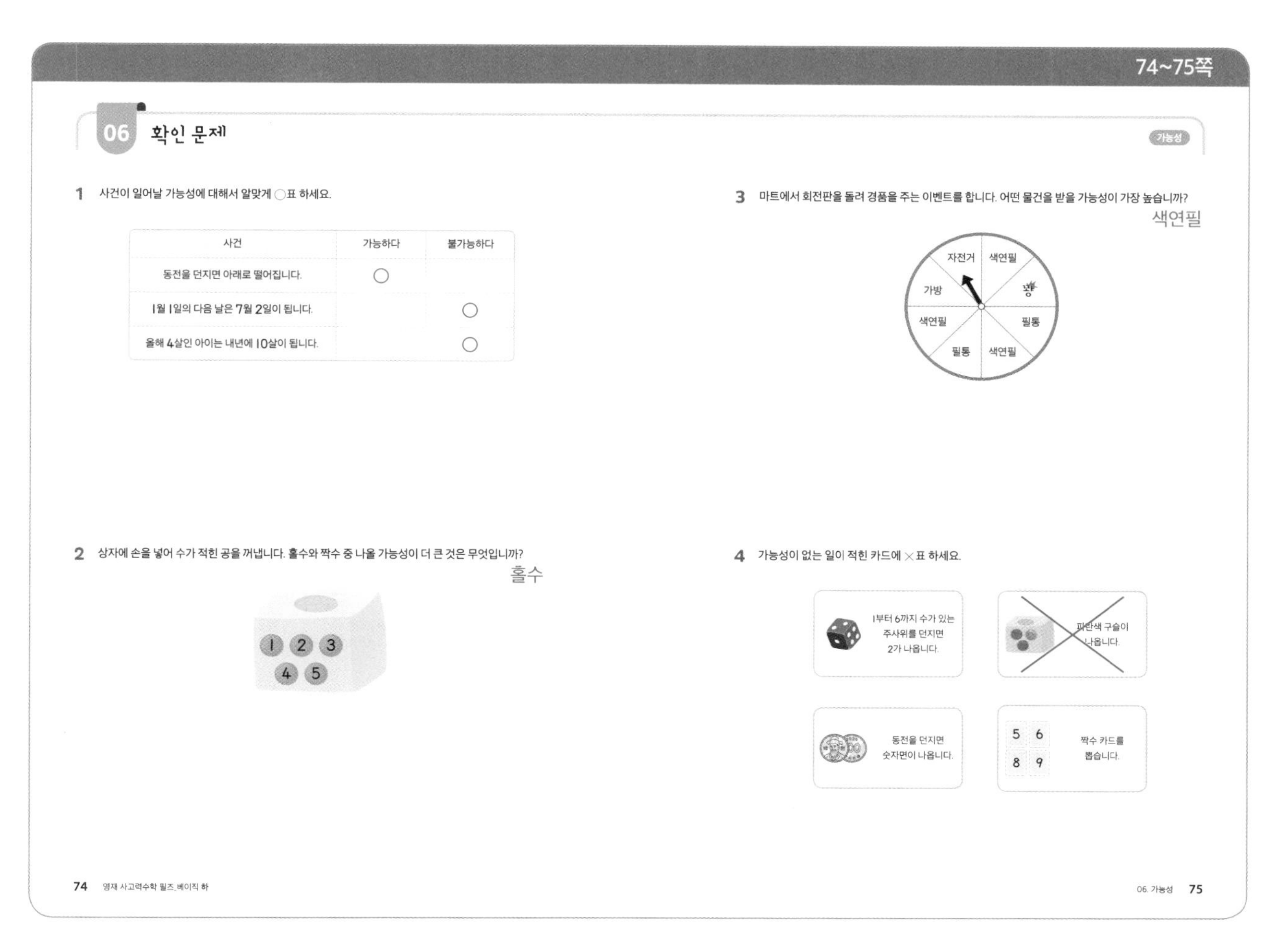
74~75쪽

06 확인 문제

가능성

1 사건이 일어날 가능성에 대해서 알맞게 ○표 하세요.

사건	가능하다	불가능하다
동전을 던지면 아래로 떨어집니다.	○	
1월 1일의 다음 날은 7월 2일이 됩니다.		○
올해 4살인 아이는 내년에 10살이 됩니다.		○

2 상자에 손을 넣어 수가 적힌 공을 꺼냅니다. 홀수와 짝수 중 나올 가능성이 더 큰 것은 무엇입니까? 홀수

3 마트에서 회전판을 돌려 경품을 주는 이벤트를 합니다. 어떤 물건을 받을 가능성이 가장 높습니까? 색연필

4 가능성이 없는 일이 적힌 카드에 ×표 하세요.

1부터 6까지 수가 있는 주사위를 던지면 2가 나옵니다.

파란색 구슬이 나옵니다.

동전을 던지면 숫자면이 나옵니다.

짝수 카드를 뽑습니다.

74 영재 사고력수학 필즈 베이직 하

06. 가능성 75

1 1) 동전을 던지면 위로 올라가지 않고, 항상 아래로 떨어집니다.

2) 1월 1일 다음 날은 1월 2일입니다. 7월 2일이 될 가능성은 없습니다.

3) 올해 4살인 아이는 내년에 5살이 됩니다. 10살이 될 가능성이 없습니다.

2 홀수가 3개, 짝수가 2개이므로 홀수를 뽑을 가능성이 더 큽니다.

3 1) 색연필: 3칸, 필통: 2칸, 가방: 1칸, 자전거: 1칸

2) 색연필 칸이 가장 많으므로 색연필을 받을 가능성이 가장 큽니다.

4 상자 안에 파란색 구슬이 없으므로 파란색 구슬이 나올 가능성이 없습니다.

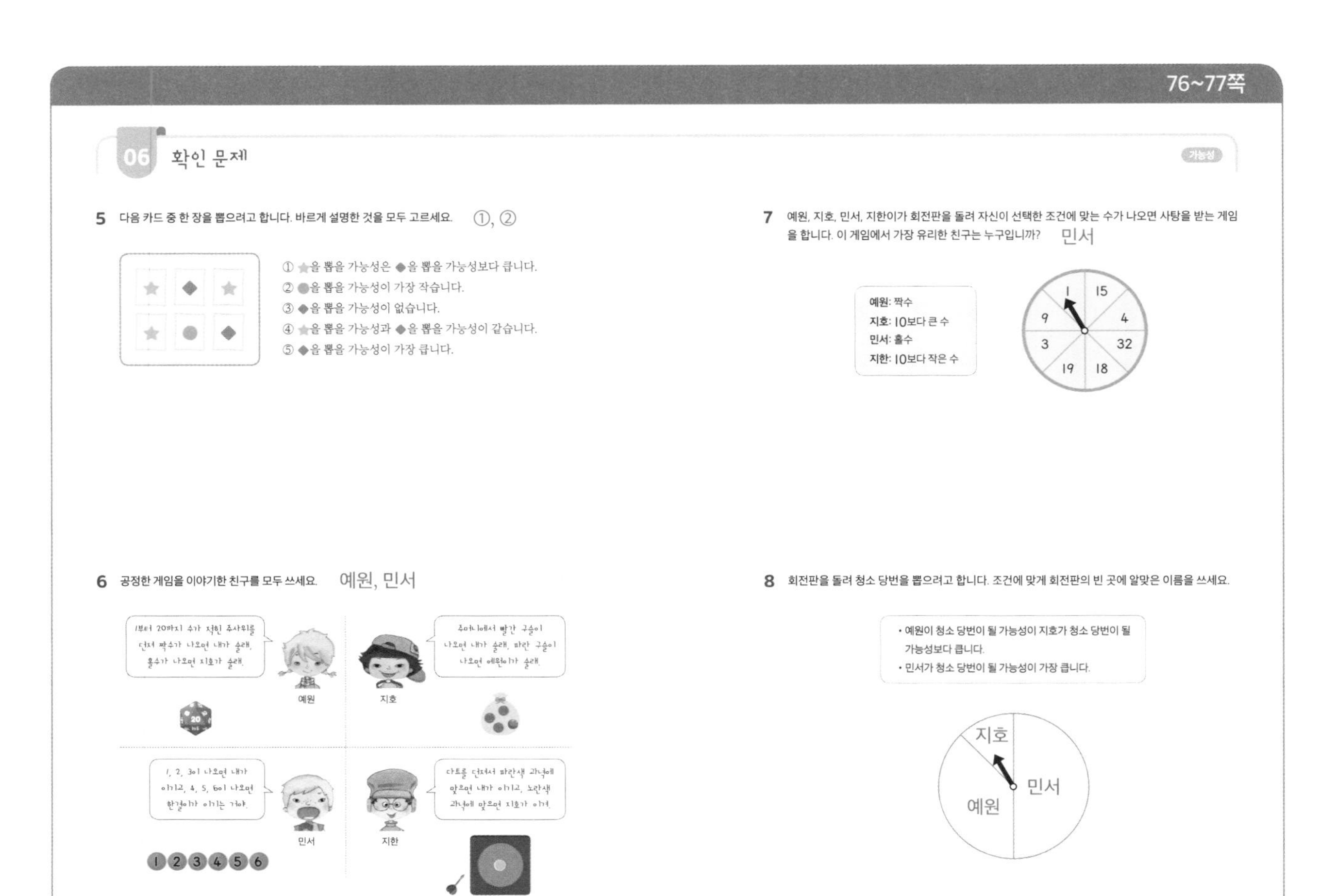

76~77쪽

06 확인 문제 · 가능성

5 다음 카드 중 한 장을 뽑으려고 합니다. 바르게 설명한 것을 모두 고르세요. ①, ②

① ★을 뽑을 가능성은 ◆을 뽑을 가능성보다 큽니다.
② ●을 뽑을 가능성이 가장 작습니다.
③ ◆을 뽑을 가능성이 없습니다.
④ ★을 뽑을 가능성과 ◆을 뽑을 가능성이 같습니다.
⑤ ◆을 뽑을 가능성이 가장 큽니다.

6 공정한 게임을 이야기한 친구를 모두 쓰세요. 예원, 민서

7 예원, 지호, 민서, 지한이가 회전판을 돌려 자신이 선택한 조건에 맞는 수가 나오면 사탕을 받는 게임을 합니다. 이 게임에서 가장 유리한 친구는 누구입니까? 민서

예원: 짝수
지호: 10보다 큰 수
민서: 홀수
지한: 10보다 작은 수

8 회전판을 돌려 청소 당번을 뽑으려고 합니다. 조건에 맞게 회전판의 빈 곳에 알맞은 이름을 쓰세요.

• 예원이 청소 당번이 될 가능성이 지호가 청소 당번이 될 가능성보다 큽니다.
• 민서가 청소 당번이 될 가능성이 가장 큽니다.

76 영재 사고력수학 필즈_베이직 하 · 06. 가능성 77

5 1) ★은 3장, ◆는 2장이므로 ★을 뽑을 가능성이 더 큽니다.

2) ●은 1장이므로 ●을 뽑을 가능성이 가장 작습니다.

6 1) 예원: 1부터 20까지의 수에서 홀수와 짝수의 개수가 같습니다. (공정한 게임)

2) 지호: 빨간색 구슬의 개수가 파란색 구슬의 개수보다 많습니다. (불공정한 게임)

3) 민서: 1, 2, 3과 4, 5, 6이 나올 가능성이 같습니다. (공정한 게임)

4) 지한: 파란색 부분이 더 넓습니다.(불공정한 게임)

7 1) 예원: 짝수는 4, 32, 18로 3칸
지호: 10보다 큰 수는 15, 32, 18, 19로 4칸
민서: 홀수는 1, 9, 3, 19, 15로 5칸
지한: 10보다 작은 수는 1, 9, 3, 4로 4칸

2) 민서가 5칸으로 가장 유리합니다.

8 1) 민서에게 멈출 가능성이 가장 크려면 가장 넓은 칸을 차지해야 합니다.

2) 멈출 가능성이 예원이가 지호보다 크므로 예원이가 지호보다 넓은 칸을 차지합니다.

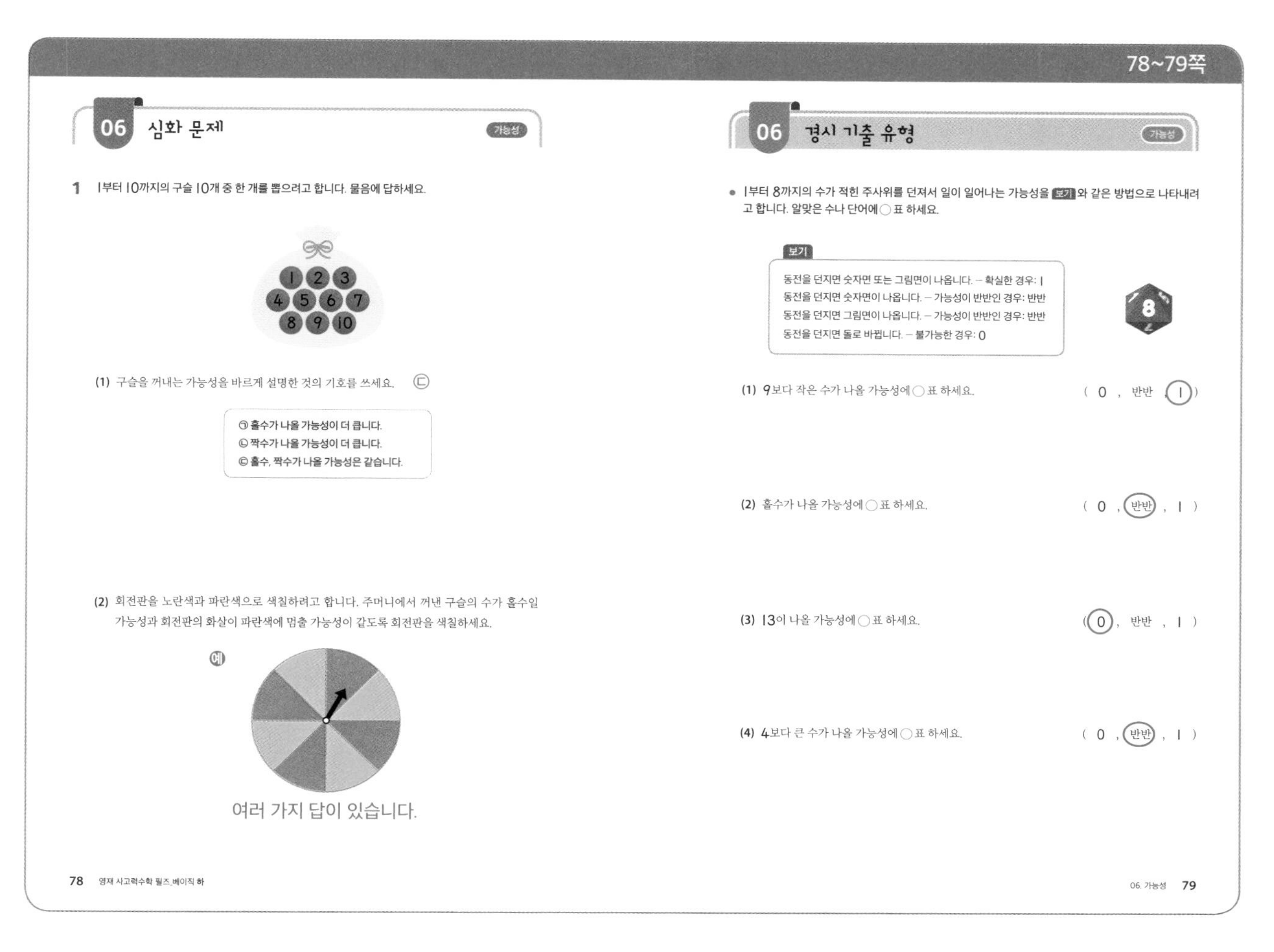

78~79쪽

06 심화 문제 가능성

1 1부터 10까지의 구슬 10개 중 한 개를 뽑으려고 합니다. 물음에 답하세요.

(1) 구슬을 꺼내는 가능성을 바르게 설명한 것의 기호를 쓰세요. ⓒ

㉠ 홀수가 나올 가능성이 더 큽니다.
㉡ 짝수가 나올 가능성이 더 큽니다.
㉢ 홀수, 짝수가 나올 가능성은 같습니다.

(2) 회전판을 노란색과 파란색으로 색칠하려고 합니다. 주머니에서 꺼낸 구슬의 수가 홀수일 가능성과 회전판의 화살이 파란색에 멈출 가능성이 같도록 회전판을 색칠하세요.

예

여러 가지 답이 있습니다.

06 경시 기출 유형 가능성

● 1부터 8까지의 수가 적힌 주사위를 던져서 일이 일어나는 가능성을 보기 와 같은 방법으로 나타내려고 합니다. 알맞은 수나 단어에 ○표 하세요.

보기
동전을 던지면 숫자면 또는 그림면이 나옵니다. – 확실한 경우: 1
동전을 던지면 숫자면이 나옵니다. – 가능성이 반반인 경우: 반반
동전을 던지면 그림면이 나옵니다. – 가능성이 반반인 경우: 반반
동전을 던지면 돌로 바뀝니다. – 불가능한 경우: 0

(1) 9보다 작은 수가 나올 가능성에 ○표 하세요. (0 , 반반 , (1))

(2) 홀수가 나올 가능성에 ○표 하세요. (0 , (반반) , 1)

(3) 13이 나올 가능성에 ○표 하세요. ((0) , 반반 , 1)

(4) 4보다 큰 수가 나올 가능성에 ○표 하세요. (0 , (반반) , 1)

78 영재 사고력수학 필즈_베이직 하

06. 가능성 79

1 (1) 홀수 5개, 짝수 5개로 뽑을 가능성이 같습니다.
(2) 노란색과 파란색이 나올 가능성이 같도록 색을 칠합니다. 색칠하는 방법은 달라도 두 색이 모두 4칸씩 차지하도록 색칠합니다.

● (1) 모두 9보다 작은 수이므로 나올 가능성이 1입니다.
(2) 1부터 8까지의 수에는 홀수와 짝수가 4개씩 있으므로 홀수가 나올 가능성이 반반입니다.
(3) 1부터 8까지의 수만 나오므로 13이 나올 가능성은 0 입니다.
(4) 4보다 큰 수는 4개이므로 나올 가능성이 반반입니다.

07 방법의 가짓수

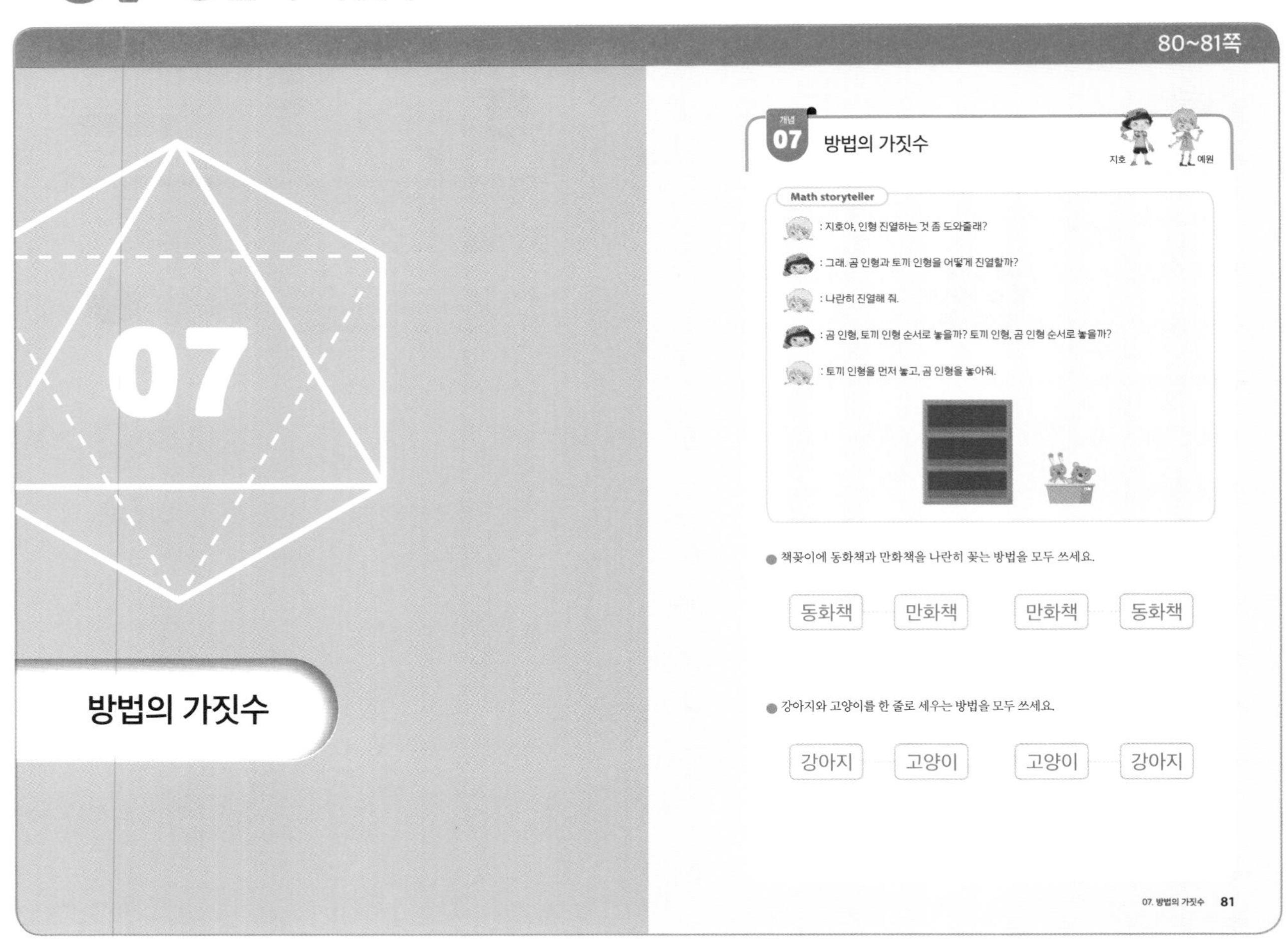

80~81쪽
07
방법의 가짓수
개념
07 방법의 가짓수
지호
예원
Math storyteller
: 지호야, 인형 진열하는 것 좀 도와줄래?
: 그래. 곰 인형과 토끼 인형을 어떻게 진열할까?
: 나란히 진열해 줘.
: 곰 인형, 토끼 인형 순서로 놓을까? 토끼 인형, 곰 인형 순서로 놓을까?
: 토끼 인형을 먼저 놓고, 곰 인형을 놓아줘.
책꽂이에 동화책과 만화책을 나란히 꽂는 방법을 모두 쓰세요.
동화책
만화책
만화책
동화책
강아지와 고양이를 한 줄로 세우는 방법을 모두 쓰세요.
강아지
고양이
고양이
강아지
07. 방법의 가짓수 81

2개를 한 줄로 세우는 방법은 항상 2가지입니다.

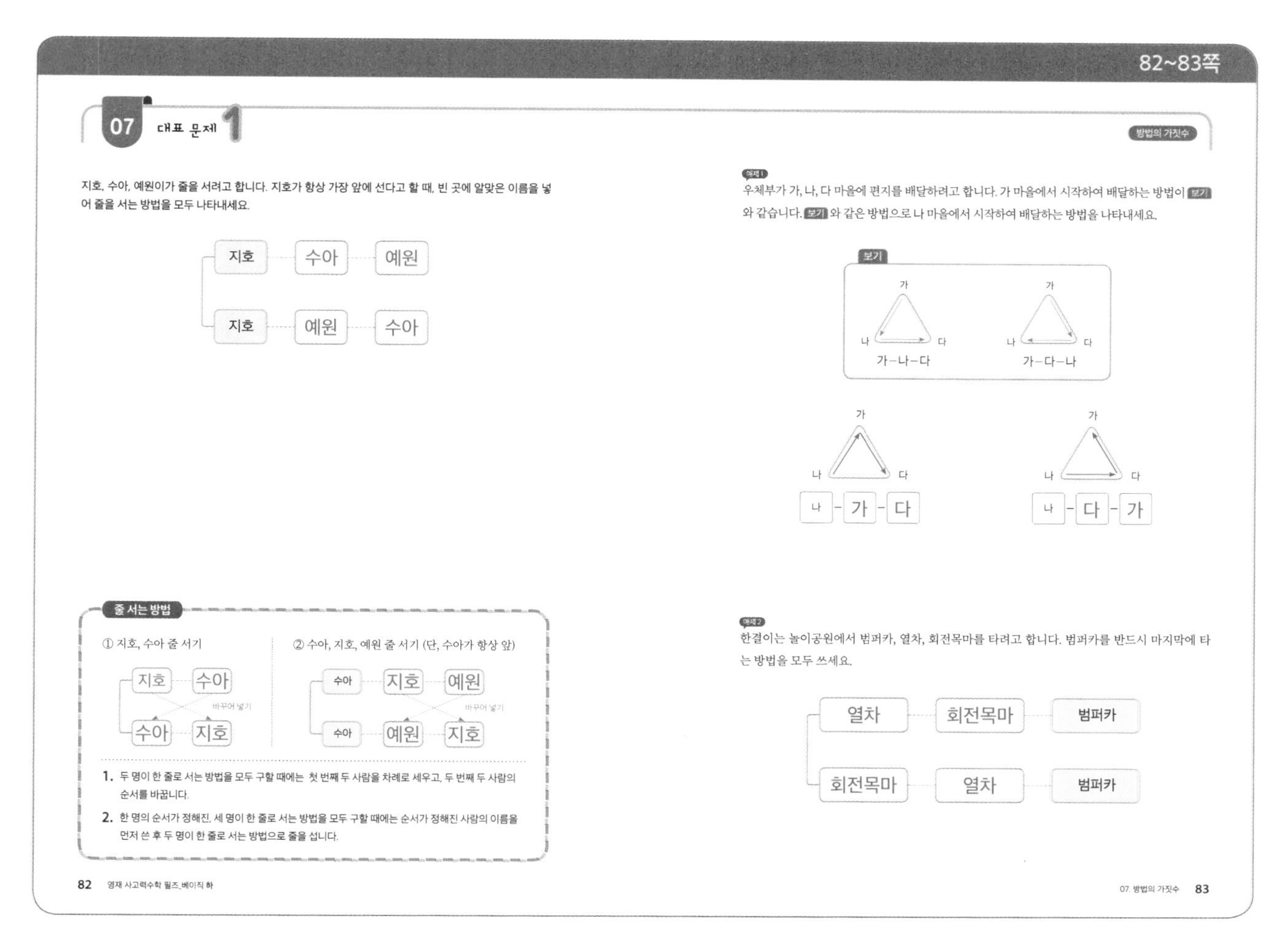

82~83쪽

07 대표 문제 1

방법의 가짓수

지호, 수아, 예원이가 줄을 서려고 합니다. 지호가 항상 가장 앞에 선다고 할 때, 빈 곳에 알맞은 이름을 넣어 줄을 서는 방법을 모두 나타내세요.

지호 - 수아 - 예원
지호 - 예원 - 수아

줄 서는 방법

① 지호, 수아 줄 서기

② 수아, 지호, 예원 줄 서기 (단, 수아가 항상 앞)

1. 두 명이 한 줄로 서는 방법을 모두 구할 때에는 첫 번째 두 사람을 차례로 세우고, 두 번째 두 사람의 순서를 바꿉니다.
2. 한 명의 순서가 정해진 세 명이 한 줄로 서는 방법을 모두 구할 때에는 순서가 정해진 사람의 이름을 먼저 쓴 후 두 명이 한 줄로 서는 방법으로 줄을 섭니다.

예제 1

우체부가 가, 나, 다 마을에 편지를 배달하려고 합니다. 가 마을에서 시작하여 배달하는 방법이 보기 와 같습니다. 보기 와 같은 방법으로 나 마을에서 시작하여 배달하는 방법을 나타내세요.

보기
가-나-다
가-다-나

나 - 가 - 다
나 - 다 - 가

예제 2

한결이는 놀이공원에서 범퍼카, 열차, 회전목마를 타려고 합니다. 범퍼카를 반드시 마지막에 타는 방법을 모두 쓰세요.

열차 - 회전목마 - 범퍼카
회전목마 - 열차 - 범퍼카

82 영재 사고력수학 필즈_베이직 하

07. 방법의 가짓수 83

지호는 항상 앞에 서므로, 지호를 제외한 두 사람을 차례로 세운 후 두 사람의 위치를 바꿉니다.

예제 1

1) **나** 마을에서 시작하여 편지를 배달하는 방법은 **가** 마을을 먼저 가는 방법과 **다** 마을을 먼저 가는 방법으로 나누어 생각할 수 있습니다.
2) 방법 **나**—**가**—**다**에서 뒤의 두 마을 **가**, **다**의 순서를 바꾸어 방법 **나**—**다**—**가**를 나타냅니다.

예제 2

범퍼카의 순서가 정해져 있으므로 나머지 두 놀이기구인 열차와 회전목마의 순서만 바꾸어 나타냅니다.

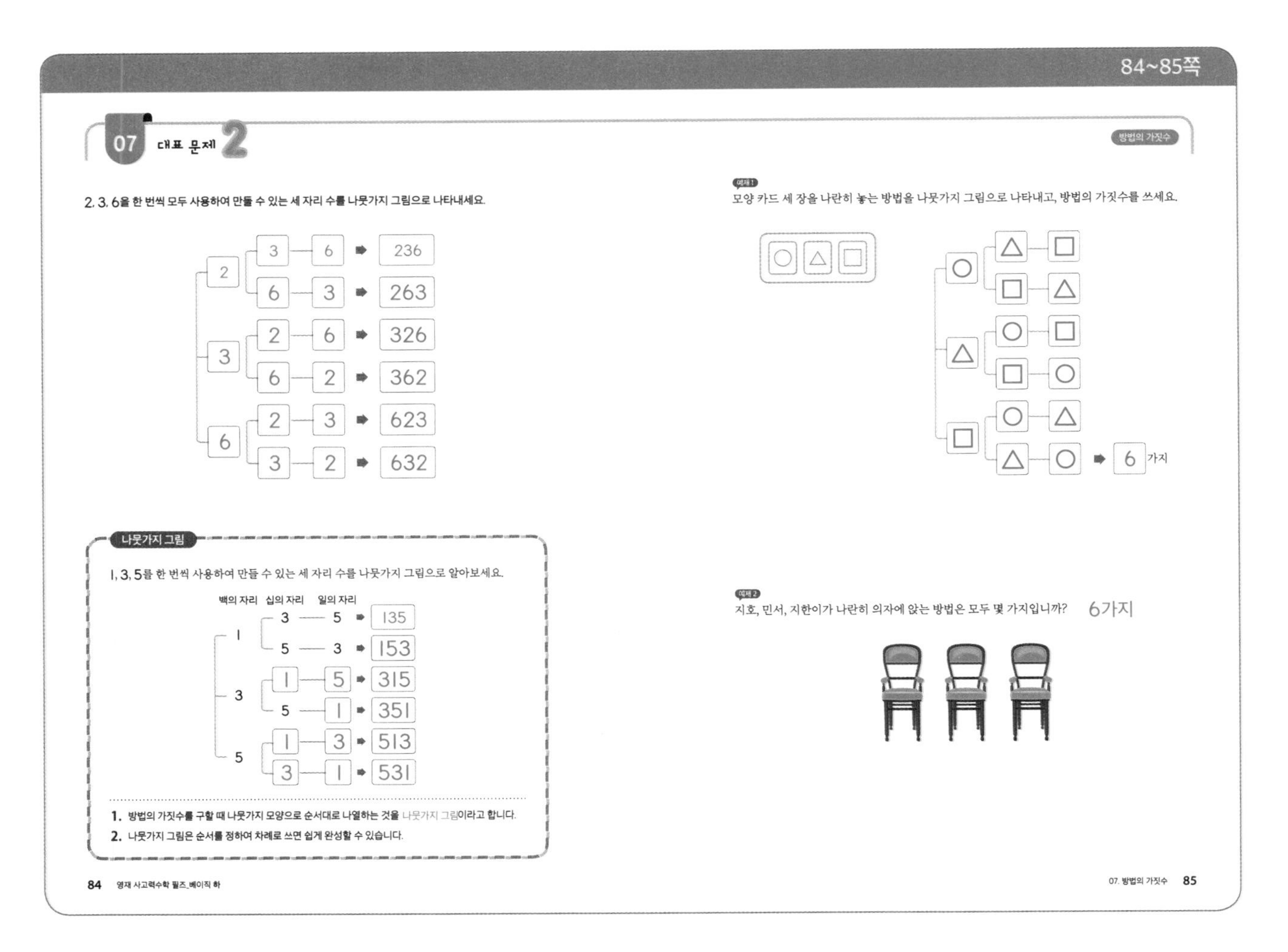
84~85쪽

07 대표 문제 2

2, 3, 6을 한 번씩 모두 사용하여 만들 수 있는 세 자리 수를 나뭇가지 그림으로 나타내세요.

2 — 3 — 6 ➡ 236
2 — 6 — 3 ➡ 263
3 — 2 — 6 ➡ 326
3 — 6 — 2 ➡ 362
6 — 2 — 3 ➡ 623
6 — 3 — 2 ➡ 632

나뭇가지 그림

1, 3, 5를 한 번씩 사용하여 만들 수 있는 세 자리 수를 나뭇가지 그림으로 알아보세요.

백의 자리 십의 자리 일의 자리
1 — 3 — 5 ➡ 135
1 — 5 — 3 ➡ 153
3 — 1 — 5 ➡ 315
3 — 5 — 1 ➡ 351
5 — 1 — 3 ➡ 513
5 — 3 — 1 ➡ 531

1. 방법의 가짓수를 구할 때 나뭇가지 모양으로 순서대로 나열하는 것을 나뭇가지 그림이라고 합니다.
2. 나뭇가지 그림은 순서를 정하여 차례로 쓰면 쉽게 완성할 수 있습니다.

84 영재 사고력수학 필즈_베이직 하

방법의 가짓수

예제 1
모양 카드 세 장을 나란히 놓는 방법을 나뭇가지 그림으로 나타내고, 방법의 가짓수를 쓰세요.

➡ 6 가지

예제 2
지호, 민서, 지한이가 나란히 의자에 앉는 방법은 모두 몇 가지입니까? 6가지

07. 방법의 가짓수 85

1) 백의 자리에 2, 3, 6을 한 번씩 넣습니다.

2) 백의 자리에 넣고 남은 두 수를 십의 자리에 넣은 후 두 수의 순서를 바꾸어 일의 자리에 넣습니다.

3) 백, 십, 일의 자리에 쓴 세 수로 세 자리 수를 만듭니다.

예제 1

1) 세 자리 수를 만드는 나뭇가지 그림을 그리는 방법과 같은 방법으로 나뭇가지 그림을 그립니다.

2) ○, △, □를 가장 앞에 한 번씩 넣습니다.

3) 남은 두 모양을 차례로 넣은 후 남은 자리에 두 모양의 순서를 바꾸어 넣습니다.

예제 2

지호 — 민서 — 지한
지호 — 지한 — 민서
민서 — 지호 — 지한
민서 — 지한 — 지호
지한 — 지호 — 민서
지한 — 민서 — 지호 ➡ 6가지

07 확인 문제

방법의 가짓수

1 지한이가 두 가지 맛 젤리를 한 개씩 먹으려고 합니다. 젤리를 먹는 방법은 모두 몇 가지입니까? 2가지

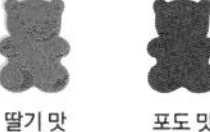

2 노란색 색연필과 빨간색 색연필로 아래 칸을 색칠하는 방법은 모두 몇 가지입니까?(단, 두 칸을 서로 다른 색으로 색칠합니다.) 2가지

3 올림픽 양궁 여자 단체전에 채영, 민희, 안산 선수가 출전하였습니다. 안산 선수가 항상 마지막에 경기를 하려고 할 때, 선수들이 출전하는 방법은 모두 몇 가지입니까? 2가지

4 색깔 카드 3장을 한 줄로 놓을 때 파란색 카드를 가장 앞에 놓는 방법은 몇 가지입니까? 2가지

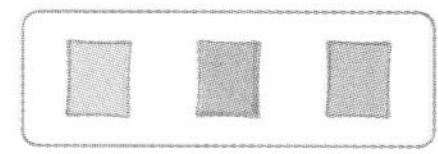

1 딸기 맛 – 포도 맛, 포도 맛 – 딸기 맛 ➡ 2가지

2  ➡ 2가지

3 채영 — 민희 > 안산 ➡ 2가지
민희 — 채영

4 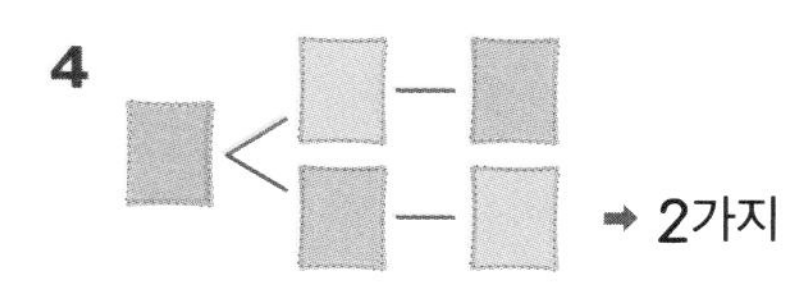 ➡ 2가지

확인 문제

방법의 가짓수

5 빨간색, 노란색, 파란색을 한 번씩 모두 사용하여 만들 수 있는 신호등을 색칠하여 나타내세요.

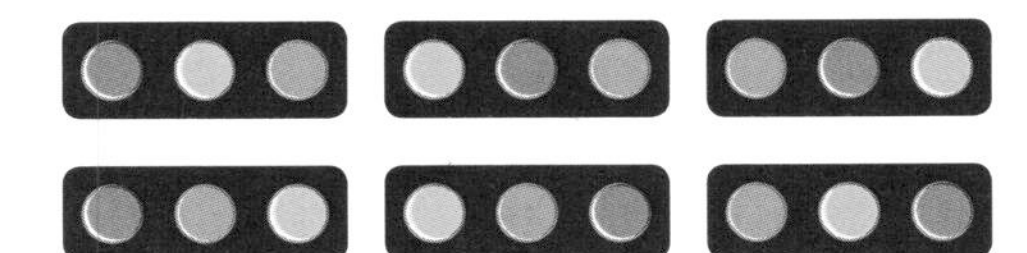

6 지한이는 경주 여행에서 첨성대, 불국사, 석굴암을 가려고 합니다. 여행 순서로 가능한 것을 나뭇가지 그림으로 나타내세요.

7 지겸이가 가위바위보를 3번 할 때 가위, 바위, 보를 낼 수 있는 방법은 모두 몇 가지입니까? (단, 가위, 바위, 보를 한 번씩만 냅니다.) 6가지

8 수 카드 2, 4가 두 장씩 있습니다. 카드를 한 번씩 모두 사용하여 만들 수 있는 두 자리 수를 모두 쓰세요. 22, 24, 42, 44

2 4

5 가장 왼쪽이 빨간색, 노란색, 파란색인 신호등을 각각 2가지씩 만들 수 있습니다.

6 첨성대, 불국사, 석굴암을 가장 먼저 가는 여행 순서를 각각 2가지씩 만들 수 있습니다.

7

가위 < 바위 — 보
　　　 보 — 바위
바위 < 가위 — 보
　　　 보 — 가위
보 < 가위 — 바위
　　 바위 — 가위 ➡ 6가지

8 1) 카드가 2장씩 있으므로 십의 자리와 일의 자리에 같은 숫자가 들어가는 수를 만들 수 있습니다.

2) 2 < 2 → 22
　　 4 → 24
4 < 2 → 42
　　 4 → 44

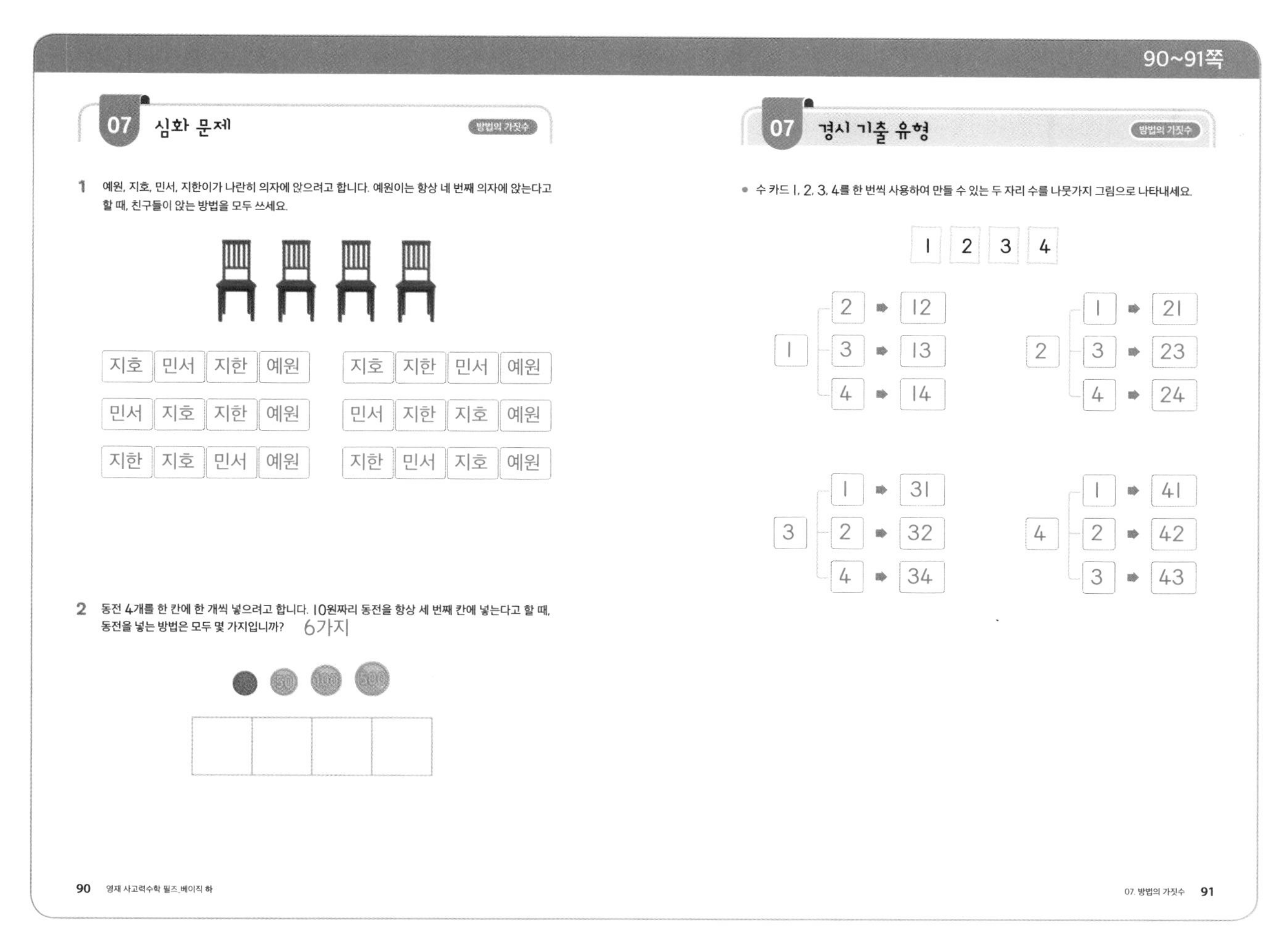
90~91쪽

07 심화 문제 (방법의 가짓수)

1 예원, 지호, 민서, 지한이가 나란히 의자에 앉으려고 합니다. 예원이는 항상 네 번째 의자에 앉는다고 할 때, 친구들이 앉는 방법을 모두 쓰세요.

지호	민서	지한	예원
민서	지호	지한	예원
지한	지호	민서	예원
지호	지한	민서	예원
민서	지한	지호	예원
지한	민서	지호	예원

2 동전 4개를 한 칸에 한 개씩 넣으려고 합니다. 10원짜리 동전을 항상 세 번째 칸에 넣는다고 할 때, 동전을 넣는 방법은 모두 몇 가지입니까? 6가지

90 영재 사고력수학 필즈 베이직 하

07 경시 기출 유형 (방법의 가짓수)

● 수 카드 1, 2, 3, 4를 한 번씩 사용하여 만들 수 있는 두 자리 수를 나뭇가지 그림으로 나타내세요.

1 2 3 4

1 – 2 ➡ 12, 3 ➡ 13, 4 ➡ 14
2 – 1 ➡ 21, 3 ➡ 23, 4 ➡ 24
3 – 1 ➡ 31, 2 ➡ 32, 4 ➡ 34
4 – 1 ➡ 41, 2 ➡ 42, 3 ➡ 43

07. 방법의 가짓수 91

1 **1)** 예원이의 자리가 결정되어 있으므로 나머지 세 명을 한 줄로 세우는 방법과 같습니다.

2)
지호 < 민서 — 지한 — 예원
지호 < 지한 — 민서 — 예원
민서 < 지호 — 지한 — 예원
민서 < 지한 — 지호 — 예원
지한 < 지호 — 민서 — 예원
지한 < 민서 — 지호 — 예원

2 **1)** 10원짜리 동전의 위치가 결정되어 있으므로 나머지 동전 3개를 한 줄로 세우는 방법과 같습니다.

2)
500 < 100 — 10 — 50
500 < 50 — 10 — 100
100 < 500 — 10 — 50
100 < 50 — 10 — 500
50 < 500 — 10 — 100
50 < 100 — 10 — 500 ➡ 6가지

● **1)** 1, 2, 3, 4를 십의 자리에 한 번씩 모두 씁니다.

2) 십의 자리에 넣고 남은 수 3개를 일의 자리에 한 번씩 모두 씁니다.

3) 십, 일의 자리에 쓴 수를 사용하여 두 자리 수를 만듭니다.

08 리뷰

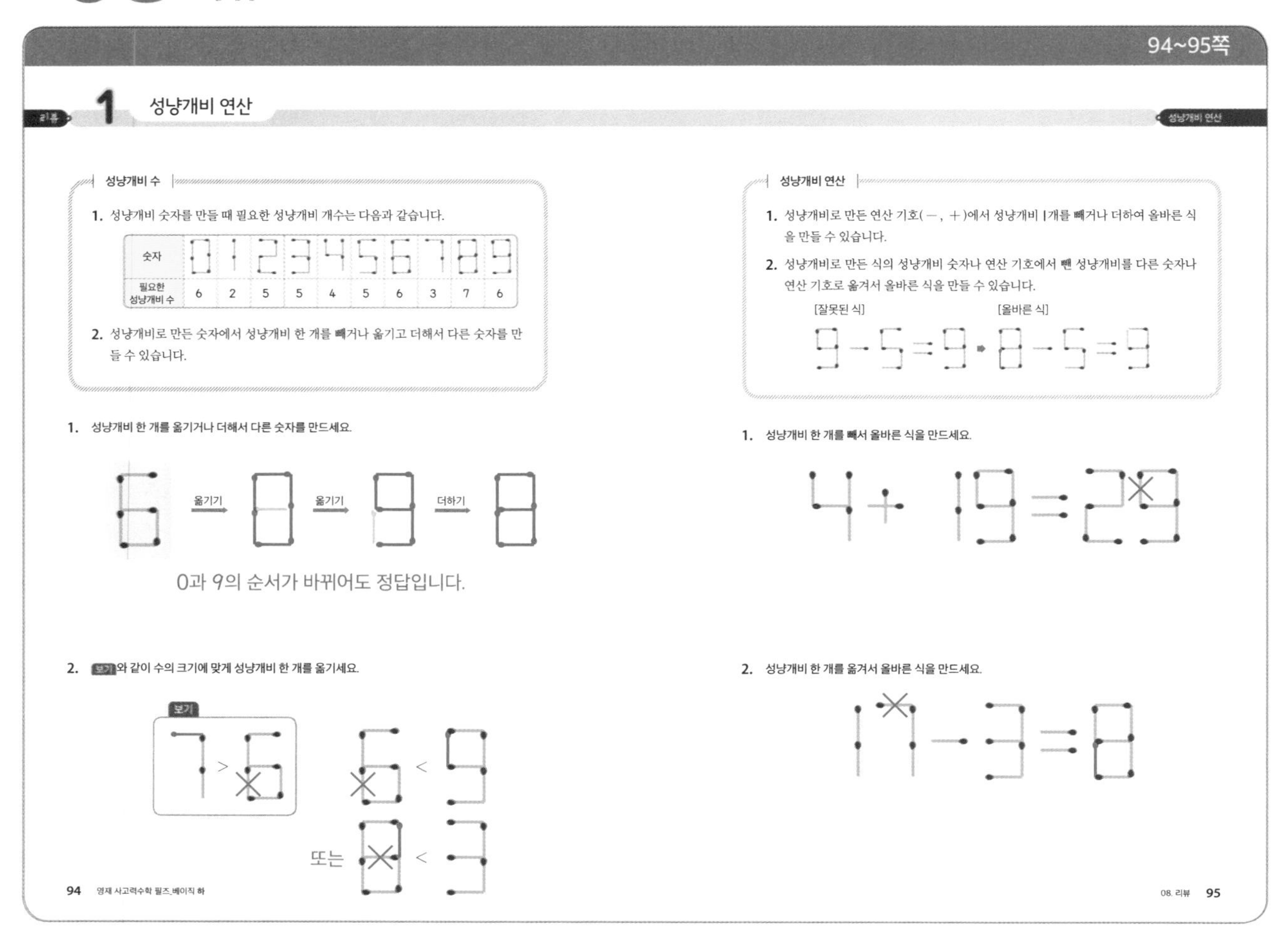

94~95쪽

리뷰 1 성냥개비 연산

성냥개비 수

1. 성냥개비 숫자를 만들 때 필요한 성냥개비 개수는 다음과 같습니다.

숫자	0	1	2	3	4	5	6	7	8	9
필요한 성냥개비 수	6	2	5	5	4	5	6	3	7	6

2. 성냥개비로 만든 숫자에서 성냥개비 한 개를 빼거나 옮기고 더해서 다른 숫자를 만들 수 있습니다.

1. 성냥개비 한 개를 옮기거나 더해서 다른 숫자를 만드세요.

0과 9의 순서가 바뀌어도 정답입니다.

2. 보기와 같이 수의 크기에 맞게 성냥개비 한 개를 옮기세요.

성냥개비 연산

1. 성냥개비로 만든 연산 기호(－, ＋)에서 성냥개비 1개를 빼거나 더하여 올바른 식을 만들 수 있습니다.
2. 성냥개비로 만든 식의 성냥개비 숫자나 연산 기호에서 뺀 성냥개비를 다른 숫자나 연산 기호로 옮겨서 올바른 식을 만들 수 있습니다.

1. 성냥개비 한 개를 빼서 올바른 식을 만드세요.

2. 성냥개비 한 개를 옮겨서 올바른 식을 만드세요.

94 영재 사고력수학 필즈_베이직 하

08. 리뷰 95

1 1) 6을 만드는 데 필요한 성냥개비는 6개이므로 성냥개비를 옮겨서 만들 수 있는 수는 0과 9입니다.

2) 성냥개비를 1개 더해서 만들 수 있는 수는 성냥개비 7개로 만들 수 있는 숫자 8입니다.

2 성냥개비 수 6에서 성냥개비 1개를 옮겨서 6을 5, 3을 9로 만들어 $6<3$을 $5<9$로 만들었습니다.
또는 성냥개비 수 6에서 성냥개비 1개를 옮겨서 6을 0으로 만들어 $6<3$을 $0<3$으로 만들었습니다.

1 맨 뒤에 있는 성냥개비 수 9에서 성냥개비 1개를 빼서 9를 3으로 만들어 $4+19=23$을 만들었습니다.

2 성냥개비 수 7에서 성냥개비 1개를 옮겨서 7을 1, 9를 8로 만들어 $11-3=8$을 만들었습니다.

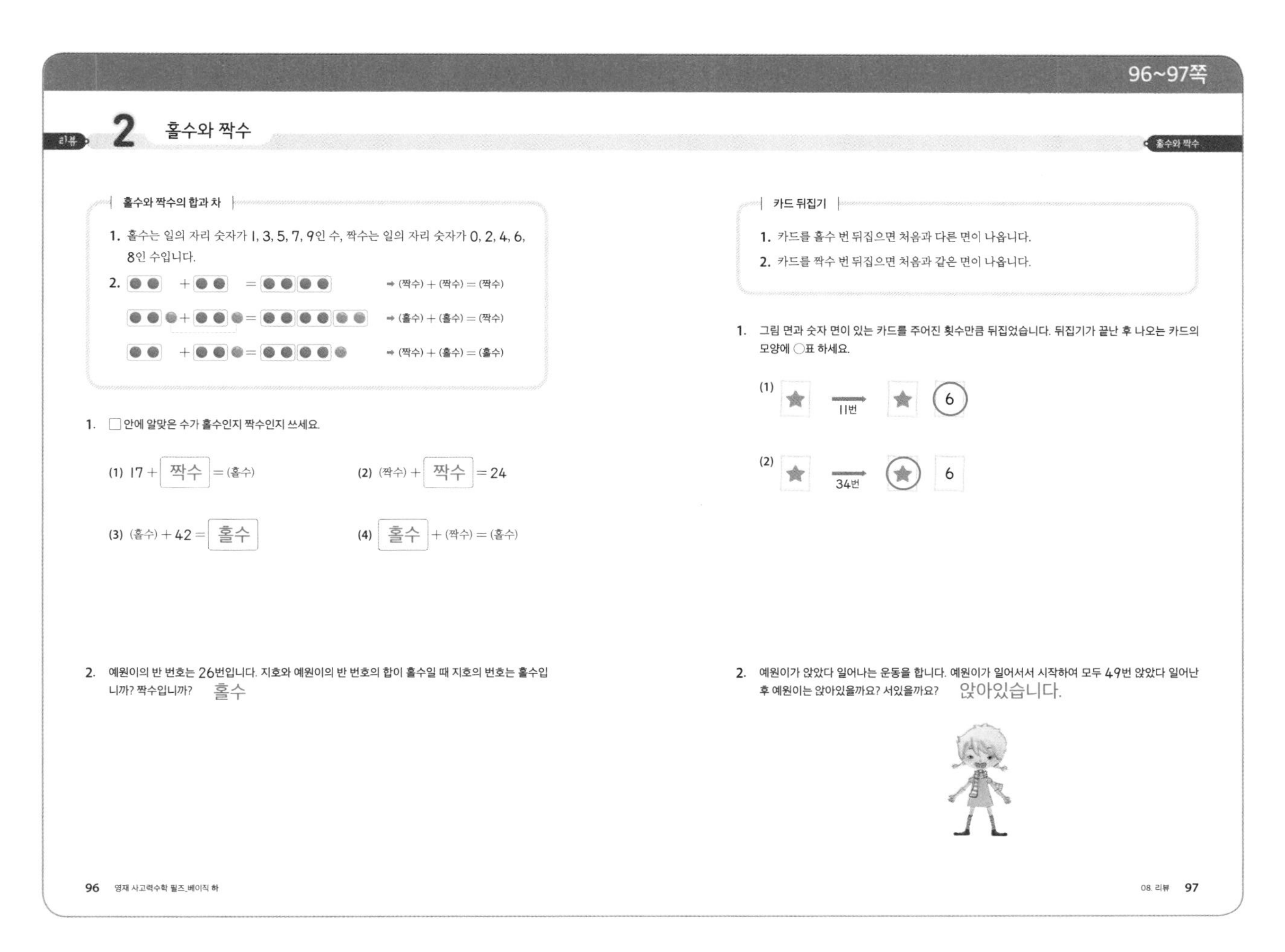
96~97쪽

리뷰 2 홀수와 짝수

홀수와 짝수의 합과 차

1. 홀수는 일의 자리 숫자가 1, 3, 5, 7, 9인 수, 짝수는 일의 자리 숫자가 0, 2, 4, 6, 8인 수입니다.

2. ●● + ●● = ●●●● ➡ (짝수) + (짝수) = (짝수)

●●● + ●●● = ●●●●●● ➡ (홀수) + (홀수) = (짝수)

●● + ●●● = ●●●●● ➡ (짝수) + (홀수) = (홀수)

1. □ 안에 알맞은 수가 홀수인지 짝수인지 쓰세요.

(1) 17 + 짝수 = (홀수)

(2) (짝수) + 짝수 = 24

(3) (홀수) + 42 = 홀수

(4) 홀수 + (짝수) = (홀수)

2. 예원이의 반 번호는 26번입니다. 지호와 예원이의 반 번호의 합이 홀수일 때 지호의 번호는 홀수입니까? 짝수입니까? 홀수

카드 뒤집기

1. 카드를 홀수 번 뒤집으면 처음과 다른 면이 나옵니다.

2. 카드를 짝수 번 뒤집으면 처음과 같은 면이 나옵니다.

1. 그림 면과 숫자 면이 있는 카드를 주어진 횟수만큼 뒤집었습니다. 뒤집기가 끝난 후 나오는 카드의 모양에 ○표 하세요.

(1) ★ → 11번 ★ ⑥

(2) ★ → 34번 ⓐ★ 6

2. 예원이가 앉았다 일어나는 운동을 합니다. 예원이가 일어서서 시작하여 모두 49번 앉았다 일어난 후 예원이는 앉아있을까요? 서있을까요? 앉아있습니다.

96 영재 사고력수학 필즈_베이직 하 08. 리뷰 97

1 (1) 17은 홀수이고 (홀수)+□=(홀수), □=(짝수)
(2) 24는 짝수이고 (짝수)+□=(짝수), □=(짝수)
(3) 42는 짝수이고 (홀수)+(짝수)=(홀수)
(4) □+(짝수)=(홀수), □=(홀수)

2 26은 짝수입니다. (짝수)+(홀수)=(홀수)이므로 지호의 번호는 홀수 번입니다.

1 (1) 11(홀수)번 뒤집었으므로 처음과 다른 면이 나옵니다.
(2) 34(짝수)번 뒤집었으므로 처음과 같은 면이 나옵니다.

2 1) 홀수 번 움직이면 처음과 다른 자세가 됩니다.
2) 예원이는 일어서서 시작하였으므로 49번 운동한 후 앉은 자세가 됩니다.

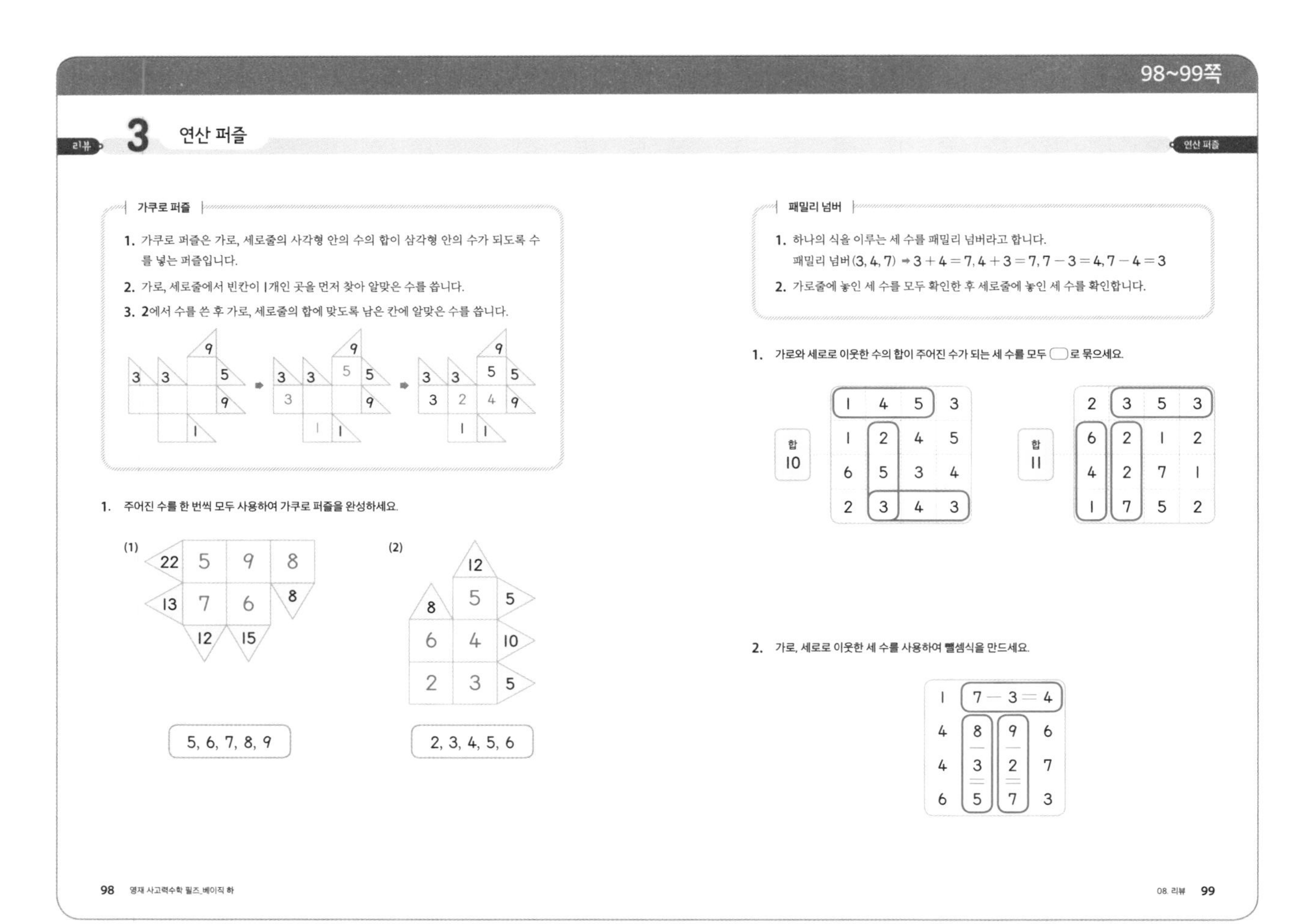

1 (1)

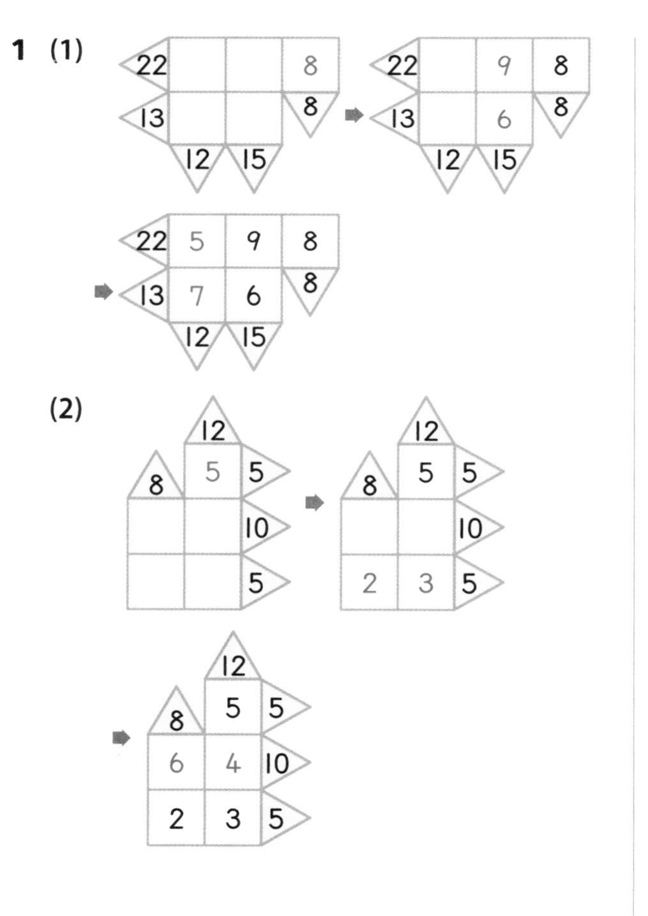

(2)

2 뺄셈식을 만드는 이웃한 세 수를 찾을 때에는 가장 큰 수가 가장 앞의 수가 되는 세 수 중 올바른 계산이 되는 세 수를 찾습니다.

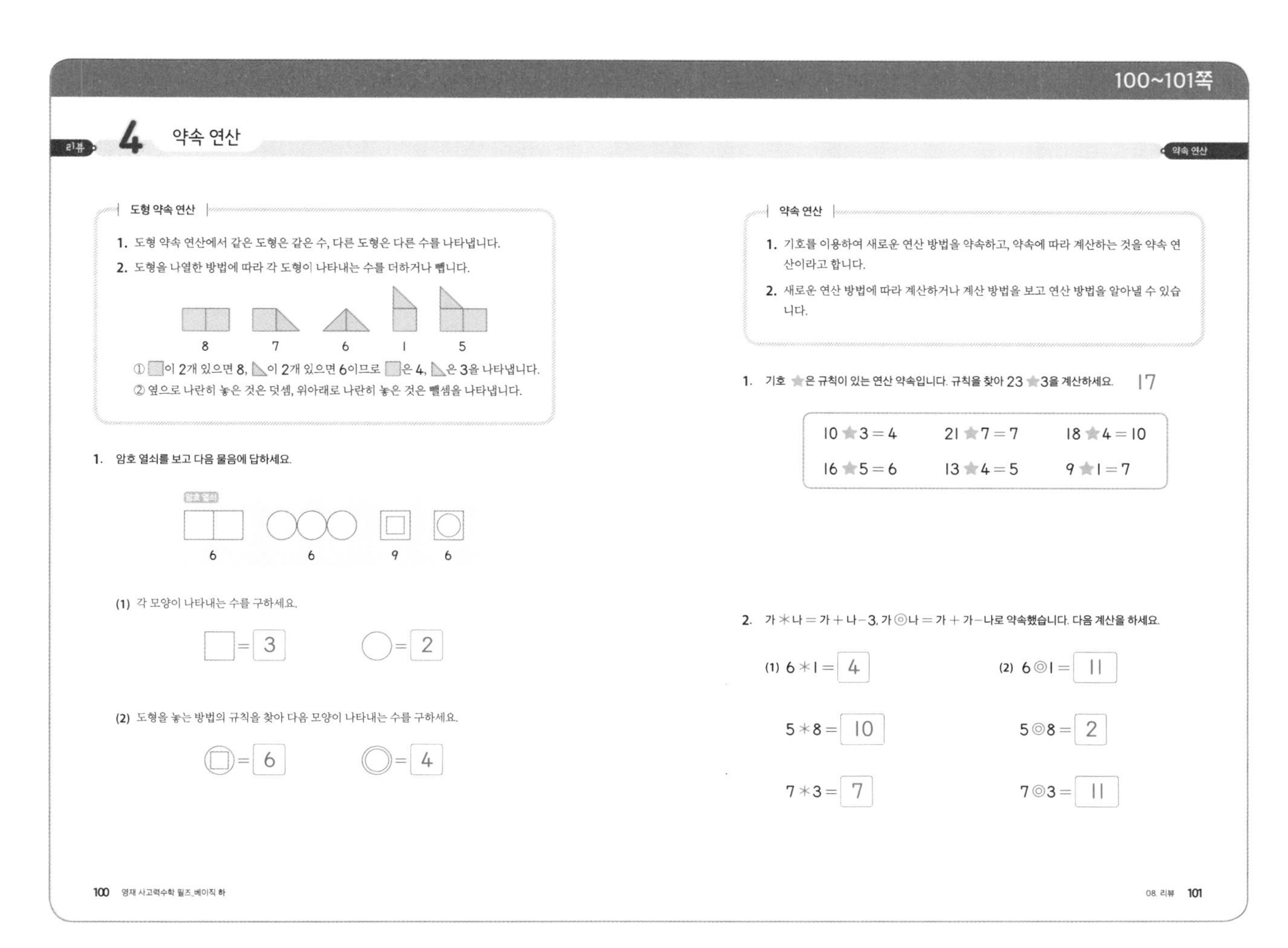

100~101쪽

리뷰 4 약속 연산

도형 약속 연산

1. 도형 약속 연산에서 같은 도형은 같은 수, 다른 도형은 다른 수를 나타냅니다.
2. 도형을 나열한 방법에 따라 각 도형이 나타내는 수를 더하거나 뺍니다.

8 7 6 1 5

① □이 2개 있으면 8, ◺이 2개 있으면 6이므로 □은 4, ◺은 3을 나타냅니다.
② 옆으로 나란히 놓은 것은 덧셈, 위아래로 나란히 놓은 것은 뺄셈을 나타냅니다.

1. 암호 열쇠를 보고 다음 물음에 답하세요.

암호 열쇠

6 6 9 6

(1) 각 모양이 나타내는 수를 구하세요.

□ = 3　　○ = 2

(2) 도형을 놓는 방법의 규칙을 찾아 다음 모양이 나타내는 수를 구하세요.

⊡ = 6　　◎ = 4

약속 연산

1. 기호를 이용하여 새로운 연산 방법을 약속하고, 약속에 따라 계산하는 것을 약속 연산이라고 합니다.
2. 새로운 연산 방법에 따라 계산하거나 계산 방법을 보고 연산 방법을 알아낼 수 있습니다.

1. 기호 ★은 규칙이 있는 연산 약속입니다. 규칙을 찾아 23★3을 계산하세요. 17

10★3=4	21★7=7	18★4=10
16★5=6	13★4=5	9★1=7

2. 가✳나=가+나−3, 가◎나=가+가−나로 약속했습니다. 다음 계산을 하세요.

(1) 6✳1= 4　　(2) 6◎1= 11

5✳8= 10　　5◎8= 2

7✳3= 7　　7◎3= 11

100 영재 사고력수학 필즈_베이직 하　　08. 리뷰 101

1 1) 나란히 놓은 것은 덧셈을 나타냅니다.

2) 도형 안에 도형을 넣은 것은 밖의 도형이 나타내는 수를 안의 도형이 나타내는 수만큼 더하는 것입니다.

3) ⊡$=2+2+2=6$

4) ◎$=2+2=4$

1 1) 가★나=가−나−나

2) 23★$3=23-3-3=17$

2 (1) $6 \ast 1=6+1-3=4$

$5 \ast 8=5+8-3=10$

$7 \ast 3=7+3-3=7$

(2) $6 ◎ 1=6+6-1=11$

$5 ◎ 8=5+5-8=2$

$7 ◎ 3=7+7-3=11$

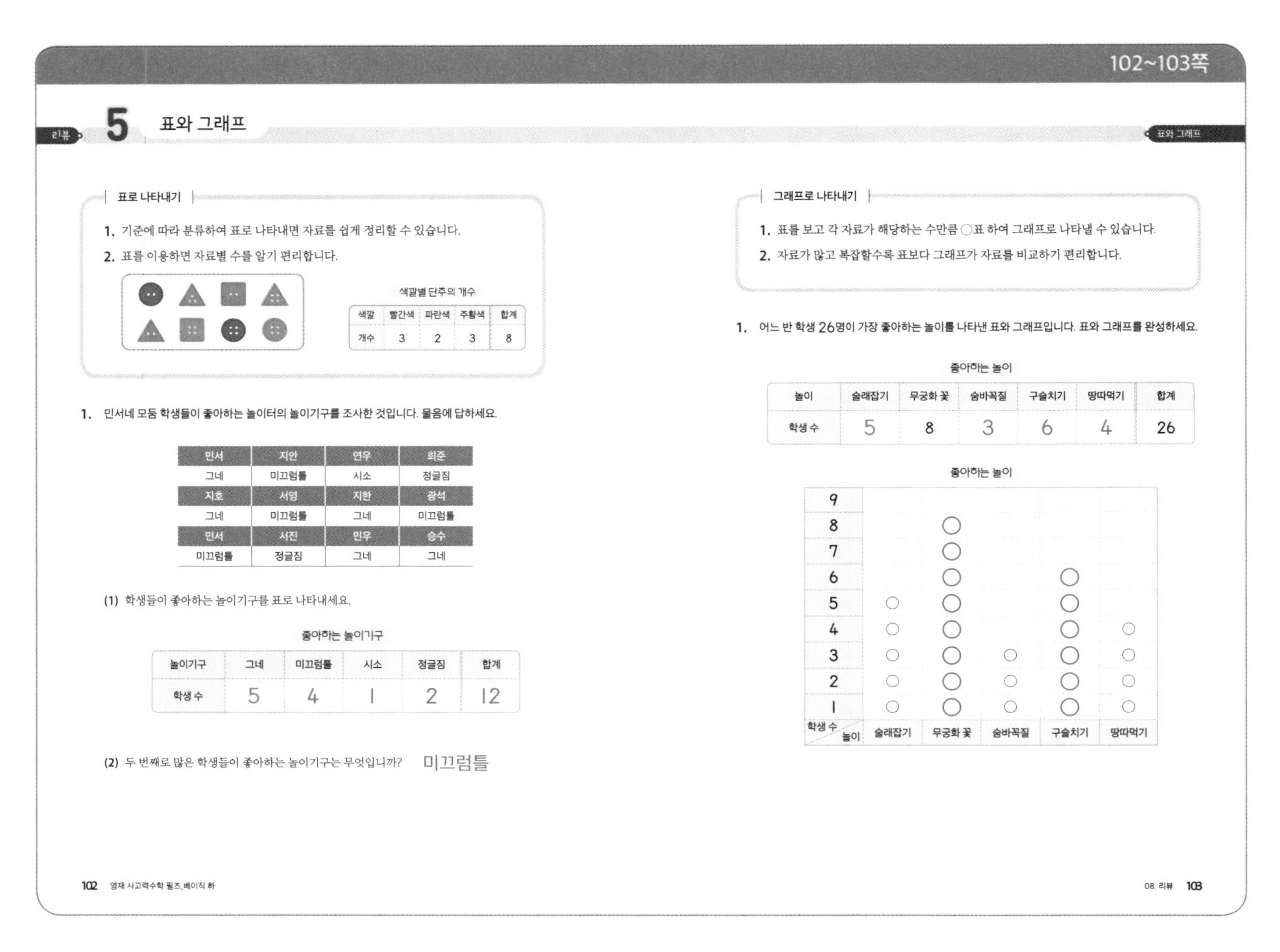

102~103쪽

리뷰 5 표와 그래프

표로 나타내기

1. 기준에 따라 분류하여 표로 나타내면 자료를 쉽게 정리할 수 있습니다.
2. 표를 이용하면 자료별 수를 알기 편리합니다.

색깔별 단추의 개수

색깔	빨간색	파란색	주황색	합계
개수	3	2	3	8

1. 민서네 모둠 학생들이 좋아하는 놀이터의 놀이기구를 조사한 것입니다. 물음에 답하세요.

민서	지안	연우	회준
그네	미끄럼틀	시소	정글짐
지호	서영	지한	광석
그네	미끄럼틀	그네	미끄럼틀
민서	서진	민우	승수
미끄럼틀	정글짐	그네	그네

(1) 학생들이 좋아하는 놀이기구를 표로 나타내세요.

좋아하는 놀이기구

놀이기구	그네	미끄럼틀	시소	정글짐	합계
학생 수	5	4	1	2	12

(2) 두 번째로 많은 학생들이 좋아하는 놀이기구는 무엇입니까? 미끄럼틀

102 영재 사고력수학 필즈_베이직 하

표와 그래프

그래프로 나타내기

1. 표를 보고 각 자료가 해당하는 수만큼 ○표 하여 그래프로 나타낼 수 있습니다.
2. 자료가 많고 복잡할수록 표보다 그래프가 자료를 비교하기 편리합니다.

1. 어느 반 학생 26명이 가장 좋아하는 놀이를 나타낸 표와 그래프입니다. 표와 그래프를 완성하세요.

좋아하는 놀이

놀이	술래잡기	무궁화 꽃	숨바꼭질	구슬치기	땅따먹기	합계
학생 수	5	8	3	6	4	26

좋아하는 놀이

9					
8		○			
7		○			
6		○		○	
5	○	○		○	
4	○	○		○	○
3	○	○	○	○	○
2	○	○	○	○	○
1	○	○	○	○	○
학생 수 / 놀이	술래잡기	무궁화 꽃	숨바꼭질	구슬치기	땅따먹기

08. 리뷰 103

1 (2) 두 번째로 많은 학생들이 좋아하는 놀이기구는 학생 4명이 좋아하는 미끄럼틀입니다.

1 1) 그래프를 보고 표의 빈칸에 술래잡기, 숨바꼭질, 땅따먹기를 좋아하는 학생 수를 씁니다.

2) 표를 보고 무궁화 꽃을 좋아하는 학생 수를 그래프에 나타냅니다.

3) 전체 학생 수 26명에서 나머지 놀이를 좋아하는 학생 수를 빼서 구슬치기를 좋아하는 학생 수를 구한 후 표와 그래프에 나타냅니다.

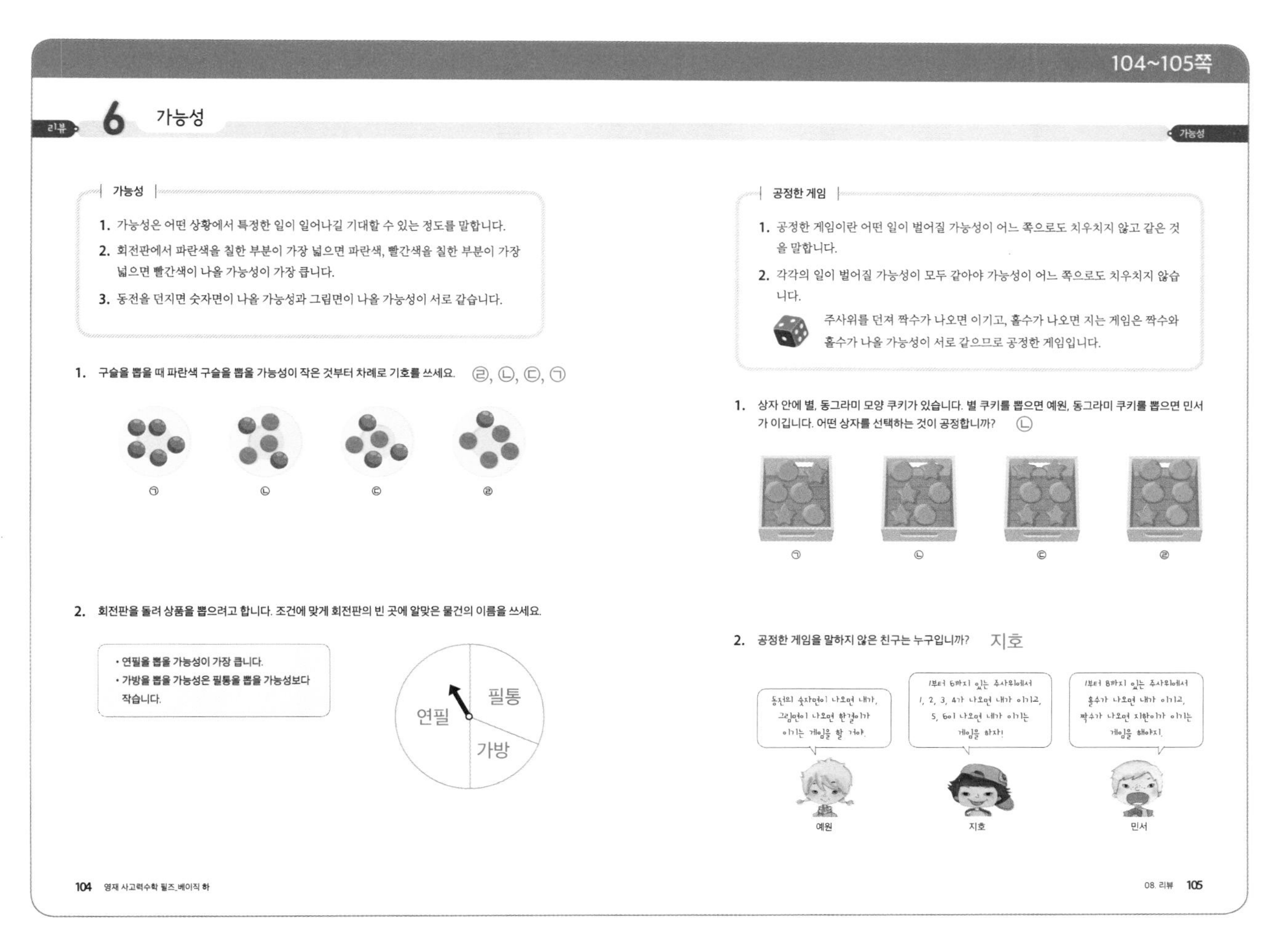
104~105쪽

리뷰 6 가능성

가능성

1. 가능성은 어떤 상황에서 특정한 일이 일어나길 기대할 수 있는 정도를 말합니다.
2. 회전판에서 파란색을 칠한 부분이 가장 넓으면 파란색, 빨간색을 칠한 부분이 가장 넓으면 빨간색이 나올 가능성이 가장 큽니다.
3. 동전을 던지면 숫자면이 나올 가능성과 그림면이 나올 가능성이 서로 같습니다.

1. 구슬을 뽑을 때 파란색 구슬을 뽑을 가능성이 작은 것부터 차례로 기호를 쓰세요. ㉣, ㉡, ㉢, ㉠

㉠ ㉡ ㉢ ㉣

2. 회전판을 돌려 상품을 뽑으려고 합니다. 조건에 맞게 회전판의 빈 곳에 알맞은 물건의 이름을 쓰세요.

• 연필을 뽑을 가능성이 가장 큽니다.
• 가방을 뽑을 가능성은 필통을 뽑을 가능성보다 작습니다.

연필 필통 가방

공정한 게임

1. 공정한 게임이란 어떤 일이 벌어질 가능성이 어느 쪽으로도 치우치지 않고 같은 것을 말합니다.
2. 각각의 일이 벌어질 가능성이 모두 같아야 가능성이 어느 쪽으로도 치우치지 않습니다.

주사위를 던져 짝수가 나오면 이기고, 홀수가 나오면 지는 게임은 짝수와 홀수가 나올 가능성이 서로 같으므로 공정한 게임입니다.

1. 상자 안에 별, 동그라미 모양 쿠키가 있습니다. 별 쿠키를 뽑으면 예원, 동그라미 쿠키를 뽑으면 민서가 이깁니다. 어떤 상자를 선택하는 것이 공정합니까? ㉡

㉠ ㉡ ㉢ ㉣

2. 공정한 게임을 말하지 않은 친구는 누구입니까? 지호

104 영재 사고력수학 필즈_베이직 하

08. 리뷰 105

1 1) 구슬 5개 중 파란색 구슬의 개수가 적을수록 파란색 구슬을 뽑을 가능성이 작습니다.

2) ㉣ 파란색 구슬 1개 ➡ ㉡ 파란색 구슬 2개 ➡ ㉢ 파란색 구슬 3개 ➡ ㉠ 파란색 구슬 5개

2 1) 연필을 뽑을 가능성이 가장 크므로 연필을 가장 넓은 칸에 씁니다.

2) 가방을 뽑을 가능성이 필통을 뽑을 가능성보다 작으므로 가방을 남은 두 칸 중 더 좁은 칸에 씁니다.

1 별 쿠키와 동그라미 쿠키의 개수가 같은 상자는 ㉡입니다.

2 지호가 말하는 게임은 1부터 6까지의 수 중 1, 2, 3, 4가 나오면 지호가 이기므로 지호에게 유리한 게임입니다.

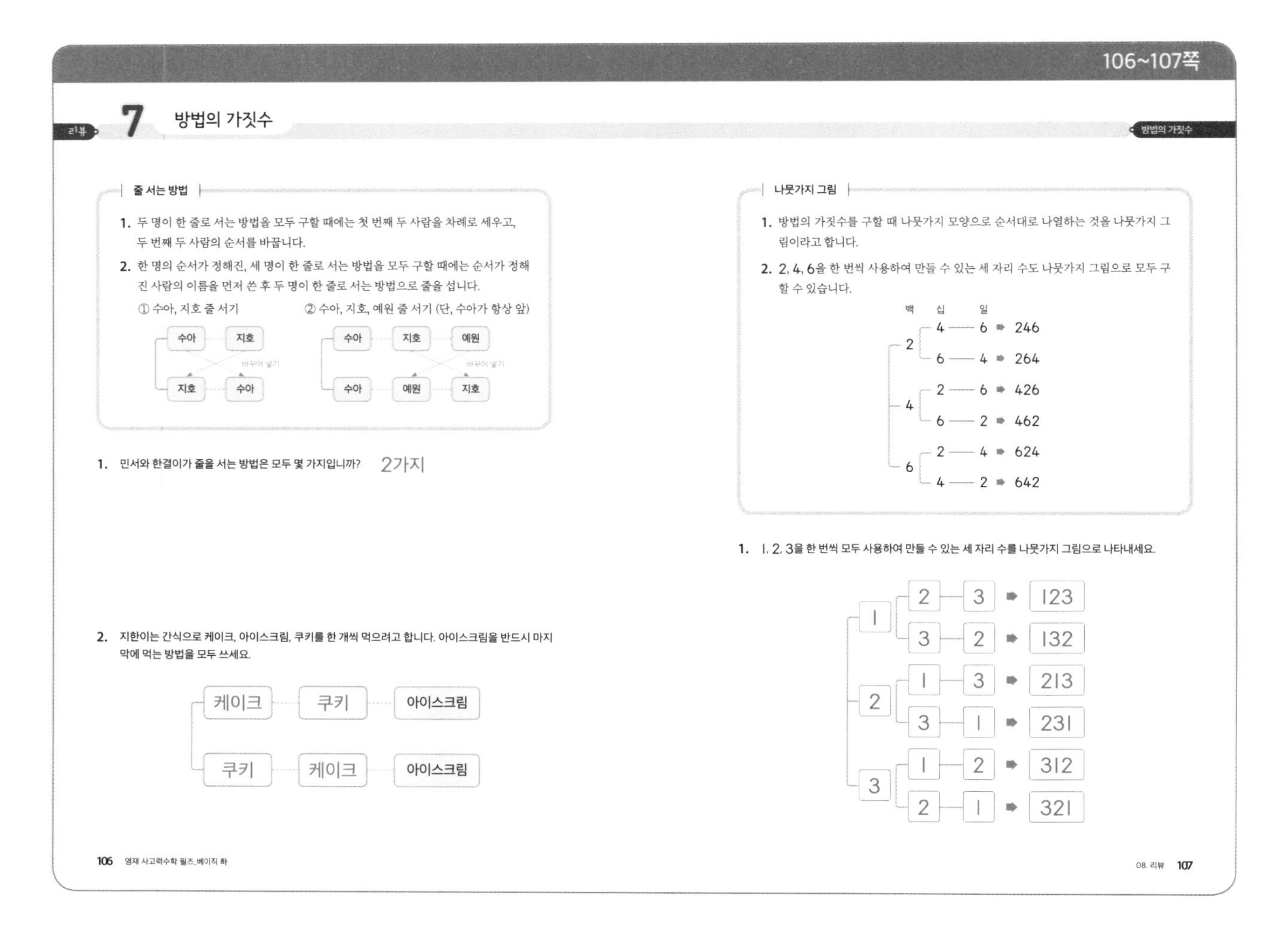
106~107쪽

리뷰 7 방법의 가짓수

줄 서는 방법

1. 두 명이 한 줄로 서는 방법을 모두 구할 때에는 첫 번째 두 사람을 차례로 세우고, 두 번째 두 사람의 순서를 바꿉니다.
2. 한 명의 순서가 정해진, 세 명이 한 줄로 서는 방법을 모두 구할 때에는 순서가 정해진 사람의 이름을 먼저 쓴 후 두 명이 한 줄로 서는 방법으로 줄을 섭니다.

① 수아, 지호 줄 서기 ② 수아, 지호, 예원 줄 서기 (단, 수아가 항상 앞)

수아 — 지호 / 지호 — 수아 (바꾸어 넣기)

수아 — 지호 — 예원 / 수아 — 예원 — 지호 (바꾸어 넣기)

1. 민서와 한결이가 줄을 서는 방법은 모두 몇 가지입니까? 2가지

2. 지한이는 간식으로 케이크, 아이스크림, 쿠키를 한 개씩 먹으려고 합니다. 아이스크림을 반드시 마지막에 먹는 방법을 모두 쓰세요.

케이크 — 쿠키 — 아이스크림

쿠키 — 케이크 — 아이스크림

106 영재 사고력수학 필즈_베이직 하

나뭇가지 그림

1. 방법의 가짓수를 구할 때 나뭇가지 모양으로 순서대로 나열하는 것을 나뭇가지 그림이라고 합니다.
2. 2, 4, 6을 한 번씩 사용하여 만들 수 있는 세 자리 수도 나뭇가지 그림으로 모두 구할 수 있습니다.

백	십	일	
2	4	6	➡ 246
	6	4	➡ 264
4	2	6	➡ 426
	6	2	➡ 462
6	2	4	➡ 624
	4	2	➡ 642

1. 1, 2, 3을 한 번씩 모두 사용하여 만들 수 있는 세 자리 수를 나뭇가지 그림으로 나타내세요.

1	2	3	➡ 123
	3	2	➡ 132
2	1	3	➡ 213
	3	1	➡ 231
3	1	2	➡ 312
	2	1	➡ 321

08. 리뷰 107

1 두 명이 한 줄로 서는 방법은 항상 2가지입니다.

2 첫 번째 방법에는 케이크와 쿠키를 차례로 쓴 후 두 번째 방법에서 케이크와 쿠키의 순서를 바꾸어 씁니다.

1 1) 1, 2, 3 을 백의 자리에 한 번씩 씁니다.

2) 백의 자리에 쓰고 남은 두 수를 십의 자리에 쓴 후 두 수의 순서를 바꾸어 일의 자리에 씁니다.

3) 백, 십, 일의 자리에 쓴 수를 이용하여 세 자리 수를 만듭니다.

Memo

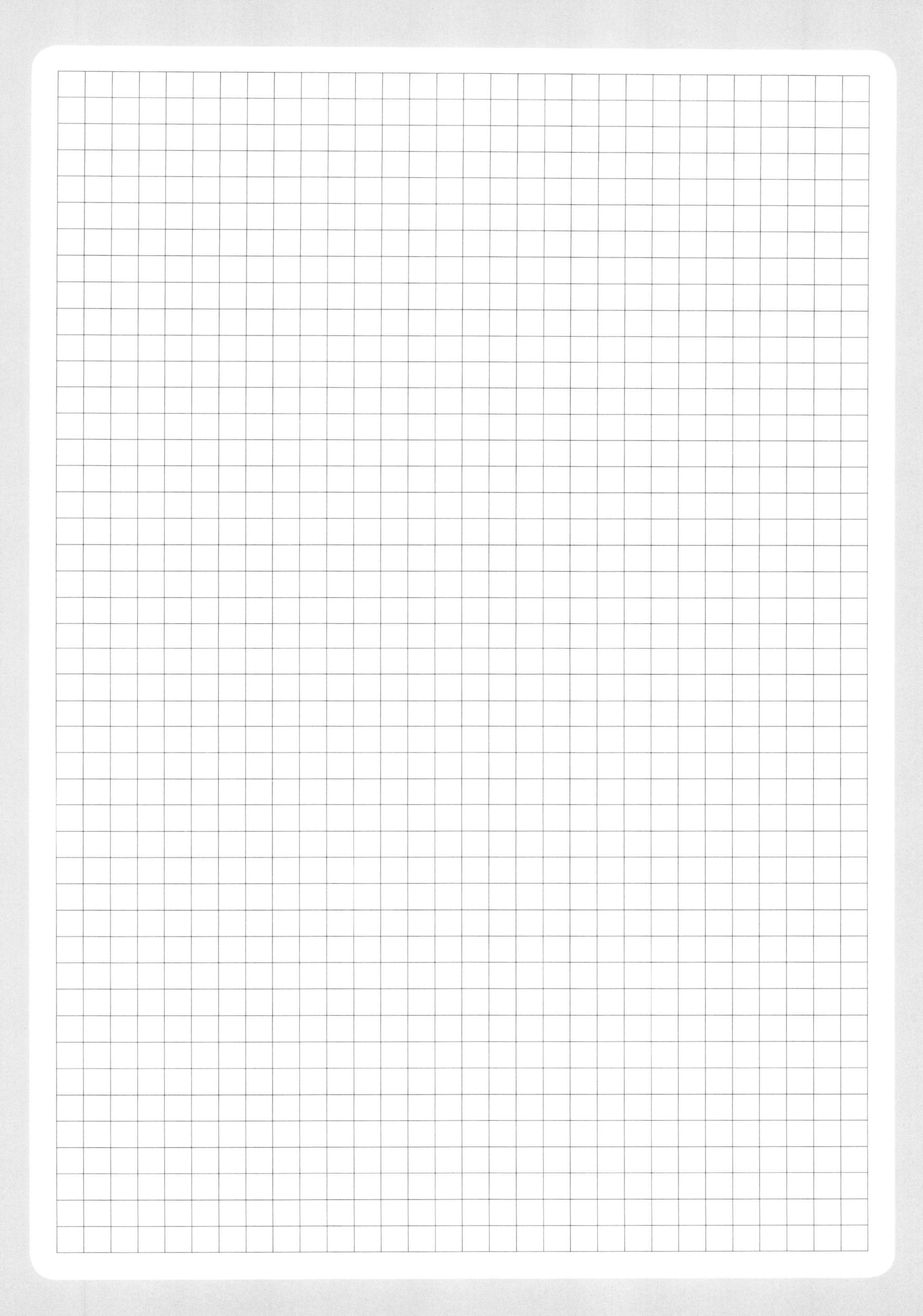

Memo

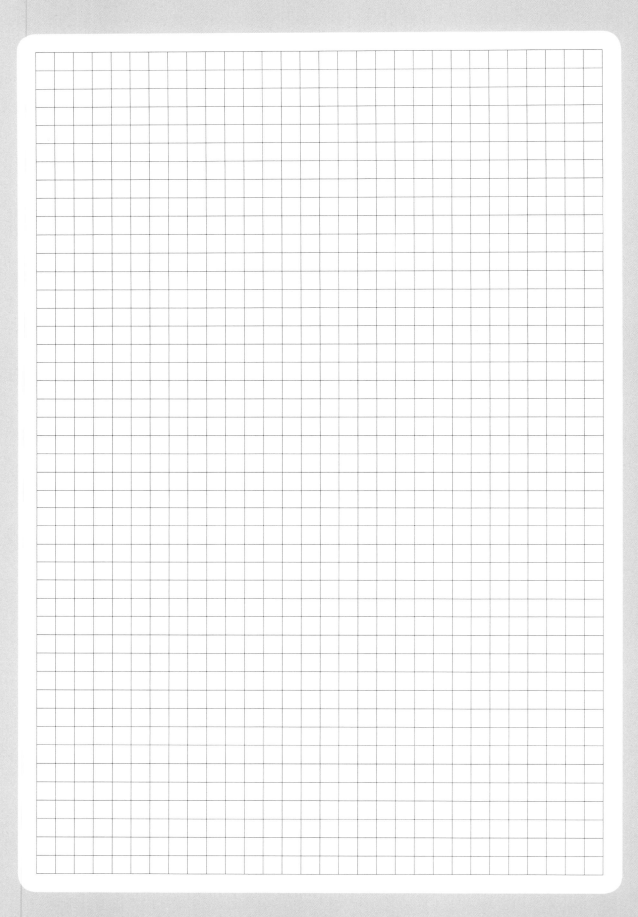

“TRANSIRE SUUM PECTUS MUNDOQUE POTIRI”

“

자신 위로 올라서
세상을 꽉 잡아라

”